CORNELIUS RYAN

DER LÄNGSTE TAG

Normandie: 6. Juni 1944

Aus dem Amerikanischen
von Adolf Himmel

WILHELM HEYNE VERLAG
MÜNCHEN

HEYNE ALLGEMEINE REIHE
Nr. 01/20035

Titel der Originalausgabe
THE LONGEST DAY
erschienen bei Simon & Schuster, New York

Umwelthinweis:
Das Buch wurde auf
chlor- und säurefreiem Papier gedruckt.

Wilhelm Heyne Verlag GmbH & Co. KG, München
Printed in Germany 1998
Umschlagillustration: Bilderdienst Süddeutscher Verlag/US-Army, München
Umschlaggestaltung: Atelier Ingrid Schütz, München
Satz: Pinkuin Satz und Datentechnik, Berlin
Druck und Bindung: Pressedruck, Augsburg

ISBN 3-453-15577-7

http://www.heyne.de

Das Buch

Der 6. Juni 1944 gilt als ein entscheidender Tag für den Verlauf des Zweiten Weltkriegs. Kurz nach Mitternacht sprangen die ersten Fallschirmspringer über der Normandie ab, und im Morgengrauen bezog die größte Kriegsflotte, die die Welt jemals gesehen hatte, vor der Küste Stellung – fast fünftausend Schiffe mit über zweihunderttausend Soldaten. Der D-Day, wie die Amerikaner den Tag der alliierten Invasion nannten, sollte aber auch als einer der verlustreichsten Tage des Krieges in Erinnerung bleiben.

Cornelius Ryan, der an der Invasion als Kriegsberichterstatter beteiligt war, recherchierte nach dem Krieg zehn Jahre lang in den Archiven aller beteiligten Staaten und führte über 700 Interviews. Trotz der von den Historikern anerkannten Genauigkeit seiner Darstellung handelt es sich bei diesem Dokumentarbericht nicht um eine militärgeschichtliche Untersuchung. Ryan erzählt vielmehr von den Menschen, die die Ereignisse dieses Tages miterlebten und erlitten. Er macht die Geschichte des Zweiten Weltkriegs lebendig.

Der Autor

Cornelius Ryan wurde1920 in der irischen Hauptstadt Dublin geboren und starb 1974 in New York. Als Kriegsberichterstatter im Zweiten Weltkrieg begleitete er zunächst die alliierten Truppen bei ihrem Vorstoß durch Frankreich und Deutschland, später berichtete er aus dem Pazifik. Weltberühmt wurde er durch sein Buch »Der längste Tag«, von dem in aller Welt über vier Millionen Exemplare verkauft wurden. Er schrieb außerdem Bücher über die Luftinvasion in Holland und über die letzte Schlacht um Berlin.

FÜR ALLE MÄNNER
DES LANDUNGSTAGES

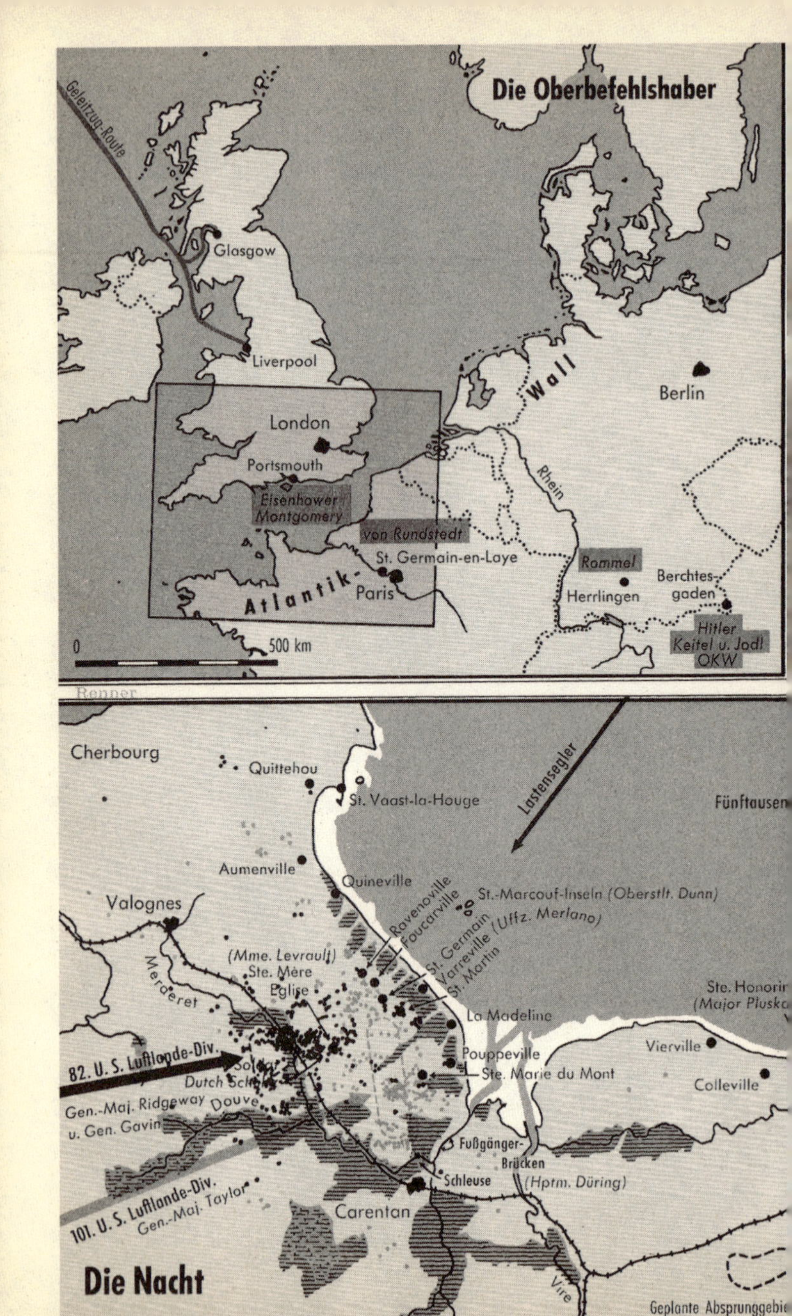

Die Oberbefehlshaber
Geleitzug-Route
Glasgow
Liverpool
London
Portsmouth
Eisenhower
Montgomery
von Rundstedt
St. Germain-en-Laye
Paris
Atlantik-
Wall
Rhein
Berlin
Rommel
Herrlingen
Berchtes-
gaden
Hitler
Keitel u. Jodl
OKW
0
500 km
Cherbourg
Quittehou
St. Vaast-la-Hougue
Lastensegler
Fünftausen
Aumenville
Quineville
Valognes
Ravenoville
Foucarville
St.-Marcouf-Inseln (Oberstlt. Dunn)
St. Germain
Varreville (Uffz. Merlano)
St. Martin
(Mme. Levrault)
Ste. Mère
Eglise
Merderet
La Madeline
Ste. Honorin
(Major Pluska
82. U. S. Luftlande-Div.
Pouppeville
Vierville
Ste. Marie du Mont
Colleville
Dutch Sch
Gen.-Maj. Ridgeway
u. Gen. Gavin
Douve
Fußgänger-
Brücken
(Hptm. Düring)
Schleuse
101. U. S. Luftlande-Div.
Gen.-Maj. Taylor
Carentan
Die Nacht
Vire
Geplante Absprunggebie

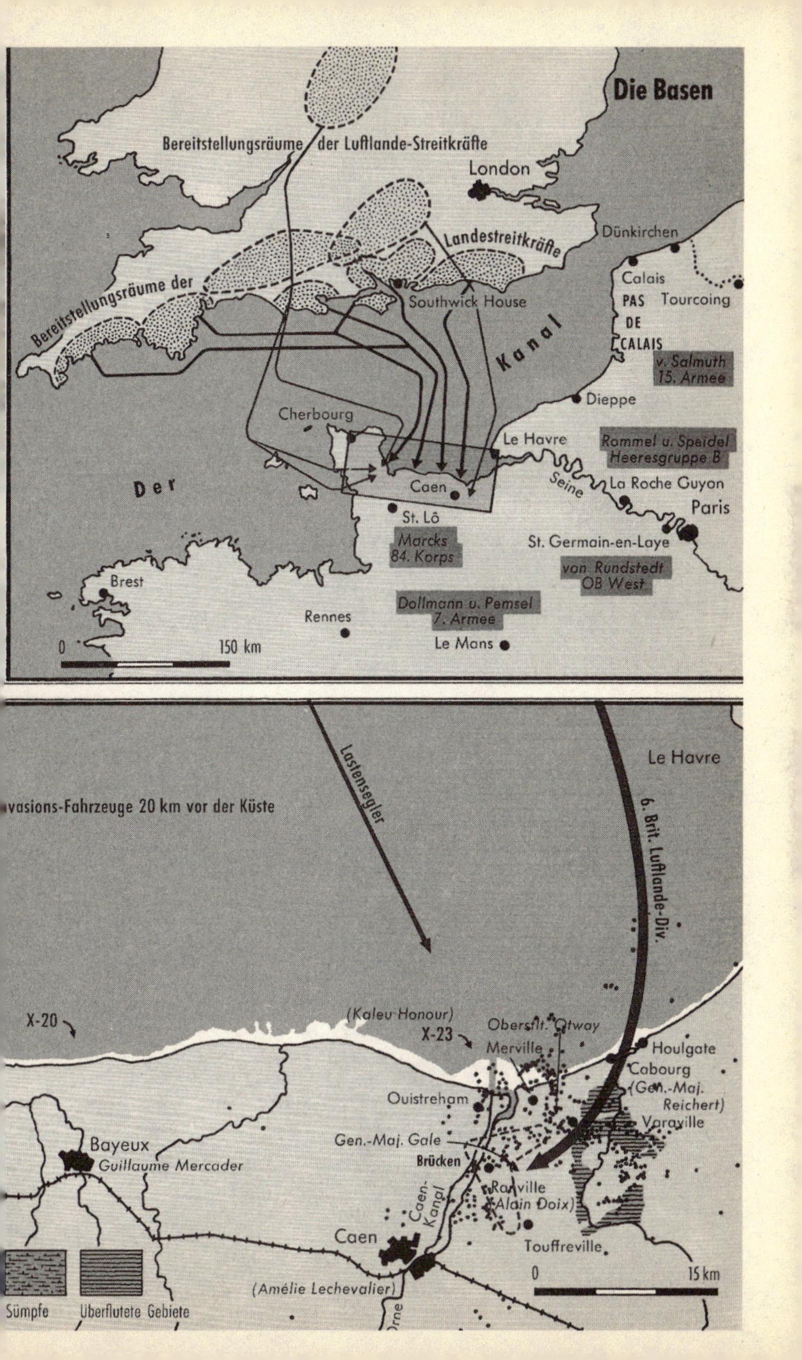
Die Basen
Bereitstellungsräume der Luftlande-Streitkräfte
London
Landestreitkräfte
Bereitstellungsräume der
Dünkirchen
Calais
Tourcoing
PAS
DE
CALAIS
Southwick House
Kanal
v. Salmuth
15. Armee
Dieppe
Cherbourg
Le Havre
Rommel u. Speidel
Heeresgruppe B
Der
Caen
Seine
La Roche Guyon
Paris
St. Lô
St. Germain-en-Laye
Marcks
84. Korps
von Rundstedt
OB West
Brest
Rennes
Dollmann u. Pemsel
7. Armee
Le Mans
0
150 km
Lastensegler
Le Havre
vasions-Fahrzeuge 20 km vor der Küste
6. Brit. Luftlande-Div.
X-20
(Kaleu Honour)
X-23
Oberstlt. Otway
Merville
Houlgate
Cabourg
(Gen.-Maj.
Reichert)
Ouistreham
Varaville
Gen.-Maj. Gale
Bayeux
Guillaume Mercader
Brücken
Ranville
(Alain Doix)
Caen-Kanal
Caen
Touffreville
0
15 km
(Amélie Lechevalier)
Sümpfe
Überflutete Gebiete
Orne

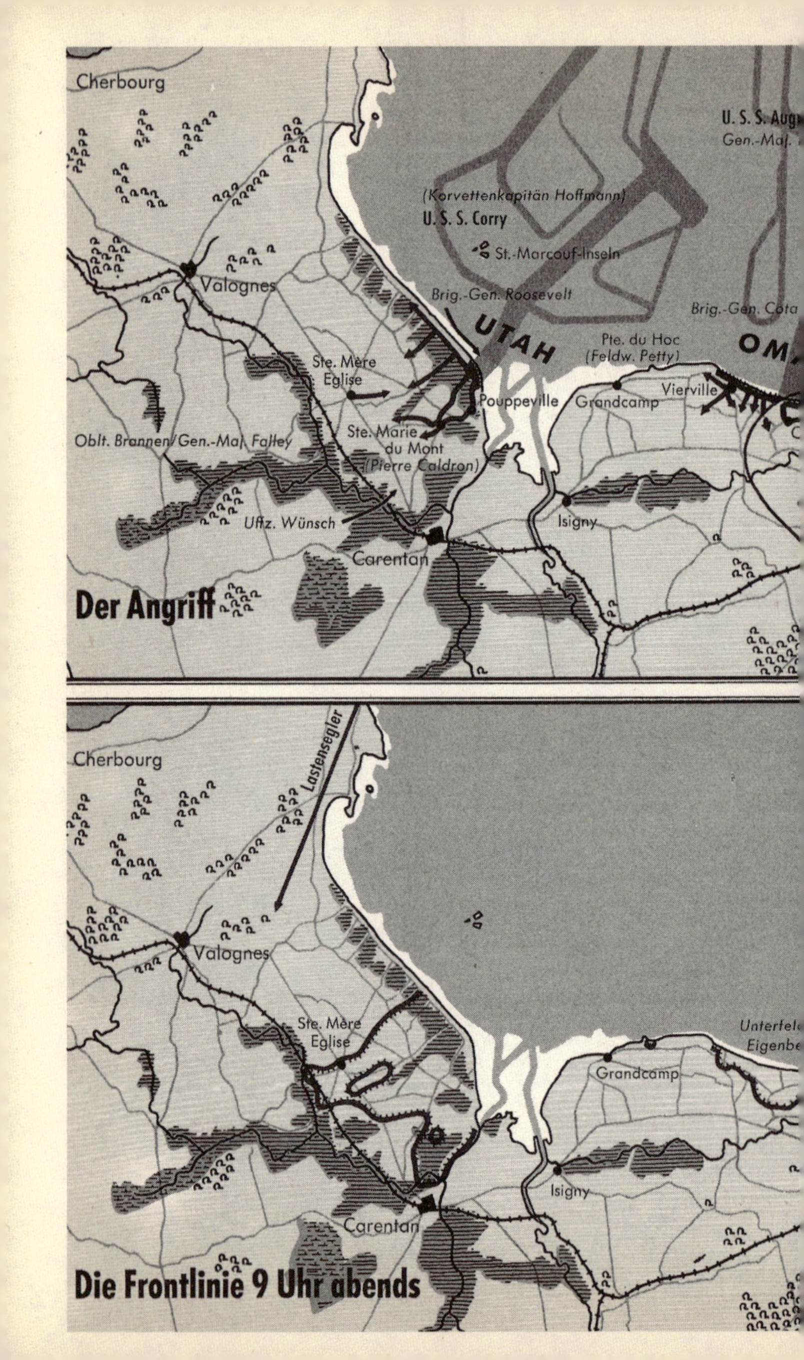
Cherbourg
U. S. S. Aug
Gen.-Maj.
(Korvettenkapitän Hoffmann)
U. S. S. Corry
St.-Marcouf-Inseln
Valognes
Brig.-Gen. Roosevelt
Brig.-Gen. Cota
UTAH
Pte. du Hoc
(Feldw. Petty)
Ste. Mère
Eglise
Pouppeville
Grandcamp
Vierville
Oblt. Brannen/Gen.-Maj. Falley
Ste. Marie
du Mont
(Pierre Caldron)
Uffz. Wünsch
Isigny
Carentan
Der Angriff
Lastensegler
Cherbourg
Valognes
Ste. Mère
Eglise
Grandcamp
Isigny
Carentan
Die Frontlinie 9 Uhr abends

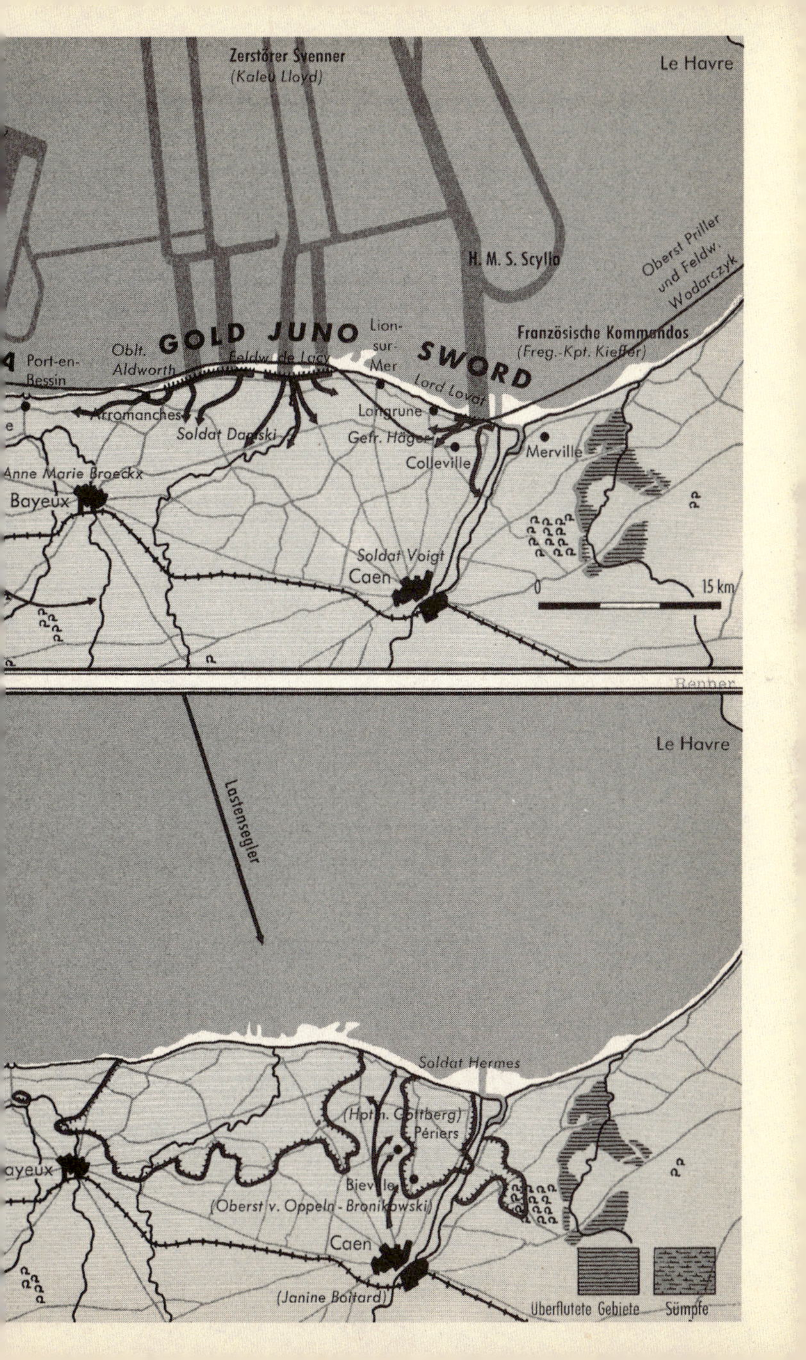

Zerstörer Svenner
(Kaleu Lloyd)
Le Havre
H. M. S. Scylla
Oberst Priller
und Feldw.
Wodarczyk
GOLD
JUNO
SWORD
Lion-
sur-
Mer
Französische Kommandos
(Freg.-Kpt. Kieffer)
Port-en-
Bessin
Oblt.
Aldworth
Feldw. de Lacy
Lord Lovat
Arromanches
Langrune
Soldat Damski
Gefr. Häger
Colleville
Merville
Anne Marie Broeckx
Bayeux
Soldat Voigt
Caen
0
15 km
Le Havre
Lastensegler
Soldat Hermes
(Hptm. Gottberg)
Périers
Bieville
(Oberst v. Oppeln-Bronikowski)
Caen
(Janine Boitard)
Überflutete Gebiete
Sümpfe

VORWORT

DER TAG DER LANDUNG: DIENSTAG, 6. JUNI 1944

Unternehmen OVERLORD, die alliierte Invasion in Europa begann genau fünfzehn Minuten nach Mitternacht am 6. Juni 1944 – in der ersten Stunde des Tages, der für alle Zeiten als der Tag der Landung in Erinnerung bleiben wird. In diesem Augenblick sprangen einige wenige ausgesuchte Männer der amerikanischen 101. und 82. Luftlandedivision aus ihren Flugzeugen in die Mondnacht über der Normandie. Fünf Minuten später warf sich achtzig Kilometer weiter entfernt ein kleiner Trupp der 6. britischen Luftlandedivision aus seinen Maschinen. Dies waren die Männer, die den Auftrag hatten, die Absprungzonen für die bald nachfolgenden Fallschirmjäger und die in Lastenseglern herangebrachte Infanterie mit Lichtern zu markieren.

Die alliierten Luftlandeverbände grenzten das Schlachtfeld in der Normandie nach beiden Seiten ein. Zwischen ihnen, an der französischen Küste entlang, lagen die fünf Strandabschnitte für die Landung: »Utah«, »Omaha«, »Gold«, »Juno«, »Sword«. In den Stunden vor Morgengrauen, während Fallschirmjäger in den dunklen Hecken der Normandie kämpften, bezog die größte Kriegsflotte, die die Welt jemals gesehen hatte, vor dieser Küste Stellung – fast fünftausend Schiffe mit über zweihunderttausend Soldaten, Matrosen und Männern des Küstenschutzes. Nach gewaltigem Beschuß durch Schiffsartillerie und massiver Bombardierung aus der Luft wateten ab 6 Uhr 30 einige Tausend dieser Männer in der ersten Invasionswelle an Land.

Dieses Buch ist nicht Kriegsgeschichte. Es erzählt von Menschen: Von den Männern der alliierten Streitkräfte, von dem Gegner, gegen den sie kämpften, und von den Angehörigen der Zivilbevölkerung, die in den blutigen Wirrwarr des Invasionstages gerieten – des Tages, an dem die Schlacht begann, die Hitlers wahnwitziges Spiel um die Herrschaft der Welt beendete.

ERSTER TEIL

Das große Warten

»Glauben Sie mir, Lang, die ersten vierundzwanzig Stunden der Invasion sind die entscheidenden; von ihnen hängt das Schicksal Deutschlands ab … Für die Alliierten und für Deutschland wird es der längste Tag sein.«
Generalfeldmarschall Erwin Rommel zu seinem Ordonnanzoffizier am 22. 4. 1944

I

Das Dorf war still an diesem feuchten Junimorgen. Es hieß La Roche Guyon und lag seit fast zwölf Jahrhunderten ungestört in einer großen trägen Schleife der Seine etwa in der Mitte zwischen Paris und der Normandie. Jahr für Jahr war es einer von diesen Orten gewesen, die man auf dem Weg nach anderen Städten durchquert. Seine einzige Sehenswürdigkeit war sein Schloß, der Sitz der Herzöge von Larochefoucauld. Und dieses Schloß, das sich scharf von den Bergen hinter dem Dorf abhob, war es, das dem Frieden La Roche Guyons ein Ende bereitet hatte.

An diesem grauen Morgen überragte das Schloß drohend seine Umgebung; das wuchtige Steinwerk glitzerte vor Feuchtigkeit. Es war fast sechs Uhr, aber nichts rührte sich in den zwei großen gepflasterten Innenhöfen. Vor den Toren führte breit und leer die Hauptstraße vorbei, und im Dorf waren die Läden vor den Fenstern der rotdachigen Häuser noch geschlossen. La Roche Guyon lag sehr ruhig da – so ruhig, als hätten die Einwohner es verlassen. Aber die Stille trog. Hinter den Fensterläden warteten die Menschen auf das Läuten einer Glocke.

Um sechs Uhr würde die Glocke der im fünfzehnten Jahrhundert erbauten St.-Samson-Kirche neben dem Schloß das Angelus läuten. In friedvolleren Tagen hatte das Läuten einen einfachen Sinn gehabt – die Leute von La Roche Guyon bekreuzigten sich und verharrten für einen Augenblick im Gebet. Nun jedoch bedeutete das Angelus sehr viel mehr als einen Augenblick der Besinnung. An diesem Morgen würde die Glocke das Ende des nächtlichen Ausgangsverbots und den Beginn des 1451. Tages der deutschen Besetzung verkünden.

Überall in La Roche Guyon waren Wachposten aufgezogen. In ihre Tarnzeltbahnen eingedreht, standen sie hinter beiden Toren des Schlosses, an Straßensperren zu beiden Enden des Dorfes, in den Bunkern, die in großer Zahl in das Kreidegestein der Hänge getrieben worden waren, und in der zerbröckelten Ruine eines alten Bergfriedes auf der höchsten Anhöhe über dem Schloß. Von dort oben konnten Maschinengewehrschützen alles sehen, was sich im Dorf bewegte – dem am stärksten besetzten Dorf im ganzen besetzten Frankreich.

Hinter seiner ländlich-friedlichen Fassade war La Roche Guyon in Wirklichkeit ein Gefängnis, denn auf jeden der 543 Einwohner kamen im Dorf und in seiner näheren Umgebung mehr als drei deutsche Soldaten. Einer dieser Soldaten war Generalfeldmarschall Erwin Rommel, Oberbefehlshaber der Heeresgruppe B, des stärksten Kampfverbandes im deutschen Westen. Sein Hauptquartier lag im Schloß von La Roche Guyon.

Hier rüstete sich in diesem entscheidenden fünften Jahr des Zweiten Weltkriegs ein verbissen entschlossener Rommel zur verzweifeltsten Schlacht seines Lebens. Seinem Befehl unterstanden über eine halbe Million Männer in Befestigungen entlang eines gewaltigen Stükkes Küste, das sich über zwölfhundert Kilometer von den holländischen Deichen bis zur umspülten Atlantikhalbinsel Cotentin erstreckte. Seine Kerntruppe, die 15. Armee, lag dicht zusammengezogen am Pas de Calais, der engsten Stelle des Kanals zwischen Frankreich und England.

Nacht auf Nacht griffen alliierte Bomber dieses Gebiet an. Die bombenmüden Männer der 15. Armee witzelten bitter, daß die beste Gegend für einen Erholungsurlaub der Abschnitt der 7. Armee in der Normandie sei. Kaum eine Bombe war dort gefallen.

Seit Monaten warteten Rommels Truppen hinter einem fantastischen Dschungel aus Strandhindernissen und Minenfeldern in ihren betonierten Küstenbefestigungen. Aber es zeigte sich kein Schiff auf dem blaugrauen Kanal. Gar nichts geschah. In La Roche Guyon gab es an diesem düsteren, friedlichen Sonntagmorgen nicht das geringste Anzeichen für eine alliierte Invasion. Man schrieb den 4. Juni 1944.

II

Rommel war allein in dem Raum zu ebener Erde, den er als Arbeitszimmer benutzte. Er saß an einem wuchtigen Renaissanceschreibtisch und arbeitete beim Licht einer einzigen Lampe. Das Zimmer war groß und hoch. Über eine der Wände spannte sich ein verblaßter Gobelin, an einer anderen blickten das hochmütige Gesicht des Herzogs François von Larochefoucauld, des Verfassers der »Maximen« und Vorfahren des gegenwärtigen Herzogs, aus dem 17. Jahrhundert aus einem schweren Goldrahmen herab. Ein paar Stühle standen hier und da auf dem spiegelblanken Parkettboden, und vor den Fenstern hingen dicke Vorhänge. Sonst war der Raum fast kahl.

Insbesondere war nichts von Rommel im Raum außer ihm selber. Keine Fotografien seiner Frau Lucie-Maria oder seines Sohnes Manfred. Nichts, das an seine großen Siege in der Wüste Nordafrikas zu Beginn des Krieges erinnerte – nicht einmal der protzige Marschallstab, den Hitler ihm mit solch überschwenglichem Gehabe 1942 verliehen hatte. (Nur einmal hatte Rommel den 45 cm langen und drei Pfund schweren Stab mit den goldenen Adlern und schwarzen Hakenkreuzen auf dem roten Samtüberzug getragen: an dem Tag, an dem er ihn erhielt.) Nicht eine Karte mit der Aufstellung seiner Truppen war vorhanden. Der legendäre Wüstenfuchs blieb so schwer faßbar, so schattenhaft wie eh und je; er hätte aus dem Zimmer gehen können, ohne eine Spur zu hinterlassen.

Obgleich der einundfünfzigjährige Rommel älter aussah, als er war, arbeitete er unermüdlich wie immer. Niemand in der Heeresgruppe B konnte sich erinnern, daß er jemals mehr als fünf Stunden geschlafen hatte. An diesem Morgen war er wie gewöhnlich seit vor vier Uhr auf. Nun wartete auch er ungeduldig darauf, daß es sechs Uhr würde. Um sechs Uhr wollte er mit seinem Stab frühstücken – und dann nach Deutschland abfahren.

Es war Rommels erster Heimaturlaub nach Monaten. Er würde mit dem Wagen fahren; Hitler hatte höheren Offizieren das Fliegen praktisch unmöglich gemacht, da er darauf bestand, daß sie »dreimotorige Maschinen« benutzten »und stets mit Jagdschutz«. Rommel flog ohnehin ungern; er würde die achtstündige Fahrt nach Hause, nach Herrlingen bei Ulm, in seinem schweren schwarzen Horch machen.

Er freute sich auf die Reise, aber der Entschluß dazu war ihm nicht leichtgefallen. Auf Rommels Schultern lag die gewaltige Verantwortung, den alliierten Angriff in dem Augenblick abzuschlagen, in dem er begann. Hitlers Drittes Reich taumelte von einer Katastrophe zur anderen; Tag und Nacht zertrümmerten Tausende von alliierten Bombern Deutschland; massierte russische Streitkräfte waren in Polen eingedrungen, alliierte Truppen standen vor den Toren Roms – überall wurden die großen Armeen der Wehrmacht zurückgetrieben. Deutschland war zwar noch längst nicht geschlagen, aber die alliierte Landung würde die entscheidende Schlacht sein. In ihr ging es um nichts weniger als um die Zukunft Deutschlands, und niemand wußte das besser als Rommel.

Aber an diesem Morgen wollte Rommel nach Hause. Schon seit Monaten hoffte er, Anfang Juni ein paar Tage in Deutschland verbringen zu können. Aus den verschiedensten Gründen hielt er seine Abreise nun für möglich, und obwohl er es niemals zugegeben hätte: er hatte die Ruhepause dringend nötig. Ein paar Tage zuvor hatte er seinen Vorgesetzten, den Oberbefehlshaber West, Generalfeldmarschall Gerd von Rundstedt, angerufen und um Erlaubnis für die Urlaubsfahrt gebeten. Seine Bitte war augenblicklich bewilligt worden. Darauf hatte er einen Höflichkeitsbesuch in von Rundstedts Hauptquartier in St.-Germain-en-Laye bei Paris gemacht, um sich offiziell zu verabschieden. Sowohl von Rundstedt als auch sein Chef des Stabes, Generalmajor Günther Blumentritt, waren betroffen gewesen über Rommels abgehärmtes Aussehen. Blumentritt erinnert sich noch heute, daß Rommel »müde und abgespannt« aussah, »... wie ein Mann, der ein paar Tage zu Hause bei seiner Familie brauchte«.

Rommel war abgespannt und gereizt. Seit seinem Eintreffen in Frankreich Ende 1943 hatte die Frage, wo und wie einem Angriff der Alliierten zu begegnen war, als fast unerträgliche Bürde auf ihm gelastet. Wie alle an der Invasionsfront lebte er in einem Alptraum dauernder Ungewißheit. Tag für Tag sah er sich der Notwendigkeit gegenüber, den vermutlichen Absichten der Alliierten vorauszudenken. Wie würden sie zum Angriff ansetzen? Wo würden sie die Landung versuchen? Und vor allem: Wann?

Nur einer kannte wirklich die Belastung, der Rommel ausgesetzt war: seine Frau Lucie-Maria. Ihr vertraute er sich ganz an. In weniger als vier Monaten hatte er ihr über vierzig Briefe geschrieben und in fast jedem Brief eine neue Voraussage über den Angriff der Alliierten gemacht.

Am 30. März schrieb er: »Nun geht der März zu

Ende, ohne daß die Anglo-Amerikaner ihren Angriff begonnen haben. Ich glaube, sie haben kein Vertrauen in ihre Sache.«

Am 6. April: »Hier wird die Spannung immer größer ... Nur noch Wochen trennen uns wohl von den entscheidenden Ereignissen ...«

Am 26. April: »In England ist die Stimmung schlecht. – Ein Streik löst den anderen ab, und der Schrei ›Nieder mit Churchill und den Juden und für den Frieden‹ wird lauter ... Schlechte Vorzeichen für eine solch gewagte Offensive.«

Am 27. April: »Allem Anschein nach tun uns der Engländer und der Amerikaner den Gefallen und kommen nicht in allernächster Zeit.«

Am 6. Mai: »Noch zeigt sich kein sicheres Anzeichen, daß die Briten und Amerikaner in allernächster Zeit kommen. Jeder Tag, jede Woche ist für uns von unschätzbarem Wert. So gehe ich mit bester Zuversicht der Schlacht entgegen ... vielleicht am 15. Mai, vielleicht Ende des Monats.«

Am 15. Mai: »Allzugroße Sprünge kann ich nun nicht mehr machen ... da man doch nie weiß, wann es losgeht. Ich glaube, es wird noch etliche Wochen dauern, bis es hier im Westen zum Kampf kommt.«

Am 19. Mai: »Ich hoffe, nun rascher vorwärtszukommen als bisher. Ich bin gespannt, ob es mir im Juni für ein paar Tage langt, hier wegzukommen. Zunächst ist nicht daran zu denken.«

Aber es sollte doch noch möglich sein. Einer der Gründe für Rommels Entschluß, gerade jetzt sein Hauptquartier zu verlassen, war seine eigene Einschätzung der alliierten Absichten. Vor ihm auf dem Schreibtisch lag der Wochenbericht der Heeresgruppe B. Diese mit peinlicher Sorgfalt zusammengestellte Lagebeurteilung mußte bis zum nächsten Mittag an Generalfeldmarschall von Rundstedts Hauptquartier – OB West

(Oberbefehlshaber West), wie es in der militärischen Fachsprache allgemein genannt wurde – abgeschickt sein. Von dort aus ging sie mit weiteren Zusätzen als Teil des Lageberichts über den gesamten westlichen Kriegsschauplatz an Hitlers Hauptquartier, das Oberkommando der Wehrmacht.

In Rommels Beurteilung hieß es unter anderem, daß die Alliierten einen »hohen Grad der Bereitschaft« erreicht hätten und »im verstärkten Umfang Nachrichten für die französische Untergrundbewegung gesendet« wurden. Aber »gemäß früheren Erfahrungen«, stand in der Beurteilung weiter zu lesen, »deutet dies nicht darauf hin, daß eine Landung unmittelbar bevorsteht ...«

Diesmal hatte Rommel sich geirrt.

III

Im Dienstzimmer des Chefs des Stabes am anderen Ende des Korridors griff Rommels sechsunddreißigjähriger Ordonnanzoffizier, Hauptmann Hellmuth Lang, nach dem Morgenbericht. Das war stets seine erste Arbeit für den Oberbefehlshaber. Rommel hatte den Bericht gerne früh, damit er ihn mit seinem Stab beim Frühstück diskutieren konnte. Aber an diesem Morgen stand nichts Besonderes darin; die Invasionsfront blieb ruhig, abgesehen von der fortgesetzten nächtlichen Bombardierung am Pas de Calais. Es schien kein Zweifel möglich: Neben all den anderen Anhaltspunkten deutete dieses Marathon-Bombardement darauf hin, daß die Alliierten den Pas de Calais zu ihrer Angriffsstelle erkoren hatten. Falls sie überhaupt landeten, dann hier. Nahezu jeder war davon überzeugt.

Lang blickte auf seine Armbanduhr; es war ein paar Minuten nach sechs. Punkt sieben Uhr würden sie aufbrechen und bestimmt rasch vorwärts kommen. Eine Begleitung war nicht vorgesehen, nur zwei Wagen machten die Reise – Rommels und der von Oberst Hans Georg von Tempelhoff, dem Ia der Heeresgruppe B, der ebenfalls nach Deutschland fuhr. Wie gewöhnlich hatte man die verschiedenen militärischen Befehlshaber der Gebiete, die sie berühren würden, nicht von den Plänen des Generalfeldmarschalls in Kenntnis gesetzt. Rommel war es lieber so; er haßte es, von dem protokollgerechten Getue hackenklappender Kommandeure und von Motorradeskorten, die ihn am Eingang jeder Stadt empfingen, aufgehalten zu werden. Mit ein bißchen Glück würden sie gegen drei Uhr in Ulm sein können.

Blieb das übliche Problem: Was sollte für das Mittagessen des Feldmarschalls mitgenommen werden? Rommel rauchte nicht, trank selten, und es war ihm so gleichgültig, was auf den Tisch kam, daß er manchmal ganz und gar zu essen vergaß. Wenn er mit Lang die Vorbereitungen für eine längere Reise besprach, strich er oftmals die vorgeschlagene Speisenfolge für das Mittagessen mit dem Bleistift durch und schrieb mit großen schwarzen Buchstaben daneben: »Einfaches Feldküchengericht«. Oder er brachte Lang noch mehr in Verwirrung, indem er sagte: »Wenn Sie natürlich ein oder zwei Koteletts aufschreiben wollen, soll's mir auch recht sein.« Der aufmerksame Lang wußte nie genau, was er bei der Küche bestellen sollte. An diesem Morgen hatte er außer einer Thermosflasche mit Fleischbrühe belegte Brote kommen lassen. Er war ziemlich sicher, daß Rommel das Mittagessen – wie gewöhnlich – sowieso vergessen würde.

Lang verließ sein Dienstzimmer und ging den eichegetäfelten Korridor hinunter. Aus den Zimmern zu beiden Seiten drang das Gesumm von Stimmen und Schreibmaschinengeklapper; im Hauptquartier der Heeresgruppe B herrschte Hochbetrieb. Lang hatte sich oft gewundert, daß der Herzog und die Herzogin, die die oberen Stockwerke bewohnten, bei dem Lärm überhaupt schlafen konnten.

Am Ende des Korridors blieb Lang vor einer wuchtigen Tür stehen. Er klopfte leise an, drückte die Klinke hinunter und trat ein. Rommel sah nicht auf. Er war so in die vor ihm liegenden Papiere vertieft, daß er den Eintritt seines Ordonnanzoffiziers gar nicht bemerkt zu haben schien. Aber Lang hielt es für besser, ihn nicht zu unterbrechen. Er blieb stehen und wartete.

Rommel blickte von seinem Schreibtisch auf. »Guten Morgen, Lang«, sagte er.

»Guten Morgen, Herr Feldmarschall. – Die Lage.« Lang reichte Rommel den Bericht. Dann ging er hinaus und wartete vor der Tür, um Rommel zum Frühstück zu begleiten. Der Feldmarschall schien außerordentlich beschäftigt an diesem Morgen. Lang, der wußte, wie spontan Rommel seine Pläne umstoßen konnte, überlegte, ob sie wohl tatsächlich fahren würden.

Rommel hatte nicht die Absicht, die Reise abzublasen. Obwohl kein bestimmter Termin festgemacht worden war, hoffte er, mit Hitler sprechen zu können. Alle Generalfeldmarschälle hatten Zugang zum Führer, und Rommel hatte seinen alten Freund, Generalmajor Rudolf Schmundt, den Chefadjutanten der Wehrmacht beim Führer, telefonisch um eine Audienz gebeten. Schmundt glaubte, daß die Unterredung zwischen dem sechsten und dem neunten stattfinden könne. Es war typisch für Rommel, daß außerhalb seines eigenen Stabes niemand wußte, daß er den Führer aufzusuchen gedachte. Im Diensttagebuch in Rundstedts Hauptquartier stand lediglich vermerkt, daß Rommel ein paar Tage Urlaub zu Hause verbringen werde.

Rommel glaubte zuversichtlich, daß er um diese Zeit in seinem Hauptquartier abkömmlich sei. Nun, da der Mai vorbei war – und den ganzen Monat hindurch hätte das Wetter für eine Landung der Alliierten nicht besser sein können –, war er zu dem Schluß gekommen, daß man in den nächsten paar Wochen mit der Invasion nicht zu rechnen brauche. So überzeugt war er davon, daß er sogar einen Termin für die Fertigstellung aller Landeabwehrhindernisse ansetzte. Auf seinem Schreibtisch lag ein Befehl für die 7. und 15. Armee. »Jede Anstrengung muß gemacht werden«, lautete er, »die Hindernisse so weit fertigzustellen, daß eine Landung bei Niedrigwasser nur unter großen Verlusten für den Gegner möglich ist ... die Arbeit muß vorwärtsgetrieben werden ... Fertigstellung ist meiner Dienststelle bis zum 20. Juni zu melden.«

Rommel nahm an – ebenso wie Hitler und das deutsche Oberkommando –, daß die Invasion nun entweder gleichzeitig mit der Sommeroffensive der Roten Armee oder wenig später stattfinden werde. Der russische Angriff konnte, wie man wußte, nicht vor dem spät einsetzenden Tauwetter in Polen beginnen, und man glaubte daher nicht, daß die Offensive vor der zweiten Junihälfte in Gang kommen könne.

Im Westen war das Wetter seit mehreren Tagen schlecht, und es sah aus, als ob es noch schlechter werde. Der Bericht von fünf Uhr morgens, in Paris vom Chefmeteorologen der Luftwaffe, Oberst Professor Dr. Walter Stöbe, zusammengestellt, sagte zunehmende Bewölkung, starke Winde und Regen voraus. Schon jetzt blies der Wind im Kanal mit Stärke 6 bis 7. Rommel schien es kaum wahrscheinlich, daß die Alliierten es wagen würden, in den nächsten Tagen zum Angriff anzusetzen.

Auch in La Roche Guyon war das Wetter über Nacht umgeschlagen. Rommels Schreibtisch fast genau gegenüber führten zwei hohe Türen in einen terrassierten Rosengarten. An diesem Morgen bot der Rosengarten kein sonderlich hübsches Bild – Blütenblätter, geknickte Äste und Zweige lagen überall verstreut. Kurz vor Tagesanbruch war ein flüchtiger Sommersturm vom Kanal her vorgerückt, war einen Teil der französischen Küste entlanggefegt und hatte sich dann verloren.

Rommel öffnete die Tür zum Korridor und trat hinaus. »Guten Morgen, Lang«, sagte er, als habe er seinen Ordonnanzoffizier bis jetzt noch nicht gesehen. »Können wir gehen?« Zusammen gingen sie zum Frühstück.

Draußen im Dorf La Roche Guyon läutete die Glocke der St.-Samson-Kirche das Angelus. Jeder Ton mußte schwer gegen den Wind ankämpfen.

Es war sechs Uhr.

IV

Zwischen Rommel und Lang herrschte ein ungezwungenes, wenig förmliches Verhältnis. Seit Monaten waren sie ständig zusammen. Lang war im Februar zu Rommel kommandiert worden, und kaum ein Tag war seitdem vergangen ohne irgendeine lange Inspektionsfahrt. Gewöhnlich waren sie früh um 6 Uhr 30 mit Höchstgeschwindigkeit nach irgendeiner abgelegenen Gegend in Rommels Befehlsbereich unterwegs. An dem einen Tag war es Holland, an einem anderen Belgien, am nächsten die Normandie oder die Bretagne. Der entschlossene Generalfeldmarschall hatte jede Minute genutzt. »Ich kenne jetzt nur einen einzigen wirklichen Gegner«, sagte er einmal zu Lang, »und das ist die Zeit.« Um die Zeit zu bezwingen, schonte Rommel weder sich selber noch seine Leute, und so ging das nun schon, seit man ihn im November 1943 nach Frankreich geschickt hatte.

Im Herbst 1943 hatte von Rundstedt, der für die Verteidigung ganz Westeuropas verantwortlich war, Hitler um Verstärkungen gebeten. Statt dessen bekam er den nüchternen, wagemutigen, ehrgeizigen Rommel. Der aristokratische 68jährige Oberbefehlshaber West empfand es als Demütigung, daß Rommel mit einem »Gummibefehl« eintraf, der ihm auftrug, die Küstenbefestigungen – Hitlers vielberedeten Atlantikwall – zu inspizieren und dann unter Umgehung des Dienstweges direkt dem Führerhauptquartier Bericht zu erstatten. Der bestürzte und enttäuschte von Rundstedt war so aufgebracht über die Ankunft des jüngeren Rommel – er nannte ihn den Marschallbubi –, daß er den Chef des OKW, Generalfeldmarschall Wilhelm Keitel, fragte, ob Rommel als sein Nachfolger in Betracht gezogen werde. Man bedeutete ihm, er möge »keine falschen Schlüsse ziehen«, denn Rommel sei »bei all seinen Fähigkeiten dieser Stellung doch nicht gewachsen«.

Kurz nach seiner Ankunft inspizierte Rommel in aller Eile den Atlantikwall – und was er sah, entsetzte ihn. Nur an wenigen Stellen der Küste war die Errichtung der massiven Stahlbetonbefestigungen abgeschlossen: an den wichtigsten Häfen und Flußmündungen und an der Kanalküste etwa von Le Havre bis Holland. Anderenorts waren die Verteidigungsstellungen mehr oder weniger unfertig. An manchen Stellen hatte man mit der Arbeit nicht einmal begonnen. Gewiß, der Atlantikwall war selbst in seinem gegenwärtigen Zustand eine respektheischende Sperrmauer. Wo er stand, war er mit schweren Geschützen gespickt. Rommel genügten sie noch nicht. Nichts schien ihm ausreichend vorhanden, um den heftigen Angriff aufzuhalten, den er – stets eingedenk der ihm im Vorjahre von Montgomery in Nordafrika beigebrachten vernichtenden Niederlage – mit Sicherheit erwartete. Für seine kritischen Augen war der Atlantikwall eine Farce. Er hatte ihn öffentlich als ein »Hirngespinst aus Hitlers Wolkenkuckucksheim« bezeichnet.

Knapp zwei Jahre zuvor jedoch hatte der Wall überhaupt kaum existiert.

Bis 1942 war dem Führer und seinen protzenden Nazis der Sieg so sicher erschienen, daß Küstenbefestigungen sich erübrigten. Das Hakenkreuz flatterte überall. Österreich und die Tschechoslowakei waren eingesackt worden, bevor der Krieg noch begonnen hatte. Polen hatte man schon 1939 zwischen Deutschland und Rußland aufgeteilt. Der Krieg war noch kein Jahr alt, da fielen die Länder Westeuropas bereits wie faule Äpfel. Dänemark kapitulierte in einem Tag. Norwegen hielt sich, von innen aufgeweicht, ein wenig länger – sechs Wochen. In jenem Mai und Juni hatten dann Hitlers Blitzkriegtruppen in genau siebenundzwanzig Tagen und ohne jede Einleitung Holland, Belgien, Luxemburg und Frankreich gestürmt und, während die Welt ungläubig zusah, die Engländer bei Dünkirchen ins Meer gejagt. Nach dem Zusammenbruch Frankreichs blieb nur noch England übrig – England ganz allein. Wozu sollte Hitler da einen Atlantikwall brauchen?

Aber Hitler fiel nicht in England ein. Die Generale drängten ihn, aber Hitler zögerte in der Annahme, die Briten würden um Frieden einkommen. Die Zeit verging, und die Lage änderte sich rapide. Mit Hilfe aus den USA begann Großbritannien sich langsam, aber sicher zu erholen. Hitler, der inzwischen stark in Rußland engagiert war – er hatte die Sowjetunion im Juni 1941 angegriffen –, merkte, daß die französische Küste aufgehört hatte, Sprungbrett für eine Offensive zu sein. Sie war nun eine schwache Stelle seiner Verteidigung. Im Herbst 1941 erwähnte er gegenüber seinen Generalen zum erstenmal seine Absicht, Europa zu einer »uneinnehmbaren Festung« zu machen. Und im Dezember, nachdem die Vereinigten Staaten in den Krieg eingetreten waren, verkündete er großsprecherisch: »... ein Gürtel von Bollwerken und gigantischen Befestigungen erstreckt sich von Kirkenes (an der norwegisch-finnischen Grenze) bis zu den Pyrenäen ..., und es ist mein unerschütterlicher Wille, diese Front für jeden Gegner unbezwingbar zu machen!«

Diese maßlose Prahlerei konnte unmöglich Wirklichkeit werden. Von den Einbuchtungen ganz abgesehen, erstreckte sich die Küste vom Eismeer im Norden bis zur Biskaya im Süden über fast fünftausend Kilometer.

Nicht einmal an der engsten Stelle des Kanals, England unmittelbar gegenüber, existierten irgendwelche Befestigungen. Aber die Idee der Festung war für Hitler zu einer Zwangsvorstellung geworden. Generaloberst Franz Halder, zu der Zeit Chef des Generalstabes, erinnert sich noch gut an den Tag, an dem Hitler seinen fantastischen Plan zum erstenmal umriß. Halder, der Hitler den Entschluß, England nicht anzugreifen, niemals verziehen hatte, stand dem ganzen Plan kühl gegenüber. Er wagte den Einwand, daß Befestigungen – »falls sie überhaupt nötig waren« – »hinter der Küste außerhalb der Reichweite von Schiffsgeschützen errichtet werden sollten, da die eigenen Truppen anderenfalls durch Beschuß kampfunfähig gemacht werden könnten«. Hitler stürzte quer durch den Raum auf einen Tisch mit einer großen Karte zu und tobte fünf unvergeßliche Minuten lang. Mit geballter Faust hämmerte er auf die Karte ein und schrie: »Bomben und Granaten werden hier fallen – hier – hier – und hier, vor den Wall, dahinter und auf ihn, aber die Truppen im Wall sind sicher. Und sie werden herauskommen und kämpfen!«

Halder sagte nichts, aber er und die anderen Generale im Oberkommando der Wehrmacht wußten, daß der Führer sich trotz der berauschenden Siege des Dritten Reiches bereits vor einer zweiten Front fürchtete – vor einer Invasion.

Dennoch wurde an den Befestigungen nur wenig gearbeitet. 1942, als Hitlers Kriegsglück sich zu wenden begann, unternahmen für Sondereinsätze ausgebildete britische Spezialeinheiten – sogenannte Kommandotrupps – mehrere Überfälle auf die »uneinnehmbare« Festung Europa. Dann kam der blutigste Kommandoeinsatz des Krieges: Über fünftausend heldenhafte Kanadier landeten bei Dieppe. Ihr Angriff war der blutige Auftakt zur Invasion. Die alliierten Generalstäbler erfuhren, wie stark die Deutschen ihre Häfen befestigt hatten. 3369 Mann Verluste hatten die Kanadier, darunter neunhundert Tote. Der Überfall endete in einer Katastrophe, aber Hitler war entsetzt. Der Atlantikwall – schrie er seine Generale an – müsse mit höchstem Tempo fertiggestellt werden. Die Bauarbeiten seien »fanatisch« vorwärtszutreiben.

So geschah es. Tausende von Zwangsarbeitern arbeiteten Tag und Nacht an der Errichtung der Befestigungen. Millionen Tonnen Beton wurden gegossen; so viel davon brauchte man, daß es überall in Hitlers Europa unmöglich war, Beton für einen anderen Zweck zu bekommen. Überwältigende Mengen Stahl wurden bestellt, aber die tatsächlichen Lieferungen fielen so knapp aus, daß die Ingenieure oft ohne ihn auskommen mußten. Folglich erhielten wenige der Bunker drehbare Panzerkuppeln, da man für deren Türme Stahl brauchte, und das Schußfeld der Geschütze war dadurch stark eingeengt. So groß war der Bedarf an Material und Ausrüstung, daß Teile der alten französischen Maginot-Linie und der deutschen Grenzbefestigungen für den Atlantikwall ausgeschlachtet wurden. Ende 1943 stand der Wall zwar noch lange nicht, aber über eine halbe Million Menschen arbeiteten an ihm, und aus den geplanten Befestigungen war drohende Wirklichkeit geworden.

Hitler wußte, daß die Landung unvermeidlich war, und er sah sich nun einem weiteren großen Problem gegenüber: Die Divisionen mußten gefunden werden, die die wachsenden Verteidigungsstellungen besetzen sollten. In Rußland, wo die Wehrmacht eine über dreitausend Kilometer lange Front gegen unbarmherzige sowjetische Angriffe zu halten versuchte, wurde eine Division nach der anderen aufgerieben. In Italien, das nach der Landung in Sizilien aus dem Krieg ausschied, waren immer noch Tausende von Männern in Kampfhandlungen verwickelt. 1944 sah Hitler sich daher gezwungen, seine Stellungen im Westen mit zweifelhaften Ersatzeinheiten zu verteidigen. Alte Männer und Pimpfe rückten an, Reste von Divisionen, die an der russischen Front zerschlagen worden waren, und zum Waffendienst gepreßte »Freiwillige« aus den besetzten Ländern – es gab polnische, ungarische, tschechische, rumänische und jugoslawische Einheiten, um nur einige wenige zu nennen, und sogar zwei russische Bataillone (Georgier). Diese Einheiten bestanden aus Männern, die lieber für die Deutschen kämpften, anstatt weiterhin im Gefangenenlager zu hocken. So fragwürdig der Kampfwert dieser Truppen auch sein mochte, sie füllten die Lücken. Hitler besaß auch jetzt noch einen harten Kern kampferprobter Truppen und Panzereinheiten. Am »Tag D«, dem Tag der alliierten Landung, umfaßten seine Streitkräfte im Westen beachtliche sechzig Divisionen.

Nicht alle diese Divisionen hatten ihre volle Stärke, aber Hitler verließ sich auf den Atlantikwall. Der Atlantikwall war entscheidend. Männer wie Rommel jedoch, die an anderen Fronten Schlachten ausgefochten – und verloren – hatten, waren entsetzt, als sie die Befestigungen sahen. Rommel war seit 1941 nicht mehr in Frankreich gewesen. Und wie viele andere deutsche Generale hatte auch er Hitlers Propagandagerede geglaubt und angenommen, die Verteidigungsstellungen seien so gut wie fertig.

Sein vernichtendes Urteil über den Wall überraschte von Rundstedt nicht. Er stimmte von Herzen zu. Vermutlich war es das einzige Mal, daß er mit Rommel völlig einer Meinung war. Der kluge alte von Rundstedt hatte nie viel für feste Verteidigungsstellungen übriggehabt. Er war es, der den erfolgreichen Flankenstoß gegen die Maginot-Linie im Jahre 1940 befehligte, der zum Zusammenbruch Frankreichs führte. Für ihn war der Atlantikwall nichts weiter als ein »riesiger Bluff – mehr für das deutsche Volk als für den Gegner. Und der Gegner weiß durch seine Agenten mehr davon als wir.« Er würde dem alliierten Angriff »vorübergehend im Wege stehen«, ihn jedoch nicht aufhalten können. Von Rundstedt war überzeugt, daß nichts eine erfolgreiche erste Landung vereiteln konnte. Sein Plan zur Abwehr der Invasion lief darauf hinaus, das Gros der Truppen in rückwärtigen Stellungen hinter der Küste zu halten und erst anzugreifen, *nachdem* die Alliierten gelandet waren. Erst dann war seiner Ansicht nach der richtige Augenblick zum Zuschlagen gekommen. Denn dann würde der Gegner noch schwach sein und mußte sich ohne ausreichenden Nachschub in voneinander getrennten Landeköpfen zum Kampf sammeln.

Rommel war ganz und gar anderer Meinung. Seiner Überzeugung nach gab es nur eine Möglichkeit, den Angriff zu zerschlagen: Man mußte sofort zum Gegenangriff antreten. Man würde keine Zeit haben, Verstärkung nach vorne zu bringen; Rommel war sicher, daß der Nachschub durch unablässige Luftangriffe oder vom massiven Feuer der Schiffsgeschütze und der Artillerie lahmgelegt würde. Seiner Meinung nach mußten alle Verbände, sowohl Infanterie als auch Panzertruppen, an der Küste oder nur wenig dahinter bereitgehalten werden. Sein Ordonnanzoffizier erinnerte sich sehr gut an den Tag, an dem Rommel seinen strategischen Plan erläuterte. Sie sahen sich einen öden Küstenstreifen an, und Rommel, klein und untersetzt, im schweren Mantel und mit einem alten Schal um den Hals, stapfte – den »Interims«-Marschallstab, einen 60

Zentimeter langen Stock mit silbernem Knauf und einer schwarzweißroten Quaste schwingend – auf und ab. Er zeigte zum Wasser hinunter mit seinem Stab und sagte: »Hier am Strand wird der Krieg gewonnen oder verloren werden. Wir haben nur eine Möglichkeit, den Gegner zum Stehen zu bringen: Wir müssen ihn fassen, solange er noch im Wasser ist und sich an Land vorkämpft. Ersatz wird niemals bis an die Kampflinie herankommen; es ist Unsinn, überhaupt damit zu rechnen. Hier wird die Hauptkampflinie laufen – alles, was wir haben, muß an der Küste stehen. Glauben Sie mir, Lang, die ersten vierundzwanzig Stunden der Invasion sind die entscheidenden ... Für die Alliierten und für Deutschland wird es der längste Tag sein!«

Hitler hatte Rommels Plan grundsätzlich zugestimmt, und damit war von Rundstedt eine bloße Repräsentationsfigur geworden. Rommel führte von Rundstedts Befehle nur dann aus, wenn sie zu seinen eigenen Ansichten paßten. Um seinen Willen durchzusetzen, bediente er sich häufig eines einfachen, aber äußerst wirkungsvollen Arguments. »Der Führer«, pflegte Rommel zu bemerken, »hat mir genaue Weisungen erteilt.« Er sagte dies allerdings nie dem würdigen von Rundstedt selber, sondern dem Chef des Stabes beim OB West, Generalmajor Blumentritt.

Mit Hitlers Unterstützung und von Rundstedts unwilliger Zustimmung (»Dieser böhmische Gefreite Hitler«, kommentierte der Oberbefehlshaber West bissig, »entscheidet gewöhnlich zu seinem Schaden«) hatte sich Rommel entschlossen an eine völlige Neugestaltung der existierenden Pläne zur Abwehr der Invasion gemacht.

Schon in wenigen Monaten änderte sich dank Rommels unnachgiebiger Energie das Bild von Grund auf. Auf jedem Stück Strand, auf dem er eine Landung für möglich hielt, ließ er seine Soldaten mit Hilfe der an Ort

Kurz nach seiner ersten Inspektionsreise im Herbst 1943 zeichnete Rommel diese Skizze. Sie gibt eine gute Vorstellung seiner Ideen.

und Stelle ausgehobenen Arbeitsbataillone Sperren aus Landungsabwehrhindernissen errichten. Diese Hindernisse – gezackte Stahldreiecke, torartige Eisengestelle mit Sägezähnen, Holzpfähle mit Metallspitzen und Betonkegel – wurden unmittelbar unter der Hoch- und Niedrigwassermarke eingelassen. Todbringende Minen wurden daran befestigt. Wo nicht genügend Minen vorhanden waren, wurden Granaten benutzt, deren Zünder unheildrohend seewärts zeigten. Bei leichter Berührung würden sie augenblicklich explodieren.

Rommels seltsame Erfindungen (die meisten Hindernisse hatte er selber ausgedacht) waren einfach, aber tödlich. Sie sollten mit Truppen besetzte Landungsboote aufspießen und vernichten, oder sie doch jedenfalls so lange aufhalten, bis die Küstenbatterien sich eingeschossen hatten. In beiden Fällen – sagte sich Rommel – würden die feindlichen Truppen schwere Verluste erleiden, lange bevor sie das Ufer erreichten. Über eine halbe Million dieser tödlichen Unterwasserhindernisse zogen sich nun an der Küste entlang.

Aber Rommel, der Perfektionist, war immer noch nicht zufrieden. Auf den Strand, in den Steilhängen, in Wassergräben und auf Fußpfaden, die vom Ufer wegführten, ließ er Minen legen – alle Sorten: von der großen Tellermine, die die Raupen eines Panzers wegsprengen konnte, bis zu der kleinen Springmine, die in die Luft schnellte, wenn man darauf trat, und in Höhe der Magengrube explodierte. Über fünf Millionen Minen verseuchten nun die Küste. Bis zur Landung hoffte Rommel noch weitere sechs Millionen zu verlegen. Sein letztes Ziel war es, die Invasionsküste mit einem Gürtel von sechzig Millionen Minen abzuschirmen![1]

Über dem Strand, hinter diesem Dschungel aus Minen und Hindernissen, warteten Rommels Truppen in Unterständen, Betonbunkern und Verbindungsgräben, die alle mit Drahtverhauen gesichert waren. In diesen Stellungen war jedes Geschütz, dessen der Generalfeldmarschall habhaft werden konnte, so eingesetzt, daß es auf Strand und Meer feuern konnte. Die Geschütze waren so eingebaut, daß sich ihre Schußfelder überschnitten. Einige Geschütze hatte man auf dem Strand selber in Stellung gebracht. Ihre Betonbettungen waren als

1 Minen als Verteidigungswaffen faszinierten Rommel. Auf einer Besichtigungsfahrt mit dem Generalfeldmarschall zeigte Generalleutnant Alfred Gause (der Chef des Stabes der Heeresgruppe 13 vor Generalleutnant Dr. Hans Speidel) auf mehrere Felder mit wildwachsenden Frühlingsblumen und meinte: »Ist das nicht ein wunderschöner Anblick?« Rommel nickte und sagte: »Vielleicht merken Sie sich das, Gause – auf die Felder gehen rund eintausend Minen.« Und bei anderer Gelegenheit, als sie nach Paris unterwegs waren, schlug Gause einen Besuch in der berühmten Porzellanmanufaktur von Sèvres vor. Gause war überrascht, als Rommel einwilligte. Aber Rommel interessierte sich nicht für die Kunstwerke, die man ihm zeigte. Er ging rasch durch die Ausstellungsräume, drehte sich dann zu Gause um und sagte: »Stellen Sie fest, ob man hier wasserdichte Kästen für meine Seeminen herstellen kann!«

harmlos aussehende Häuser getarnt, und ihre Rohre zielten nicht auf See hinaus, sondern den Strand entlang, so daß sie im direkten Beschuß flankierend in die Wellen der angreifenden Truppen hineinfeuern konnten.

Rommel machte sich jede technische Neuheit zunutze. Wo es ihm an Geschützen fehlte, holte er Batterien von Raketen- oder Nebelwerfern heran. An einer Stelle hielt er sogar unbemannte Zwergpanzer, sogenannte »Goliaths«, bereit. Diese Apparate konnten, mit über einer halben Tonne Sprengstoff beladen, ferngelenkt aus den Befestigungen auf den Strand hinausgeschickt und zwischen Truppen oder Landefahrzeugen zur Explosion gebracht werden.

In Rommels mittelalterlichem Waffenarsenal fehlten eigentlich nur Tiegel mit flüssigem Blei, das man auf die Angreifer hinuntergießen konnte – und selbst dafür besaß er das moderne Gegenstück: automatische Flammenwerfer. An verschiedenen Stellen der Front führten Rohrleitungsnetze aus verborgenen Brennöltanks zu den Grashängen über dem Sandstrand. Ein Druck auf den Knopf genügte, und anrückende Truppen würden augenblicklich von den Flammen verschluckt werden.

Auch die Bedrohung durch Fallschirmjäger und Luftlandetruppen hatte Rommel nicht außer acht gelassen. Hinter den Befestigungslinien ließ er tiefliegende Gebiete unter Wasser setzen, und bis zehn Kilometer hinter der Küste hatte man in jedes freie Feld dicke Pfähle (sogenannte Rommel-Spargel) getrieben und mit Stolperdrähten untereinander verbunden. Berührte man die Drähte, gingen sofort Minen oder Granaten hoch.

Rommel hatte einen blutigen Empfang für die alliierten Truppen organisiert. Niemals zuvor in der Geschichte moderner Kriegführung waren gegen ein Invasionsheer wirksamere und tödlichere Abwehrmaßnahmen getroffen worden. Dennoch war Rommel nicht zufrieden. Er wollte mehr Bunker, mehr Strandhindernisse, mehr Minen, mehr Geschütze und mehr Truppen. Vor allem aber brauchte er die schlagkräftigen Panzerdivisionen, die weitab von der Küstenfront in Reserve lagen. Rommel hatte seine denkwürdigen Schlachten in der nordafrikanischen Wüste mit Panzern gewonnen. Nun jedoch, in diesem entscheidenden Augenblick, konnten weder er noch von Rundstedt diese Panzerreserven ohne Hitlers Zustimmung in Marsch setzen. Der Führer hatte sie seinem persönlichen Kommando unterstellt. Rommel brauchte mindestens fünf Panzerdivisionen so nahe an der Küste, daß sie schon in den ersten Stunden der alliierten Landung zum Gegenangriff antreten konnten. Es gab nur eine Möglichkeit, diese Panzerdivisionen zu bekommen; er mußte mit Hitler sprechen. Schon oft hatte er zu Lang gesagt. »Wer als letzter mit Hitler redet, gewinnt das Spiel!« Als Rommel sich an diesem bleiernen Morgen in La Roche Guyon zu der langen Heimfahrt nach Deutschland anschickte, war er entschlossener denn je, das Spiel zu gewinnen.

V

Zweihundert Kilometer entfernt, im Hauptquartier der 15. Armee an der belgischen Grenze, war ein Mann froh, daß der Morgen des 4. Juni heraufdämmerte. Oberstleutnant Hellmuth Meyer saß in seinem Dienstzimmer, abgespannt und mit wunden Augen. Seit dem 1. Juni hatte er kaum noch richtig geschlafen. Aber die gerade vergangene Nacht war die schlimmste von allen gewesen; er würde sie so schnell nicht vergessen.

Meyer hatte eine undankbare, nervenaufreibende Aufgabe. Er war Ic (Abwehroffizier) beim Stab der 15. Armee und befehligte außerdem den einzigen Spionageabwehrdienst an der ganzen Invasionsfront. Kernstück seiner Dienststelle war ein Trupp von dreißig Horchfunkern, der in Tag- und Nachtschichten ununterbrochen in einem mit hochempfindlichen Funkgeräten vollgestopften Betonbunker bei der Arbeit saß. Seine Aufgabe war Horchen – sonst nichts. Aber jeder der Männer beherrschte drei Sprachen fließend, und ihnen entging kaum ein Wort, kaum ein einziges chiffriertes Morsezeichen, das alliierte Sender in den Äther flüsterten.

Meyers Leute waren so erfahren und ihre Geräte so empfindlich, daß sie sogar Gespräche mithören konnten, die fast zweihundert Kilometer entfernt in England über Sprechfunk in den Jeeps der Militärpolizei geführt wurden. Für Meyer war das von großem Nutzen gewesen. Amerikanische und britische Militärpolizisten, die gemütlich von Jeep zu Jeep miteinander plauderten, während sie Truppenbewegungen lenkten, hatten ihm beim Aufstellen einer Liste der verschiedenen in England stationierten Divisionen außerordentlich geholfen. Aber schon seit einiger Zeit hatten Meyers Horchleute nun keine derartigen Gespräche mehr auffangen können. Auch das war für den Oberstleutnant von Bedeutung. Er zog daraus den Schluß, daß man beim Gegner strikte Funkstille befohlen hatte – ein weiterer Anhaltspunkt, der neben vielen anderen darauf hinwies, daß die Invasion dicht bevorstand.

Zusammen mit all den anderen verfügbaren Nachrichten und Geheimberichten dienten solche Hinweise Meyer dazu, sich ein Bild von den alliierten Landungsvorbereitungen zu machen. Und er leistete gute Arbeit. Mehrmals täglich sah er ganze Stöße abgehörter Meldungen durch, ständig auf der Suche nach dem Verdächtigen, dem Ungewöhnlichen – und auch dem Unglaublichen.

In der vorhergehenden Nacht hatten seine Männer das Unglaubhafte aufgefangen. Kurz nach Einbruch der Dunkelheit war ein Presse-Blitztelegramm abgehört worden. Es lautete: DRINGEND ASSOCIATED PRESS NYK RADIOTELEGRAMM EISENHOWERS HQ GIBT ALLIIERTE LANDUNG IN FRANKREICH BEKANNT.

Meyer war wie vor den Kopf gestoßen. Sein erster Gedanke war, den Stab zu alarmieren. Aber dann hielt er inne und beruhigte sich wieder. Er wußte, daß die Nachricht falsch sein mußte.

Zwei Gründe sprachen dafür. Zunächst die völlige Kampfruhe an der ganzen Invasionsfront – Meyer hätte sofort von einem Angriff erfahren. Und zweitens waren Meyer von Admiral Wilhelm Canaris, dem Chef der deutschen Abwehr, im Januar Informationen über einen fantastischen zweiteiligen Funkspruch zugeleitet worden, den die Alliierten kurz vor der Invasion zur Alarmierung der französischen Untergrundbewegung senden würden.

Canaris hatte ihm mitgeteilt, daß die Alliierten in den Monaten, die dem Angriff vorausgingen, Hunderte von Nachrichten an die Untergrundbewegung durchgeben würden. Nur wenige davon würden mit der Landung zusammenhängen; der Rest würde aus absichtlichen Fälschungen bestehen, die irreleiten und verwirren sollten. Der Abwehrchef hatte Meyer ausdrücklich angewiesen, sämtliche Nachrichten abzuhören, damit ihm die, auf die alles ankam, nicht entging.

Anfangs war Meyer skeptisch gewesen. Er hatte es für Wahnsinn gehalten, sich ganz und gar auf eine einzige Nachricht zu verlassen. Überdies wußte er aus Erfahrung, daß Berlins Informationsquellen in neunzig von hundert Fällen unzuverlässig waren. Das konnte er mit einer ganzen Mappe von Falschmeldungen belegen: Die Alliierten schienen jedem deutschen Agenten zwischen Stockholm und Ankara den »genauen« Ort und die »genaue« Zeit für die Landung zugesteckt zu haben – und keine der Informationen stimmte mit einer anderen überein.

Aber Meyer wußte, daß Berlin sich diesmal nicht irrte. Am Abend des ersten Juni hatten seine Leute nach monatelangem Abhören den ersten Teil der alliierten Alarmnachricht abgefangen – so wie Canaris sie angekündigt hatte. Sie unterschied sich im Grunde nicht von den Hunderten von anderen chiffrierten Meldungen, die Meyers Männer in den vorhergehenden Monaten abgehört hatten. Jeden Tag wurden nach den regulären Nachrichten der BBC (des Londoner Rundfunks) chiffrierte Anweisungen für die Untergrundbewegung auf französisch, holländisch, dänisch und norwegisch durchgegeben. Die meisten der Nachrichten waren für Meyer ohne Sinn, und es erbitterte ihn, daß es ihm nicht möglich war, mysteriöse Bruchstücke wie »Der Trojanische Krieg findet nicht statt«, »Melasse wird morgen Kognak spucken«, »John trägt einen langen Schnurrbart« oder »Sabine hat gerade Ziegenpeter und Gelbsucht gehabt« zu enträtseln. Aber die Durchsage, die den Neun-Uhr-Nachrichten der BBC am 1. Juni folgte, verstand Meyer nur zu gut.

»Hören Sie nun bitte ein paar persönliche Mitteilungen«, sagte die Stimme des Ansagers auf französisch. Sofort ließ Feldwebel Walter Reichling das Magnetofongerät laufen. Es trat eine Pause ein, und dann hörte er: »Les sanglots longs des violons de l'automne.« (»Das lange Schluchzen herbstlicher Geigen.«)

Reichling preßte die Hände gegen die Hörmuscheln seines Kopfhörers. Dann riß er den Kopfhörer herunter, rannte aus dem Bunker zu Meyers Dienstzimmer hinüber, riß die Tür auf und rief aufgeregt: »Herr Oberstleutnant, der erste Teil der Meldung – wir haben ihn!«

Zusammen liefen sie in den Radiobunker zurück, und Meyer hörte sich die Aufnahme auf dem Magnetofongerät an. Da war sie – die Nachricht, auf die Canaris ihn vorbereitet hatte: die erste Zeile des »Chanson d'Automne« (»Herbstlied«) des französischen Dichters

Paul Verlaine. Laut Canaris' Informationen sollte diese Zeile von Verlaine am »ersten oder fünfzehnten eines Monats« gesendet werden und »die erste Hälfte einer Meldung darstellen, die die anglo-amerikanische Landung ankündigt.«

Die zweite Hälfte der Nachricht würde aus der zweiten Zeile des Verlaine-Gedichtes bestehen: »Blessent mon cœur d'une langueur monotone« (»Die mein Herz mit langweilender Mattigkeit verwunden«). Die Durchgabe der zweiten Zeile sollte laut Canaris bedeuten, daß »binnen 48 Stunden, gerechnet von null Uhr des auf die Durchsage folgenden Tages, die anglo-amerikanische Invasion beginnt«.

Sobald er die Aufnahme der ersten Verszeile gehört hatte, benachrichtigte Meyer den Chef des Stabes der 15. Armee, Generalmajor Rudolf Hofmann. »Die erste Meldung ist da«, sagte er zu Hofmann. »Jetzt passiert etwas!«

»Sind Sie ganz sicher?« fragte Hofmann.

»Wir haben die Durchsage auf Draht genommen«, erwiderte Meyer.

Sofort gab Hofmann Befehl, die ganze 15. Armee in Alarmbereitschaft zu versetzen.

Unterdessen schickte Meyer die Meldung mit dem Fernschreiber ans OKW. Dann rief er von Rundstedts Dienststelle (OB West) und Rommels Hauptquartier (Heeresgruppe B) an.

Im OKW wurde die Meldung dem Chef des Wehrmachtführungsstabes, Generaloberst Alfred Jodl, zugeleitet. Die Meldung blieb auf Jodls Schreibtisch liegen. Er befahl keine Alarmbereitschaft. Er nahm an, daß von Rundstedt das bereits erledigt habe; aber von Rundstedt glaubte, Rommel habe den Befehl dazu erteilt.[1]

1 Rommel muß von der Meldung gewußt haben; aber im Hinblick auf seine eigene Beurteilung der alliierten Absichten leuchtet es ein, daß er sie außer acht ließ.

An der ganzen Invasionsfront wurde nur für eine Armee Alarmbereitschaft befohlen: für die 15. Die 7. Armee, die in der Normandie an der Küste stand, hörte nichts von der Nachricht und wurde nicht alarmiert.

Am Abend des 2. und 3. Juni sendete die BBC die erste Hälfte der Nachricht erneut. Das bereitete Meyer Kopfschmerzen; seinen Informationen zufolge hätte sie nur einmal gesendet werden dürfen. Er nahm an, daß die Alliierten den Alarm wiederholten, um ganz sicherzugehen, daß er die Untergrundbewegung auch tatsächlich erreichte.

Knapp eine Stunde nach der Wiederholung der Alarmnachricht am 3. Juni war das AP-Radiotelegramm über alliierte Landungen in Frankreich abgehört worden. Wenn Canaris' Information stimmte, dann mußte der AP-Bericht falsch sein. Nach einem kurzen Augenblick der Verwirrung hatte Meyer auf Canaris gesetzt. Nun war er müde, aber auch stolz. Das Heraufziehen des neuen Tages und die andauernde Stille an der Küstenfront gaben ihm voll und ganz recht.

Nun blieb nichts mehr zu tun, als auf die zweite Hälfte der entscheidenden Alarmmeldung zu warten, die jeden Augenblick eintreffen konnte. Ihr furchtbarer Sinn erfüllte Meyer mit Schaudern. Das Zerschlagen der Invasion, das Leben von Hunderttausenden seiner Landsleute, ja die Existenz seines Vaterlandes würde davon abhängen, wie bald seine Männer die Radiodurchsage abhören und die Front alarmieren konnten. Meyer hoffte, daß seine Vorgesetzten ebenfalls die Bedeutung der Durchsage erkannten.

Während Meyer sich aufs Warten einrichtete, schickte sich zweihundert Kilometer entfernt der Befehlshaber der Heeresgruppe B zur Fahrt nach Deutschland an.

VI

Generalfeldmarschall Rommel strich bedächtig ein wenig Honig auf sein Butterbrot. Am Frühstückstisch saßen sein brillanter Chef des Stabes, Generalleutnant Dr. Hans Speidel, und verschiedene Angehörige seines Stabes. Die Unterhaltung floß frei und ungezwungen; es war fast wie eine häusliche Runde mit dem Vater am oberen Ende des Tisches. Und die Männer waren tatsächlich so etwas wie eine echte Familie. Alle Offiziere hatte Rommel sich selber ausgesucht, und sie waren ihm treu ergeben. An diesem Morgen hatten sie ihm verschiedene Probleme vorgetragen, die er mit Hitler besprechen sollte. Rommel hatte wenig dazu gesagt, nur einfach zugehört. Nun drängte es ihn zum Aufbruch. Er blickte auf seine Uhr. »Meine Herren«, sagte er unvermittelt, »ich muß fahren.«

Vor dem Haupteingang stand Daniel, Rommels Fahrer, neben dem Wagen des Generalfeldmarschalls und hielt den Schlag offen. Rommel bat Oberst von Tempelhoff – neben Lang der einzige Offizier seines Stabes, der mit ihm fuhr –, bei ihm in seinem Horch Platz zu nehmen. Tempelhoffs Wagen konnte hinterherfahren. Der Generalfeldmarschall gab jedem Angehörigen seiner Dienstfamilie die Hand, wechselte ein paar Worte mit dem Chef des Stabes und nahm dann wie gewöhnlich neben dem Fahrer Platz. Lang und Oberst von Tempelhoff saßen hinten. »Es kann losgehen, Daniel«, sagte Rommel.

Langsam rollte der Wagen um den Innenhof, passierte das Haupttor und fuhr die Allee aus sechzehn quadratisch beschnittenen Linden hinunter. Im Dorf bog er nach links in die große Straße nach Paris ein.

7 Uhr war es. Es paßte Rommel gut, daß er La Roche Guyon gerade an diesem trüben Sonntagmorgen, dem 4. Juni, verließ. Zeitlich hätte die Fahrt nicht besser lie-

gen können. Neben ihm auf dem Sitz stand ein Karton mit einem Paar handgearbeiteter grauer Wildlederschuhe, Größe 38½, für seine Frau. Rommel hatte einen ganz besonderen und sehr persönlichen Grund, warum er am Dienstag, dem 6. Juni, bei ihr sein wollte. Es war ihr Geburtstag.[1]

In England war es acht Uhr. (Zwischen der britischen doppelten Sommerzeit und der deutschen Normalzeit bestand eine Stunde Unterschied.) In seinem Wohnwagen in einem Wald bei Portsmouth schlief General Dwight D. Eisenhower, der Oberbefehlshaber der alliierten Streitkräfte, nach einer fast gänzlich durchwachten Nacht tief und fest. Seit mehreren Stunden hatten chiffrierte Befehle über Telefon, Melder oder Funk sein in der Nähe gelegenes Hauptquartier verlassen. Etwa um die Zeit, um die Rommel aufgestanden war, hatte Eisenhower eine schicksalsschwere Entscheidung gefällt: Wegen der ungünstigen Wetterlage hatte er die alliierte Landung um vierundzwanzig Stunden verscho-

1 Seit Ende des Krieges haben sich viele von Rommels höheren Offizieren bemüht, die Umstände aufzuklären, die zu Rommels Abwesenheit von der Front am 4. und 5. Juni und fast den ganzen Landungstag selber führten. In Büchern, Artikeln und Interviews haben sie erklärt, Rommel sei am 5. Juni nach Deutschland abgefahren. Das stimmt nicht. Sie behaupten ferner, daß Hitler Rommel befahl, nach Deutschland zu kommen. Das stimmt nicht. Im Führerhauptquartier wußte nur der Adjutant des Führers, Generalmajor Schmundt, von Rommels beabsichtigtem Besuch. General Walter Warlimont, zu der Zeit Stellvertretender Chef des Führungsstabes im OKW, hat mir gesagt, daß weder Jodl noch Keitel noch er selber wußten, daß Rommel überhaupt in Deutschland war. Noch am Tag der Landung glaubte Warlimont, Rommel sei in seinem Hauptquartier und befehlige die Abwehrschlacht. Der Tag von Rommels Abreise aus der Normandie war der 4. Juni; den unstreitigen Beweis erbringt das peinlich genau geführte Kriegstagebuch der Heeresgruppe B, in dem der genaue Zeitpunkt verzeichnet steht.

ben. Günstige Bedingungen vorausgesetzt, würde Dienstag, der 6. Juni, der Tag der Landung sein.

VII

Korvettenkapitän George D. Hoffman, der dreiunddreißigjährige Kommandant des Zerstörers USS *Corry*, blickte durch sein Glas auf die lange Kolonne von Schiffen, die hinter ihm beharrlich durch den Kanal pflügte. Unglaublich, daß sie so weit gekommen waren, ohne in irgendeiner Form angegriffen worden zu sein. Sie hatten Kurs und Zeit eingehalten. Über achtzig Seemeilen hatte der Geleitzug im Schneckentempo auf einer gewundenen Route zurückgelegt, seit er am Abend zuvor aus Plymouth ausgelaufen war. Aber nun rechnete Hoffman jeden Augenblick mit Überraschungen – mit U-Boot- oder Luftangriffen oder beidem. Zumindest erwartete er, auf Minenfelder zu stoßen, denn mit jeder Minute drangen sie tiefer in feindliche Gewässer vor. Vor ihnen – nun kaum noch vierzig Seemeilen entfernt – lag Frankreich.

Der junge Kommandant – er war auf der *Corry* in weniger als drei Jahren vom Leutnant zum Kapitän aufgestiegen – war über alle Maßen stolz, daß er diesen machtvollen Geleitzug anführte. Aber als er ihn durch sein Fernglas betrachtete, wußte er auch, daß die Schiffe für den Gegner ein bequemes Ziel boten.

Voraus fuhren die Minenräumboote – sechs kleine Schiffe, die in diagonaler Formation wie zu der einen Seite eines umgedrehten V ausgeschwärmt waren und an Steuerbord lange Harken mit Sägezähnen führten, um die Ankertaue von Minen zu durchschneiden und die Minen selber zur Explosion zu bringen. Hinter den Räumbooten folgten die schlanken, schnittigen Leiber der begleitenden Zerstörer. Und hinter ihnen, so weit das Auge reichte, der Geleitzug: eine endlose Prozession von unbeholfenen, schwerfälligen Landungsschiffen mit Tausenden von Soldaten, Panzern, Geschützen, Fahrzeugen und Munition. Jedes der schwerbeladenen Schiffe hatte an einem starken Tau einen Fesselballon zur Abwehr von Fliegerangriffen gesetzt. Und da alle diese in gleicher Höhe fliegenden Sperrballone unter dem Druck des frischen Windes ausschwangen, schien der ganze Geleitzug wie betrunken nach einer Seite überzuhängen.

Für Hoffman war es ein großartiger Anblick. Er schätzte den Abstand von Schiff zu Schiff, und da er die Gesamtzahl kannte, rechnete er sich aus, daß die letzten Schiffe dieser fantastischen Parade immer noch im Hafen von Plymouth in England liegen mußten.

Und dies war nur *ein* Geleitzug. Hoffman wußte, daß Dutzende weitere mit ihm zur gleichen Zeit die Anker gelichtet hatten oder England im Laufe des Tages verlassen würden. In der kommenden Nacht würden sie sich alle in der Seinebucht sammeln, und am nächsten Morgen würde eine gewaltige Flotte von fünftausend Schiffen vor der Invasionsküste in der Normandie stehen.

Hoffman konnte die Zeit kaum abwarten. Der Geleitzug, den er anführte, war sehr früh aus England aufgebrochen, weil er am weitesten zu fahren hatte. Er gehörte zu einem machtvollen amerikanischen Kampfverband, der 4. Division, die nach einem Punkt auf der Karte unterwegs war, von dem Hoffman und Millionen andere Amerikaner niemals zuvor gehört hatten – einem Stück windverwehten Strandes auf der Ostseite der Halbinsel Cotentin, dem man den Decknamen »Utah« gegeben hatte. Knapp zwanzig Kilometer weiter in südöstlicher Richtung, vor den Küstendörfern Vierville und Colleville, lag der zweite amerikanische

Strandabschnitt, »Omaha«, ein halbmondförmiger, silbriger Sandstreifen, auf dem die Männer der 1. und 29. Division landen sollten.

Der Kommandant der *Corry* hatte erwartet, andere Geleitzüge an diesem Morgen neben sich auftauchen zu sehen, aber er schien den Kanal ganz für sich allein zu haben. Es beunruhigte ihn jedoch nicht weiter. Irgendwo in der Nähe mußten andere Geleitzüge, die entweder zur Einsatztruppe »U« oder zur Einsatztruppe »O« gehörten, nach der Normandie unterwegs sein. Hoffman wußte nicht, daß Eisenhower – besorgt wegen der ungewissen Wetterverhältnisse – nur einigen wenigen Geleitzügen die Erlaubnis erteilt hatte, schon während der Nacht auszulaufen.

Plötzlich surrte das Telefon auf der Brücke. Einer der Deckoffiziere griff danach, aber Hoffman, der neben ihm stand, hatte den Hörer schon abgenommen. »Brükke«, sagte er. »Kommandant!« Er horchte einen Augenblick. »Sind Sie ganz sicher?« fragte er. »Ist der Befehl wiederholt worden?« Hoffman hörte einen weiteren Augenblick zu, dann legte er den Hörer in die Gabel zurück. Er konnte es nicht fassen: Der ganze Geleitzug war nach England zurückbeordert worden – ohne Angabe von Gründen. Was konnte passiert sein? War die Invasion verschoben worden?

Hoffman hielt mit dem Glas nach den vorausfahrenden Minenräumbooten Ausschau; sie hatten ihren Kurs nicht geändert. Die Zerstörer hinter ihm auch nicht. Hatte der Funkspruch sie nicht erreicht? Bevor Hoffman irgend etwas unternahm, wollte er den Befehl zum Umdrehen selber sehen – er mußte ganz sicher sein. Rasch kletterte er ein Deck tiefer zur Funkstation hinunter.

Funker Bennie Glisson hatte sich nicht geirrt. Er zeigte dem Kommandanten sein Logbuch und sagte: »Ich hab' den Funkspruch zweimal nachgeprüft, um ganz sicherzugehen!« Hoffman eilte auf die Brücke zurück.

Seine Aufgabe und die der anderen Zerstörer war es nun, den gewaltigen Geleitzug zu wenden – und zwar schnell. Da Hoffmans Zerstörer an der Spitze fuhr, mußte er sich zuallererst um die ein paar Seemeilen vorausfahrende Minenräumbootflottille kümmern. Funken konnte er nicht, da ihnen strikte Funkstille auferlegt worden war. »Alle Maschinen volle Kraft voraus!« befahl Hoffman. »Dicht an die Minenräumer ran. Signalgast an die Lampe!«

Während die *Corry* vorwärts preschte, blickte Hoffman sich um und sah hinter sich die Zerstörer drehen und an den Flanken des Geleitzuges auf und ab fahren. Mit blinkenden Signallampen machten sie sich an die mühsame Arbeit, den Geleitzug zu wenden. Besorgt stellte Hoffman fest, daß sie Frankreich gefährlich nahe waren – nur achtunddreißig Meilen trennten sie von der Küste. Hatte man sie schon gesehen? Ein Wunder müßte geschehen, wenn sie die Kehrtwendung beenden sollten, ohne dabei entdeckt zu werden.

Unten in der Funkstation fing Bennie Glisson den chiffrierten Funkspruch über den Aufschub alle fünfzehn Minuten von neuem auf. Für ihn war es die schlechteste Nachricht, die er seit langem empfangen hatte, denn sie schien einen quälenden Verdacht zu bestätigen: daß die Deutschen alles über die Invasion wußten. War der »Tag D« abgeblasen worden, weil die Deutschen Kenntnis von ihm hatten? Wie all die Tausende andere Männer konnte auch Bennie sich nicht vorstellen, daß die ganzen Landungsvorbereitungen – die Geleitzüge, die Schiffe, Soldaten und Berge von Kriegsmaterial, die jeden Hafen, jede Flußmündung, jede Bucht zwischen Land's End und Portsmouth füllten – den Aufklärungsflugzeugen der Luftwaffe entgangen sein sollten. Und falls die Nachricht einfach nur bedeutete, daß die Landung aus irgendeinem anderen Grunde verschoben worden war, dann hatten die Deutschen um so mehr Zeit, die alliierte Armada zu entdekken.

Der dreiundzwanzigjährige Funker drehte den Abstimmknopf eines anderen Gerätes und holte Radio Paris, den deutschen Propagandasender, herein. Er wollte »Achsen-Sally« mit der amourösen Stimme hören. Ihre höhnischen Sendungen waren amüsant, weil alles nicht stimmte – aber man konnte nie wissen. Und aus noch einem anderen Grund waren die Sendungen beliebt: Das »Berliner Aas«, wie Sally oft wenig respektvoll genannt wurde, schien einen unerschöpflichen Vorrat an allerneuesten Schlagerplatten zu besitzen.

Bennie konnte fürs erste nicht zuhören, denn in diesem Augenblick traf eine lange Reihe chiffrierter Wetterberichte ein. Als er jedoch den letzten dieser Berichte abgetippt hatte, legte »Achsen-Sally« gerade ihre erste Schlagerplatte auf, Bennie erkannte sofort die Anfangstakte des vielgespielten Schlagers »I Double Dare You« (»Traust dich ja nicht!«). Aber das Lied hatte nun einen neuen Text, und dieser Text bestätigte Bennies schlimmste Befürchtungen. An diesem Morgen kurz vor acht hörten Bennie und Tausende von anderen alliierten Soldaten, die für die Landung in der Normandie am 5. Juni gerüstet waren und nun noch weitere qualvolle vierundzwanzig Stunden warten mußten, den bekannten Schlager mit diesen treffenden neuen Worten, die ihnen das Gruseln beibrachten:

Traut euch ja nicht, hier herüberzukommen.
Traut euch ja nicht, zu nahe zu kommen.
Bleibt auf dem Teppich und gebt nicht so an,
Macht nicht so'n Wind, ist doch nichts dran.
Geht ihr nicht endlich ran?

Traut euch ja nicht, eine Invasion zu riskieren.
Traut euch ja nicht, hier einzumarschieren.
Wenn eure laute Propaganda nur zur Hälfte stimmt –
Warum traut ihr euch dann nicht?
Traut euch wohl nicht?

VIII

Im riesigen Kommandoraum des alliierten Marinehauptquartiers im Southwick House bei Portsmouth wartete man auf die Rückkehr der Schiffe.

In dem langen hohen Raum mit der weißgoldenen Tapete herrschte emsigste Betriebsamkeit. Eine ganze Wand war von einer gewaltigen Seekarte des Kanalgebietes bedeckt. Alle paar Minuten versetzten zwei Marinehelferinnen auf fahrbaren Treppenleitern buntköpfige Stecknadeln von einer Stelle der Karte zu einer anderen und markierten so laufend die Position jedes zurückkehrenden Geleitzuges. Schweigsam, in Gruppen zu zweit oder dritt zusammensitzend, sahen Stabsoffiziere aller alliierten Wehrmachtteile zu, wie Meldung auf Meldung eintraf. Nach außen wirkten die Männer ruhig, aber die Nervenbelastung, der sie alle ausgesetzt waren, ließ sich nicht verbergen. Nicht nur mußten die Geleitzüge fast unter den Augen des Feindes drehen und in genau festgelegten, von Minen freigeräumten Fahrrinnen nach England zurückkehren; sie sahen sich nun noch von einem weiteren Gegner bedroht: von einem Sturm auf See. Für die langsamen, mit Truppen und Waffen schwerbeladenen Landungsfahrzeuge konnte ein Sturm zu einer Katastrophe werden. Im Kanal blies der Wind schon jetzt bis zu Stärke 7, so daß die Wellen anderthalb Meter hochgingen, und das Wetter sollte sich noch weiter verschlechtern.

Die Minuten verstrichen: Die Karte gab den geordneten Verlauf des Umkehrmanövers wieder. Ganze Bänder von bunten Nadeln zogen sich in die Irische See hinauf zurück. Sie häuften sich in der Gegend der Isle of Wight und drängten sich in Häfen und auf Ankerplätzen entlang der englischen Südwestküste zusammen. Einige der Geleitzüge würden noch den ganzen Tag zur Rückkehr in ihren Hafen brauchen.

Mit einem einzigen Blick konnte man die Position jedes Geleitzuges und fast jedes einzelnen Schiffes der alliierten Flotte von der Karte ablesen. Zwei Fahrzeuge jedoch waren nicht zu sehen – zwei Kleinst-U-Boote. Sie schienen völlig von der Karte verschwunden zu sein.

In einer Dienststelle in der Nähe versuchte eine hübsche vierundzwanzigjährige Marinehelferin im Leutnantsrang sich auszurechnen, wie bald ihr Mann wohl wieder in seinem Heimathafen eintreffen würde. Naomi Coles Honour war ein wenig in Sorge, aber doch noch nicht allzusehr geängstigt, obwohl ihre Freundinnen bei der Operationsabteilung nichts über den Aufenthalt ihres Mannes, des Kapitänleutnants George Honour, und seines 17,4 Meter langen Zwergunterseebootes zu wissen schienen.

Eine Seemeile vor der französischen Küste durchbrach ein Periskop die Wasseroberfläche. Neun Meter darunter, eingezwängt im vollgestopften Kommandostand von X 23 hockend, schob Kapitänleutnant George Honour die Mütze in den Nacken.

»So, meine Herren«, erinnert er sich gesagt zu haben, »nun wollen wir mal sehen!«

Ein Auge an die Gummimuschel des Okulars gepreßt, drehte er das Periskop langsam um seine Achse, und als der verzerrende Wasserschleier von der Linse ablief, festigte sich das unscharfe Bild vor seinen Augen und wurde zu dem verschlafenen Badestädtchen Ouistreham in der Nähe der Ornemündung. Sie waren so dicht an der Küste, und das Bild war so stark vergrößert, daß Honour Rauch aus den Schornsteinen aufsteigen sehen konnte und weiter entfernt ein Flugzeug, das gerade vom Flugplatz Carpiquet bei Caën aufgestiegen war. Außerdem konnte er den Feind sehen. Fasziniert beobachtete er deutsche Soldaten, die seelenruhig zwischen den Landeabwehrhindernissen auf dem sich nach beiden Seiten erstreckenden Sandstrand arbeiteten.

Es war ein großer Augenblick für den sechsundzwanzigjährigen Reserveoffizier der Königlichen Marine. Vom Periskop zurücktretend, sagte er zu Kapitänleutnant Lionel G. Lyne, der als Navigationsfachmann das Unternehmen befehligte: »Guck es dir selber an, Dünner – wir sind fast genau da, wo wir hin sollen!«

Damit hatte die Invasion eigentlich schon begonnen: Das erste Wasserfahrzeug und die ersten Männer hatten vor dem Landestrand in der Normandie Stellung bezogen. Unmittelbar vor X 23 lag der britisch-kanadische Angriffsabschnitt. Kapitänleutnant Honour und seine Besatzung waren sich der Bedeutung des Datums sehr wohl bewußt. An einem anderen 4. Juni, vier Jahre zuvor, waren an einer kaum mehr als dreihundert Kilometer entfernten Stelle die letzten 338 000 britischen Soldaten aus einem brennenden Hafen herausgeholt worden, der Dünkirchen hieß. Für die fünf Engländer auf X 23, die für diesen Sondereinsatz ausgesucht worden waren, war ein spannungsvoller, stolzer Augenblick gekommen. Sie waren die englische Vorhut; die Männer von X 23 bahnten den Weg, auf dem Tausende ihrer bald nachfolgenden Landsleute nach Frankreich zurückkehren sollten.

Diese fünf Männer, die in der winzigen Allzweckkabine von X 23 hockten, trugen Kampfschwimmeranzüge aus Gummi, und sie hatten äußerst geschickt gefälschte Papiere bei sich, die selbst der Nachprüfung durch den mißtrauischsten deutschen Wachposten standgehalten hätten. Jeder besaß eine gefälschte französische Kennkarte mit Lichtbild, dazu einen Arbeitspaß und Lebensmittelkarten mit amtlich aussehenden deutschen Stempeln und verschiedene andere Briefe und Dokumente. Falls irgend etwas schiefgehen sollte und X 23 sank oder verlassen werden mußte, sollte die Besatzung an Land schwimmen, unter neuem Namen der Gefangenschaft zu entgehen versuchen und Verbindung mit der französischen Untergrundbewegung aufnehmen.

Der Auftrag von X 23 war besonders gefährlich. Zwanzig Minuten vor dem Beginn der Landung, der Stunde »H«, würden das Kleinst-U-Boot und sein Schwesterschiff X 20 – etwa zwanzig Seemeilen weiter die Küste hinunter, dem kleinen Dorf Le Hamel gegenüber – kühn auftauchen, um als Navigationsmarke den britisch-kanadischen Angriffsbereich klar abzugrenzen: drei Strandabschnitte, denen man die Decknamen »Sword« (Schwert), »Juno« und »Gold« gegeben hatte.

Der Einsatzplan, den sie auszuführen hatten, war verwickelt und bis ins kleinste festgelegt. Sobald sie auftauchten, mußten sie ein automatisches Funkgerät einschalten, das ein fortlaufendes Signal ausstrahlte. Gleichzeitig würden Echogeräte automatisch Schallwellen durch das Wasser aussenden, die von Unterwasserhorchgeräten aufgefangen werden konnten. Die Flotte mit den britischen und kanadischen Truppen würde sich mit Hilfe des einen der beiden Signale oder mit beiden an die Küste herannavigieren.

Jedes der beiden Zwerg-U-Boote war außerdem mit einem sechs Meter hohen ausziehbaren Mast ausgestattet, der ein bis zu einer Entfernung von über fünf Seemeilen sichtbares Licht ausstrahlte. Grünes Licht bedeutete, daß die Unterseeboote ihre genaue Position bezogen hatten; rotes, daß sie davon abgewichen waren.

Als zusätzliche Navigationshilfe forderte der Einsatzplan, daß jedes der beiden Zwerg-U-Boote ein vertäutes

Schlauchboot aussetzte und mit einem Mann darin ein Stück landwärts treiben ließ. Die Schlauchboote waren mit Scheinwerfern ausgerüstet, die von der Ein-Mann-Besatzung bedient werden sollten. Durch Anpeilen der U-Boot- und Schlauchbootlichter würden die herannahenden Schiffe die genaue Lage der drei Angriffsabschnitte feststellen können.

Nichts war vergessen worden – auch nicht, daß das kleine U-Boot von einem schwerfällig daherkommenden Landungsschiff überfahren werden konnte. Zu seinem Schutz sollte X 23 daher mit einer gelben Flagge deutlich markiert werden. Honour wußte gut, daß die Flagge sie außerdem zu einer fabelhaften Zielscheibe für die Deutschen machen würde. Nichtsdestoweniger hatte er sich vorgenommen, außer der gelben Fahne noch die große weiße Marineflagge zu setzen. Honour und seine Besatzung waren entschlossen, feindlichen Artilleriebeschuß zu riskieren, aber sie wollten sich nicht der Gefahr aussetzen, überrannt und versenkt zu werden.

All dieses Zubehör und noch mehr war in dem ohnehin schon vollgestopften Innern von X 23 verstaut worden. Außerdem waren zwei zusätzliche Besatzungsmitglieder, beides Navigationsexperten, der normalen Besatzung von drei Mann hinzugefügt worden. Nun konnte man kaum noch stehen oder sitzen in der Allzweckkabine von X 23, die nur 1,72 Meter in der Höhe, 1,52 Meter in der Breite und knapp 2,40 Meter in der Länge maß. Schon jetzt war die Luft heiß und verbraucht, und die Atmosphäre würde sich noch wesentlich verschlechtern, bis sie nach Einbruch der Nacht aufzutauchen wagten.

Honour wußte, daß sie in den flachen Küstengewässern bei Tageslicht jeden Augenblick von einem tieffliegenden Aufklärer oder einem Patrouillenboot entdeckt werden konnten – und je länger sie auf Periskoptiefe liegenblieben, desto größer wurde die Gefahr.

Am Periskop versuchte Kapitänleutnant Lyne sich zu orientieren. Verschiedene Orientierungspunkte hatte er rasch identifiziert: den Leuchtturm von Ouistreham, die Kirche und die Türme zweier weiterer Kirchen in den einige Kilometer entfernten Dörfern Langrune und St.-Aubin-sur-Mer. Honour hatte recht gehabt. Sie waren »fast genau da, wo sie hin sollten« – kaum weiter als einen Kilometer von der festgelegten Position entfernt.

Honour atmete auf. Es war eine lange, qualvolle Fahrt gewesen. Sie hatten für die neunzig Seemeilen von Portsmouth fast zwei Tage gebraucht, und die meiste Zeit waren sie durch Minenfelder manövriert. Nun würden sie auf genaue Position gehen und sich dann auf Grund legen. Unternehmen »Gambit« ließ sich gut an. Honour wünschte insgeheim, man hätte einen anderen Decknamen gewählt. Obwohl der junge Kommandant nicht abergläubisch war, hatte es ihm doch einen Schock versetzt, als er das Wort nachschlug und feststellen mußte, daß »Gambit« eine Eröffnung beim Schachspiel ist, bei der man »die vordersten Bauern opfert«.

Honour warf einen letzten Blick auf die an Land arbeitenden Deutschen. Morgen früh um diese Zeit wird die Hölle los sein auf diesem Strand, dachte er. »Periskop einfahren!« befahl er dann. Unter Wasser hatten sie keine Funkverbindung mit ihrem Stützpunkt. Honour und die Besatzung von X 23 wußten daher nicht, daß die Landung verschoben worden war.

IX

Gegen elf Uhr wehte eine steife Brise im Kanal. In den Sperrgebieten an der englischen Küste, die gegen das restliche Land hermetisch abgeschlossen waren, machten sich die Invasionstruppen erneut ans Warten. Ihre Welt waren nun Bereitstellungsräume, Flugplätze und Schiffe. Fast war es so, als hätte man sie ganz und gar vom Festland abgeschnitten und zwischen der vertrauten Welt Englands und der unbekannten Welt der Normandie gefangengesetzt. Von der Welt, die sie kannten, trennte sie ein dichter Vorhang absoluter Geheimhaltung.

Auf der anderen Seite dieses Vorhangs ging das Leben wie gewöhnlich weiter. Die Menschen folgten ihrem üblichen Tagewerk und ahnten nicht, daß Hunderttausende von Männern auf einen Befehl warteten, der den Anfang vom Ende des Zweiten Weltkriegs bedeuten würde.

In der Stadt Leatherhead in der Grafschaft Surrey führte ein vierundfünfzigjähriger Physiklehrer seinen Hund spazieren. Leonard Sidney Dawe war ein stiller, bescheidener Mann, den außerhalb seines eigenen kleinen Kreises niemand kannte. Und doch erfreute sich der zurückgezogen lebende Dawe einer Anhängerschaft in der Öffentlichkeit, die die eines Filmstars weit übertraf. Tag für Tag schlugen sich über eine Million Menschen mit dem Kreuzworträtsel herum, das er und sein Freund Melville Jones, der ebenfalls Lehrer war, für jede Ausgabe der Londoner Morgenzeitung »Daily Telegraph« austüftelten.

Seit über zwanzig Jahren war Dawe der führende Kreuzworträtsellieferant des »Telegraph«, und während dieser Zeit hatten seine kniffligen Rätsel zahllose Millionen erfreut und zur Verzweiflung gebracht. Manche behaupteten, daß die Rätsel der »Times« schwieriger seien, aber Dawes Anhänger hielten dem entgegen, daß sich in den Kreuzworträtseln des »Telegraph« noch niemals ein Schlüssel wiederholt habe. Auf diesen Rekord war der zurückhaltende Dawe nicht wenig stolz.

Dawe wäre erstaunt gewesen, hätte er gewußt, daß er seit dem 2. Mai Mittelpunkt außerordentlich diskreter Nachforschungen durch eine gewisse Dienststelle Scotland Yards war, die sich mit Spionageabwehr befaßte: M.I.5. Seit über einem Monat jagten seine Rätsel so mancher Abteilung des alliierten Oberkommandos wieder und wieder einen heillosen Schrecken ein.

An diesem Sonntag morgen hatte M.I.5 beschlossen, mit Dawe zu reden. Als er nach Hause zurückkehrte, warteten zwei Herren auf ihn. Dawe hatte wie jeder andere gehört, daß es M.I.5 gab, aber was konnte M.I.5 von ihm wollen?

»Mr. Dawe«, eröffnete der eine der beiden Männer das Verhör, »im vergangenen Monat sind eine Reihe streng geheimer Codewörter, die ein bestimmtes alliiertes Unternehmen betreffen, in Kreuzworträtseln des ›Daily Telegraph‹ aufgetaucht. Können Sie uns sagen, was Sie veranlaßt hat, diese Wörter zu benutzen – oder wo Sie sie hergenommen haben?«

Noch ehe der überraschte Dawe antworten konnte, zog der M.I.5-Mann eine Liste aus der Tasche und sagte: »Wir möchten ganz besonders gerne wissen, wie Sie dazu kamen, dieses Wort zu wählen.« Er tippte auf die Liste. Das Preisrätsel im »Daily Telegraph« vom 27. Mai enthielt für elf waagerecht den Schlüssel »Solch ein hohes Tier hat manchmal ein Stück davon gestohlen«. In diesem geheimnisvollen Hinweis entdeckten Dawes getreue Anhänger mittels irgendwelcher seltsamer Alchimie einen Sinn. Die Antwort, die vor zwei Tagen, am 2. Juni, veröffentlicht worden war, war der Deckname für den gesamten alliierten Invasionsplan – »Overlord« (»Oberlehnsherr«).

Dawe wußte nicht, über welches alliierte Unternehmen seine Besucher sprachen, daher war er nicht sonderlich bestürzt oder gar ungehalten über ihre Fragen. Er könne nicht erklären, sagte er, wie oder warum er gerade dieses Wort gewählt habe. Es sei ein recht geläufiges Wort in Geschichtsbüchern, meinte er. »Aber wie«, wandte er ein, »soll ich wissen, was als Codewort benutzt wird und was nicht?«

Die beiden M.I.5-Männer waren außerordentlich höflich. Sie gaben zu, daß es schwierig sei. Aber ob er es nicht seltsam finde, daß alle diese Codewörter im selben Monat auftauchten?

Gemeinsam mit dem nun doch leicht beunruhigten Schulmeister gingen sie die Liste durch. In dem Rätsel vom 2. Mai hatte der Schlüssel »Einer der US-Staaten« (siebzehn waagerecht) »Utah« ergeben. Die Antwort auf drei senkrecht am 22. Mai »Indianer auf dem Missouri« lautete »Omaha«.

Im Kreuzworträtsel vom 30. Mai gehörte auf elf waagerecht das Wort »Mulberry« (»Maulbeere«) – der Deckname für die beiden künstlichen Häfen, die vor der Invasionsküste Stellung beziehen sollten. Und die Lösung für fünfzehn senkrecht am 1. Juni, »Britannia und er halten dasselbe«, war »Neptune« gewesen – das Codewort für die Marineoperation im Rahmen der Invasion.

Dawe konnte keine Erklärung für die Verwendung dieser Wörter geben. Es sei durchaus möglich, meinte er, daß er die fraglichen Kreuzworträtsel bereits vor sechs Monaten fertiggestellt habe. Gab es überhaupt eine Erklärung? Dawe fiel nur eine ein: fantastischer Zufall.

Haarsträubende Geschichten hatte es auch vorher schon gegeben. Drei Monate zuvor war in der Hauptpost von Chicago ein dicker, schlecht verpackter Umschlag beim Sortieren aufgeplatzt. Zum Vorschein kam eine Anzahl verdächtig aussehender Dokumente. Mindestens ein Dutzend Sortierer sahen den Inhalt: Mit einem alliierten Unternehmen unter dem Namen »Overlord« hatten die Dokumente etwas zu tun.

Im Nu wimmelte es im ganzen Postamt von Leuten der Spionageabwehr. Die Sortierer wurden verhört und angewiesen, alles zu vergessen, was sie gesehen hatten. Dann nahm man den völlig ahnungslosen Adressaten unter die Lupe: ein Mädchen. Das Mädchen konnte keine Auskunft darüber geben, warum die Papiere zu ihm unterwegs waren, aber es erkannte die Handschrift auf dem Umschlag. Mit Hilfe des Mädchens wurde der Absender der Papiere aufgespürt, ein nicht weniger unschuldiger Feldwebel im amerikanischen Hauptquartier in London. Er hatte den Umschlag aus Versehen falsch adressiert und an seine Schwester in Chicago geschickt!

Dieser letztlich unbedeutende Zwischenfall hätte gewiß sehr viel größeres Aufsehen erregt, wenn man im Hauptquartier des Oberbefehlshabers gewußt hätte, daß die deutsche Abwehr die Bedeutung des Codewortes »Overlord« bereits kannte. Einer ihrer Agenten, ein Albanier namens Diello, den man bei der Abwehr als »Cicero« kannte, hatte Berlin die Information im Januar geschickt. Anfangs hatte Cicero den Plan als »Overlock« identifiziert, ein Irrtum, den er später korrigierte. Und Berlin glaubte Cicero – er arbeitete als Diener in der Britischen Gesandtschaft in Ankara.

Das eigentliche »Overlord«-Geheimnis konnte jedoch auch Cicero nicht enträtseln – Zeit und Ort der Landung. So gewissenhaft wurde dieses Geheimnis gehütet, daß bis Ende April nur ein paar hundert alliierte Offiziere Bescheid wußten. Aber in diesem April übertraten trotz der ständigen Hinweise der britischen Abwehr, daß überall auf der Insel feindliche Spione tätig seien, zwei hohe Offiziere – ein amerikanischer General und ein britischer Oberst – gedankenlos die Sicherheitsbestimmungen. Auf einer Cocktailparty im Londoner Hotel »Claridge« erwähnte der General gegenüber einem anderen Offizier, daß die Invasion vor dem 15. Juni stattfinden werde. An einem anderen Ort in England war der Oberst, ein Bataillonskommandeur, noch weniger verschwiegen. Er erzählte mehreren Freunden – Zivilisten –, daß seine Männer für die Erstürmung eines bestimmten Kampfobjektes ausgebildet würden, und er deutete an, daß dieses Kampfobjekt in der Normandie lag. Beide Offiziere wurden sofort degradiert und von ihren Kommandeurposten entfernt.[1]

Und nun, an diesem spannungsgeladenen Sonntag, dem 4. Juni, erhielt das Hauptquartier des Oberbefehlshabers die niederschmetternde Nachricht, daß es noch eine andere undichte Stelle gegeben haben mußte – eine weit schlimmere als alle vorherigen. Während der Nacht hatte eine Fernschreiberin bei AP auf einer unbenutzten Maschine geübt, um ihr Schreibtempo zu verbessern. Aus Versehen ging der Lochstreifen mit ihrem Übungs-»Blitz« dem allabendlichen russischen Heeresbericht voraus. Das Versehen wurde schon nach dreißig Sekunden korrigiert, aber der Text war unterwegs. Die »Nachricht«, die die Vereinigten Staaten erreichte, lautete: »DRINGEND ASSOCIATED PRESS NYK PRESSETELEGRAMM EISENHOWER HQ GIBT ALLIIERTE LANDUNG IN FRANKREICH BEKANNT.«

Die Meldung konnte schwerwiegende Folgen haben, aber es war längst zu spät, um noch irgend etwas dagegen zu tun. Die gigantische Maschinerie der Invasion war auf volle Touren geschaltet. Während die Stunden

1 Obwohl der amerikanische General ein Klassenkamerad Eisenhowers auf der Militärakademie West Point war, blieb dem Oberbefehlshaber nichts anderes übrig, als ihn nach Hause zu schicken. Nach der Landung wurde der Fall des Generals in der Öffentlichkeit heftig diskutiert, und später hat er als Oberst den Abschied genommen. Es gibt keinen Beleg, daß Eisenhowers Hauptquartier von der Indiskretion des englischen Offiziers überhaupt Kenntnis erhielt. Die Affäre wurde in aller Stille von seinen eigenen Vorgesetzten bereinigt. Der ehemalige Oberst gelangte später als Abgeordneter ins Unterhaus.

verrannen und das Wetter immer schlechter wurde, wartete die größte Luft- und Seelandestreitmacht, die jemals zusammengestellt worden war, auf Eisenhowers Entscheidung. Würde Ike beim 6. Juni als dem Tag für die Landung bleiben? Oder würde das Wetter im Kanal – das schlechteste seit zwanzig Jahren – ihn zwingen, die Invasion zum zweitenmal zu verschieben?

X

In einem vom Regen gepeitschten Wald, drei Kilometer vom Marinehauptquartier im Southwick House entfernt, kämpfte der Amerikaner, der diese große Entscheidung zu fällen hatte, mit seinem Problem. Er versuchte, es sich in dem kärglich möblierten Dreieinhalb-Tonner-Wohnwagen bequem zu machen. Eisenhower hätte ein bequemeres Quartier im großen, weitläufigen Southwick House beziehen können, aber er war dagegen gewesen. Er wollte so dicht wie möglich bei den Häfen sein, in denen seine Truppen verladen wurden. Vor ein paar Tagen hatte er ein behelfsmäßiges Feldhauptquartier aufbauen lassen – nur einige wenige Zelte für seine engsten Mitarbeiter und ein paar Wohnwagen, darunter seinen eigenen, den er vor langer Zeit seinen »Zirkuswagen« getauft hatte.

Eisenhowers Wohnwagen, dessen lange flache Karosserie der eines Möbelwagens ähnelte, hatte drei kleine Räume, die als Schlafzimmer, Wohnzimmer und Arbeitszimmer dienten. Außerdem waren mit viel Geschick eine winzige Küche, eine Miniaturtelefonzentrale, eine Torfmulltoilette und, an einem Ende, ein verglaster Ausguck eingepaßt. Aber der Oberbefehlshaber hielt sich selten lange genug in seinem Wohnwagen auf, um vollen Gebrauch von ihm zu machen. Wohnzimmer und Arbeitszimmer benutzte er fast nie. Stabsbesprechungen hielt er gewöhnlich in einem Zelt gleich neben dem Wohnwagen ab. Nur sein Schlafzimmer machte einen bewohnten Eindruck. Es war ganz offensichtlich seins: Auf dem Tisch neben der Koje lag ein Stoß von Wildwestromanen, und hier hingen auch die einzigen Bilder – Fotografien seiner Frau Mamie und seines einundzwanzigjährigen Sohnes John in der Uniform eines West-Point-Offiziersanwärters.

Von diesem Wohnwagen aus befehligte Eisenhower fast drei Millionen alliierte Soldaten. Mehr als die Hälfte dieser gewaltigen Streitmacht waren Amerikaner: etwa 1 700 000 Soldaten, Matrosen, Flieger und Küstenschutzleute. Die britischen und kanadischen Verbände umfaßten zusammen etwa eine Million Mann, und hinzu traten noch französische, polnische, tschechische, belgische, norwegische und holländische Kampfeinheiten. Niemals zuvor hatte ein Amerikaner so viele Männer aus so viel Ländern kommandiert oder die Last solch einer furchtbaren Verantwortung auf seinen Schultern getragen.

Aber trotz der Größe seines Auftrags und seiner beträchtlichen Vollmachten merkte man dem großen, sonnenverbrannten Mann aus dem amerikanischen Mittelwesten mit dem ansteckenden Lächeln kaum an, daß er Oberster Befehlshaber war. Im Gegensatz zu anderen berühmten amerikanischen Kommandeuren, die man sofort an irgendeiner sichtbaren Schutzmarke (wie exzentrischem Mützenschirm oder prunkvoller Uniform mit schulterhoher Ordensschnalle) erkennen konnte, war alles an Eisenhower zurückhaltend. Mit Ausnahme seiner vier Generalssterne, einem einzigen Ordensbändchen über seiner Brusttasche und dem »Flammenden Schwert«, dem Abzeichen von SHAEF (Oberkommando des alliierten Expeditionskorps), am Ärmel, verschmähte er alle äußeren Kennzeichen. Selbst in dem Wohnwagen verriet kaum etwas seine Befehlsgewalt: keine Fahnen, Karten, eingerahmte Weisungen oder signierte Fotografien der Großen und Fast-Großen, die Eisenhower oft besuchten. Aber in seinem Schlafzimmer standen in der Nähe des Bettes drei überaus wichtige Telefonapparate, jeder von einer anderen Farbe; der rote diente für Anrufe aller Art nach Washington, der grüne war eine Direktverbindung mit Winston Churchills Sitz, Downing Street 10 in London, und der schwarze verband Eisenhower mit dem brillanten Chef des Stabes, Generalmajor Walter Bedell Smith, dem Hauptquartier und anderen hohen Offizieren des alliierten Oberkommandos.

Als ob er nicht ohnehin schon genug Sorgen hätte, hörte Eisenhower ausgerechnet auf dem schwarzen Telefon von dem irrtümlichen »Pressetelegramm« über die »Landung«. Er sagte nichts, als man ihm die Nachricht durchgab. Sein Marinesachverständiger, Kapitän zur See Harry C. Butcher, erinnert sich, daß der Oberbefehlshaber nur mit einem kurzen Brummen den Empfang der Meldung bestätigte. Was sollte er auch sagen oder tun?

Vier Monate zuvor hatten die Vereinigten Stabschefs in Washington in dem Erlaß, der Eisenhower zum Oberbefehlshaber ernannte, seinen Auftrag in einem einzigen Satz klar umrissen. Er lautete: »Sie werden auf dem europäischen Festland landen und zusammen mit den anderen Vereinten Nationen Kampfhandlungen durchführen, die auf das Herz Deutschlands und die Vernichtung seiner bewaffneten Streitkräfte zielen.«

In diesem einen Satz lagen Ziel und Zweck des Angriffs beschlossen. Aber für die gesamte alliierte Welt würde die Landung mehr als nur ein militärisches Unternehmen sein. Eisenhower sprach von einem »großen Kreuzzug« – einem Kreuzzug, der ein für allemal der abscheulichen Tyrannei ein Ende bereiten sollte, die die

Welt in den blutigsten aller Kriege gestürzt, einen Kontinent zerschmettert und dreihundert Millionen Menschen zu Sklaven gemacht hatte.

Von dem vollen Ausmaß des nazistischen Terrors, der Europa überschwemmt hatte, konnte sich zu der Zeit niemand ein Bild machen – von den Millionen, die in den Gaskammern und Verbrennungsöfen von Heinrich Himmlers keimfreien Krematorien verschwunden waren; den Millionen, die man als Zwangsarbeiter aus ihrem Heimatland verschleppt hatte und von denen ein gewaltiger Teil niemals zurückkehren sollte; den weiteren Millionen, die man zu Tode gefoltert, als Geiseln erschossen oder einfach hatte verhungern lassen.

Zunächst jedoch mußte die Landung gelingen. Wenn sie fehlschlug, würde die endgültige Niederwerfung Deutschlands noch Jahre dauern können.

Zur Vorbereitung der Großinvasion, von der so viel abhing, war seit über einem Jahr eine intensive militärische Planung im Gang. Lange bevor irgend jemand wußte, daß Eisenhower zum Oberkommandierenden ernannt werden würde, hatte eine kleine Gruppe angloamerikanischer Offiziere unter Führung des britischen Generalleutnants Sir Frederick Morgan Vorarbeit für den Angriff geleistet. Die Probleme, denen diese Männer sich gegenübersahen, waren unglaublich mannigfaltig und verwickelt – es gab keine Richtschnur, keine militärischen Präzedenzfälle, dafür aber eine Überfülle von Fragezeichen. Wo sollte der Angriff ansetzen und wann? Wie viele Divisionen sollte man einsetzen? Falls man x Divisionen brauchte, würden sie am Tage y verfügbar, ausgebildet und einsatzbereit sein? Wie viele Transportschiffe würde man brauchen, um sie zu befördern? Wie stand es mit der Feuerkraft der Schiffsartillerie, mit den Versorgungsschiffen und dem Geleitschutz? Wo sollte man all die nötigen Landungsboote herbekommen – konnte man eine gewisse Anzahl von den Kriegsschauplätzen im Mittelmeer und im Pazifik heranholen? Wie viele Flugplätze würde man zur Stationierung der Tausende von Maschinen benötigen, die für die Luftoffensive unerläßlich waren? Wie lange würde es dauern, bis der ganze Nachschub, Ausrüstung, Geschütze, Munition, Fahrzeuge, Verpflegung aufgestapelt war, und wieviel von jedem würde man brauchen – nicht nur für den Angriff selber, sondern auch hinterher?

Das waren nur einige wenige der überwältigenden Fragen, die die alliierten Planer zu beantworten hatten. Tausende von anderen kamen hinzu. Ihre Untersuchungen, die nach Eisenhowers Befehlsübernahme zu dem Operationsplan »Overlord« erweitert und abgeändert wurden, verlangten schließlich mehr Soldaten, mehr Schiffe, mehr Flugzeuge, mehr Material und mehr Geräte, als jemals zuvor für ein einziges militärisches Unternehmen herangezogen worden waren.

Die Vorbereitungen waren gewaltig. Noch bevor der Plan seine endgültige Form gefunden hatte, begann ein noch nie dagewesener Strom von Menschen und Material nach England zu fließen. Schon bald lagen so viele Amerikaner in den kleinen Städten und Dörfern, daß die Einheimischen sich oft hoffnungslos in der Minderzahl befanden. Ihre Kinos, Hotels, Restaurants, Tanzlokale und Stammkneipen wurden plötzlich überschwemmt mit Truppen aus jedem Bundesstaat der USA.

Flugplätze entstanden überall. Für die große Luftoffensive wurden zuzüglich zu den Dutzenden von bereits existierenden Stützpunkten 163 neue gebaut, bis es schließlich so viele gab, daß das fliegende Personal der 8. und 9. Luftflotte witzelte, man könne kreuz und quer durch die Insel rollen, ohne sich die Tragflächen zu zerkratzen. Die Häfen waren vollgestopft. Eine große Flotte von fast neunhundert Begleitschiffen, vom Schlachtkreuzer bis zum Patrouillenboot, begann sich anzusammeln. Geleitzüge trafen in solch großer Zahl ein, daß sie bis zum Frühjahr fast zwei Millionen Tonnen an Nachschubgütern herangebracht hatten. Um die Güter zu transportieren, mußte ein Eisenbahnnetz von 272 Kilometern Länge neu verlegt werden.

Im Mai war Südengland ein riesiges Arsenal. In den Wäldern verborgen lagen ganze Gebirge von Munition. In den Mooren standen dicht bei dicht Panzer, Halbkettenfahrzeuge, Panzerspähwagen, Lastwagen, Jeeps und Sankas – über fünfzigtausend Fahrzeuge im ganzen. Auf den Feldern drängten sich lange Ketten von Haubitzen und Flakgeschützen, große Mengen vorfabrizierter Ausrüstung, von Nissenhütten bis zu ganzen Rollbahnen, und riesige Parks von erdbewegenden Maschinen, von Bulldozern bis zu Baggern. In den zentralen Lagern stapelte sich ein unermeßlicher Vorrat an Verpflegung, Kleidung und Lazarettbedarf – von Pillen gegen Seekrankheit bis zu 124 000 Krankenbetten. Den überwältigendsten Anblick jedoch boten die Täler, die mit langen Reihen von rollendem Eisenbahnmaterial angefüllt waren: Fast eintausend nagelneue Lokomotiven und fast zwanzigtausend Tankwagen und Güterwagen warteten dort, die nach Errichtung des Landekopfes zum Ersatz für das zerstörte französische Eisenbahnmaterial herangeholt werden sollten.

Es fehlte auch nicht an seltsamen neuen Erfindungen. Zu ihnen gehörten Panzer, die schwimmen konnten, und solche, die dicke Lattenrollen zum Überqueren feindlicher Panzergräben oder zum Überrollen von Mauern mit sich führten, und noch andere, die mit Kettenkugeln ausgestattet waren, mit denen sie wie mit Dreschflegeln vor sich auf die Erde trommeln und Minen zur Explosion bringen konnten. Dann waren da flache, häuserblocklange Schiffe mit einem ganzen Wald von Rohren zum Abschuß von Raketen, der allerneuesten Waffe. Das Bemerkenswerteste jedoch waren wohl die beiden Häfen, die bis vor die Küste der Normandie geschleppt werden sollten. Bautechnische Wunder und eines der größten »Overlord«-Geheimnisse, sollten sie die stete Versorgung mit Truppen und Nachschub für den Landekopf in den ersten kritischen Wochen bis zur Einnahme eines festen Hafens sicherstellen. Die Häfen, »Mulberries« (»Maulbeeren«) genannt, bestanden zunächst aus einem äußeren Wellenbrecher aus großen Stahlpontons. Darauf folgten 145 große Betonsenkkästen verschiedener Größe, die zur Errichtung einer inneren Mole dicht bei dicht versenkt werden sollten. Der größte dieser Senkkästen hatte Mannschaftsunterkünfte und Flakgeschütze und sah im Schlepp wie ein auf die Seite gekipptes fünfstöckiges Mietshaus aus. In diesen künstlichen Häfen konnten Frachter von der Größe eines »Liberty«-Schiffes ihre Ladung in Leichter umstauen, die den Fährdienst zum Landestrand versahen. Kleinere Fahrzeuge, wie zum Beispiel Küstendampfer oder Landungsboote, konnten ihre Ladung auf massiven stählernen Molenköpfen absetzen, wo Lastwagen warten würden, um sie über einen schwimmenden Pontonpier an Land zu schaffen. Hinter den »Maulbeeren« sollten als zusätzlicher Wellenbrecher sechzig Sperrschiffe aus Beton in einer Reihe versenkt werden. In ihrer endgültigen Position vor der Invasionsküste in der Normandie würde jeder der beiden Häfen so groß wie der Hafen von Dover sein.

Den ganzen Mai hindurch wurden Truppen und Nachschub nach Häfen und Verladezonen bewegt. Verstopfte Straßen und Schienenwege waren eines der größten Probleme, aber irgendwie gelang es den Quartiermeistern, der Militärpolizei und der britischen Eisenbahnverwaltung, den Verkehr in Fluß zu halten und planmäßig abzuwickeln.

Züge mit Truppen und Nachschub wurden auf allen

Linien hin- und her geschoben und schließlich an der Küste zusammengezogen. Wagenkolonnen stauten sich auf jeder Straße. Jedes Dorf, jeder Weiler war mit feinem Staub bedeckt, und die stillen Frühlingsnächte hindurch hallte ganz Südengland wider von dem Brummen der Lastwagen, dem Schwirren und Rasseln der Panzer und den nicht zu verkennenden Stimmen von Amerikanern, die alle dasselbe zu fragen schienen: »Wie weit ist es denn eigentlich noch bis zu diesem verdammten Kaff?«

Über Nacht wuchsen in Küstennähe ganze Städte von Nissenhütten und Zelten aus dem Boden, als die Truppen in die Verladegebiete zu strömen begannen. Die Männer schliefen in drei- bis vierstöckigen Kojen. Duschen und Latrinen befanden sich gewöhnlich mehrere Felder weiter, und zu ihrer Benutzung mußte man Schlange stehen. Beim Essenfassen maßen die Schlangen oft einen halben Kilometer. So viele Soldaten hatte man hier zusammengezogen, daß man allein für die amerikanischen Lager vierundfünfzigtausend Mann Bedienungspersonal benötigte, darunter viertausendfünfhundert frisch ausgebildete Köche. In der letzten Maiwoche wurden die ersten Truppen und Geräte auf Transporter und Landungsschiffe verladen. Endlich war es soweit.

Die Zahlen überstiegen die Vorstellungskraft; die Streitmacht schien überwältigend. Und nun wartete diese große Armee – die Jugend der freien Welt, die Zuflucht der freien Welt – auf die Entscheidung eines Mannes: Eisenhowers.

Den größten Teil des 4. Juni brachte Eisenhower allein in seinem Wohnwagen zu. Er und seine Kommandeure hatten alles getan, um der Invasion die größtmögliche Erfolgschance bei niedrigsten Verlusten zu sichern. Nun jedoch, nach all den Monaten der politischen und militärischen Planung, war das Unternehmen »Overlord« auf Gnade und Ungnade den Elementen ausgeliefert. Eisenhower war machtlos; er konnte nur warten und hoffen, daß das Wetter sich bessern werde. Wie es sich aber auch entwickeln mochte, am Ende des Tages würde er zu einer raschen Entscheidung gezwungen sein: entweder anzugreifen oder aber die Landung ein zweites Mal zu verschieben. In jedem Fall konnten Erfolg oder Fehlschlag des Unternehmens »Overlord« von seiner Entscheidung abhängen. Und niemand würde ihm die Entscheidung abnehmen. Er – und er ganz allein – trug die Verantwortung.

Eisenhower befand sich in einer abscheulichen Zwangslage. Am 17. Mai war er zu dem Schluß gekommen, daß die Landung an einem von drei Tagen im Juni unternommen werden mußte – am 6., 7. oder 8. Juni. Meteorologische Untersuchungen hatten ergeben, daß zwei der entscheidenden Wettervoraussetzungen für die Invasion an diesen Tagen in der Normandie zu erwarten waren: ein spät aufgehender Mond und niedrigster Flutstand kurz nach Tagesanbruch.

Die Fallschirmjäger und die Infanterie in den Lastenseglern, die den Angriff beginnen sollten – einige achtzehntausend Mann der amerikanischen 101. und 82. und der britischen 6. Division –, brauchten Mondlicht. Aber für ihren Überraschungsangriff mußte es bis zu dem Augenblick, in dem sie über ihren Absprungszonen eintreffen würden, dunkel sein. Ihre entscheidende Forderung war demnach ein spät aufgehender Mond.

Die Landung von See her mußte stattfinden, wenn die Flut so niedrig stand, daß Rommels Strandhindernisse zu sehen waren. Vom Wasserstand würde der zeitliche Ablauf der ganzen Invasion abhängen. Und um die meteorologischen Berechnungen noch weiter zu komplizieren: Auch die nachfolgenden Truppen, die erst sehr viel später am Tag landen sollten, würden Niedrigwasser brauchen – und es mußte vor Einbruch der Dunkelheit einsetzen.

Diese beiden entscheidenden Faktoren – das Mondlicht und der Flutstand – legten Eisenhower fest. Die Gezeiten allein beschränkten die Zahl der für einen Angriff geeigneten Tage in jedem Monat auf sechs, von denen drei mondlos waren.

Aber das war noch nicht alles. Zahlreiche andere Erwägungen wollten berücksichtigt werden. Erstens benötigten alle Streitkräfte möglichst viele Stunden Tageslicht und gute Sicht – um die Landeabschnitte erkennen zu können, damit Marine und Luftwaffe ihre Ziele fanden und damit die Gefahr des Zusammenstoßens möglichst gering blieb, wenn fünftausend Schiffe Seite an Seite in der Seinebucht manövrierten. Zweitens war eine ruhige See unerläßlich. Abgesehen von den Schäden, die eine grobe See der Flotte zufügen konnte, würde Seekrankheit die Truppen außer Gefecht setzen, bevor sie auch nur einen Fuß an Land gesetzt hatten. Drittens waren landeinwärts wehende Bodenwinde nötig, die den Qualm vom Strand bliesen, damit die Angriffsziele erkennbar blieben. Und schließlich und endlich brauchten die Alliierten drei weitere ruhige Tage nach dem Tag der Landung, um die rasche Versorgung des Landekopfes mit Truppen und Nachschub zu erleichtern.

Niemand beim Oberkommando erwartete perfekte Verhältnisse für den Tag der Landung, Eisenhower am wenigsten. In zahllosen Planspielen mit seinem Stab von Meteorologen hatte er sich darin geübt, all die Faktoren zu erkennen und gegeneinander abzuwägen, die ihm die für den Angriff annehmbaren Minimalbedingungen garantierten. Aber nach Auffassung seiner Meteorologen standen die Aussichten zehn zu eins dagegen, daß in der Normandie an irgendeinem Tag im Juni Wetter herrschen würde, das diesen Mindestforderungen entsprach. An diesem stürmischen Sonntag, an dem Eisenhower, allein in seinem Wohnwagen, jede Möglichkeit ins Auge faßte, schien das Zehn-zu-Eins astronomische Ausmaße anzunehmen.

Von den drei für die Invasion geeigneten Tagen hatte er den 5. Juni gewählt, so daß er bei einem Aufschub am 6. zum Angriff ansetzen konnte. Wenn er aber die Landung für den 6. befahl und sie dann wieder abblasen mußte, könnte der Umstand, daß die zurückkehrenden Geleitzüge neu aufgetankt werden müßten, einen Angriff am 7. unmöglich machen. Dann würde es zwei Möglichkeiten geben. Er könnte die Landung auf den nächsten Tag, an dem die Gezeiten richtig lagen, festsetzen; das war der 19. Juni. Aber in dem Falle würden die Luftlandeverbände gezwungen sein, im Dunkeln zu kämpfen – die Nacht zum 19. Juni war ohne Mond. Sonst jedoch müßte er bis zum Juli warten, und solch ein langer Aufschub war, wie er sich später erinnern sollte, »zu bitter, um überhaupt erwogen zu werden«.

So greulich war der Gedanke an einen Aufschub, daß viele von Eisenhowers Kommandeuren, selbst die vorsichtigeren, bereit waren, einen Angriff am 8. oder 9. Juni zu wagen. Sie hielten es für ausgeschlossen, daß zweihunderttausend Männer, von denen die meisten bereits über den Zweck des Unternehmens instruiert waren, wochenlang isoliert auf Schiffen und Flugplätzen und in den Verladezonen festgehalten werden konnten, ohne daß das Geheimnis der bevorstehenden Invasion durchsickerte. Selbst wenn die Geheimhaltung die ganze Zeit über intakt bleiben sollte, würden gewiß Aufklärer der deutschen Luftwaffe die massierte Flotte entdecken – falls ihnen das nicht ohnehin schon gelungen war –, oder deutsche Spione würden auf irgendeinem Weg von dem Invasionsplan erfahren. Für alle versprach ein Aufschub nichts als Schrecken. Aber es war Eisenhower, der die Entscheidung fällen mußte.

Im verblassenden Licht des Nachmittags erschien der Oberbefehlshaber dann und wann an der Tür seines

Wohnwagens und blickte durch die windzerzausten Baumwipfel zu der Wolkendecke hinauf, die den Himmel verhüllte. Oder er ging mit langen Schritten vor seinem Wohnwagen auf und ab, rauchte eine Zigarette nach der anderen und stieß mit der Fußspitze gegen Schlackebrocken auf dem Weg – eine große Gestalt, die Schultern leicht eingezogen, die Hände tief in die Taschen gerammt.

Auf diesen Spaziergängen schien Eisenhower kaum irgend jemanden zu sehen, aber einmal im Laufe des Nachmittags bemerkte er einen der vier bei seinem vorgeschobenen Hauptquartier akkreditierten Korrespondenten – Merrill Mueller von der NBC. »Kommen Sie, wir gehen spazieren!« sagte Ike plötzlich, und ohne auf Mueller zu warten, stiefelte er mit den Händen in den Taschen in seinem gewohnten lebhaften Marschtempo los. Der Korrespondent beeilte sich, den bereits im Wald Verschwindenden einzuholen.

Es war ein merkwürdig schweigsamer Spaziergang. Eisenhower sagte kaum ein Wort. »Ike schien völlig mit seinen eigenen Gedanken beschäftigt«, erinnert sich Mueller. »Es war fast so, als habe er vergessen, daß ich neben ihm ging.« Mueller hatte eine ganze Menge Fragen, die er dem Oberbefehlshaber gern gestellt hätte, aber er unterließ es. Er wußte, daß er nicht stören durfte.

Als sie ins Lager zurückgekehrt waren und Eisenhower sich verabschiedet hatte, beobachtete der Kriegsberichterstatter ihn, wie er die kleine Aluminiumtreppe zur Tür des Wohnwagens hinaufstieg. In diesem Augenblick schien er Mueller »von Sorgen gebeugt, als ob jeder der vier Sterne auf seinen beiden Schultern eine Tonne wöge«.

Kurz vor neun Uhr versammelten sich an diesem Abend Eisenhowers leitende Kommandeure und ihre Stabschefs in der Bibliothek im Southwick House. Es war ein großer Raum mit einem grün bespannten Tisch, mehreren Sesseln und zwei Sofas. Dunkle eichene Bücherregale säumten drei der Wände, aber auf den Brettern standen nur wenige Bücher, und der Raum machte einen kahlen Eindruck. Schwere doppelte Verdunklungsvorhänge hingen vor den Fenstern, und an diesem Abend dämpften sie das Trommeln des Regens und das Heulen des Windes.

Die Stabsoffiziere standen in kleinen Gruppen umher und sprachen leise miteinander. In der Nähe des Kaminfeuers unterhielt sich Eisenhowers Chef des Stabes, Generalmajor Walter Bedell Smith, mit dem Pfeife rauchenden stellvertretenden Oberbefehlshaber, General der Luftwaffe Tedder. Auf der anderen Seite saß der draufgängerische alliierte Marinebefehlshaber, Admiral Ramsay, und in seiner Nähe der Befehlshaber der alliierten Luftstreitkräfte, General der Luftwaffe Leigh-Mallory. Nur einer der Offiziere, erinnert sich General Smith, trug keine Uniform. Der hitzige Montgomery, der den Angriff am Tag der Landung befehligen sollte, hatte wie üblich Kordhosen und einen Rollkragenpullover an. Dies waren die Männer, die den Befehl zum Angriff ausführen würden, sobald Eisenhower das Zeichen dazu gab. Nun warteten sie und ihre Stabschefs – im ganzen waren zwölf hohe Offiziere in diesem Raum – auf die Ankunft des Oberbefehlshabers und die entscheidende Lagebesprechung, die um 21 Uhr 30 beginnen sollte. Um diese Zeit trafen die letzten Wettervoraussagen der Meteorologen ein.

Pünktlich um 21 Uhr 30 öffnete sich die Tür, und Eisenhower betrat den Raum in seiner knappsitzenden dunkelgrünen Felduniform. Mit einem Anflug des vertrauten Eisenhower-Lächelns grüßte er seine alten Freunde, aber als er die Besprechung eröffnete, war sein Gesicht sogleich wieder von Sorgen gezeichnet. Alle Vorreden erübrigten sich; jeder wußte, wie ernst die Entscheidung war, die nun gefällt werden mußte. Daher bat man fast unverzüglich die drei leitenden Meteorologen des Unternehmens »Overlord« herein, die angeführt wurden von ihrem Chef, Oberstleutnant J. N. Stagg.

Lautlose Stille herrschte im Raum, als Stagg mit seinem Vortrag begann. Mit wenigen Worten skizzierte er die Wetterlage in den vergangenen vierundzwanzig Stunden, und dann sagte er: »Meine Herren, es haben sich unerwartet schnell einige neue Entwicklungen angebahnt ...« Alle Augen ruhten auf Stagg, der nun dem sorgenvoll vor sich hinblickenden Eisenhower und seinen Kommandeuren einen winzigen Hoffnungsschimmer aufzeigte.

Man habe eine neue Wetterfront ausgemacht, sagte er, die in den nächsten paar Stunden am Kanal entlang vordringen und ein allmähliches Aufklaren über dem Angriffsgebiet mit sich bringen werde. Diese Wetterverbesserung werde den ganzen nächsten Tag über und weiter bis zum Morgen des 6. Juni anhalten. Danach werde das Wetter sich von neuem verschlechtern. Während dieser versprochenen Schönwetterperiode werde der Wind beträchtlich nachlassen, und die Wolkendekke werde aufreißen – zumindest so weit, daß Bomber in der Nacht zum 6. und den ganzen Morgen hindurch zum Einsatz kommen könnten. Gegen Mittag werde die Wolkendecke wieder dichter werden. Kurz, Eisenhower bekam zu hören, daß leidlich annehmbare Wetterbedingungen, die weit unter den Minimalerfordernissen lagen, *ein wenig mehr als vierundzwanzig Stunden* vorherrschen würden.

Sobald Stagg geendet hatte, ging über ihn und die beiden anderen Meteorologen ein Trommelfeuer von Fragen nieder. Waren sie alle drei überzeugt, daß man sich auf die Genauigkeit der Voraussage verlassen konnte? Konnte ihre Annahme sich als irrtümlich erweisen – hatten sie ihre Berichte nach allen Seiten überprüft? Bestand die Möglichkeit, daß sich das Wetter in den Tagen gleich nach dem 6. Juni weiter verbesserte?

Einige der Fragen konnten die Wettersachverständigen unmöglich beantworten. Sie hatten ihre Berichte gründlichst überprüft und waren im Hinblick auf ihre Voraussage so optimistisch, wie es eben zu verantworten war, aber es war natürlich möglich, daß die Launen des Wetters einen Strich durch ihre Rechnung machen würden. Sie beantworteten die Fragen so gut sie konnten, dann zogen sie sich zurück.

In der nächsten Viertelstunde beriet sich Eisenhower mit seinen Befehlshabern. Admiral Ramsay hob die Dringlichkeit der Entscheidung hervor. Die amerikanischen Streitkräfte für die Landungsabschnitte Utah und Omaha unter dem Kommando von Konteradmiral A. G. Kirk müßten spätestens in einer halben Stunde den Befehl zum Auslaufen erhalten, falls »Overlord« am Dienstag beginnen sollte; wenn diese Verbände später ausliefen und dann wieder zurückbeordert werden müßten, sei es unmöglich, sie für einen etwaigen Angriff am Mittwoch, dem 7. Juni, von neuem in Bereitschaft zu versetzen.

Eisenhower bat seine Kommandeure, einen nach dem anderen, um ihre Meinung. General Smith war der Ansicht, daß der Angriff am 6. Juni stattfinden solle; es sei ein Wagnis, aber eins, das man auf sich nehmen müsse. Tedder und Leigh-Mallory befürchteten beide, daß selbst die vorausgesagte Wolkendecke sich als zu dicht für einen wirksamen Einsatz der Luftstreitkräfte erweisen könne. Das würde bedeuten, daß die Landung ohne ausreichende Unterstützung aus der Luft durchgeführt werden müsse. Sie hielten das Unternehmen unter solchen Bedingungen für riskant. Montgomery blieb bei der Ansicht, die er am Abend zuvor geäußert hatte, als die auf den 5. Juni angesetzte Landung verschoben worden war. »Ich würde sagen ›los!‹«, sagte er.

Nun war Ike an der Reihe. Nur er konnte nun die Entscheidung fällen. Es war bedrückend still, während Eisenhower alle Möglichkeiten gegeneinander abwog. General Smith, der ihn beobachtete, war betroffen von der »Verlassenheit und Einsamkeit« des Oberbefehlshabers, der mit ineinander verschränkten Händen dasaß und vor sich auf den Tisch blickte. Minuten verstrichen; einige sagen zwei, andere fünf. Dann blickte Eisenhower mit zerfurchtem Gesicht auf und gab seine Entscheidung bekannt. Langsam sagte er: »Ich bin überzeugt, daß wir den Befehl zum Angriff geben müssen. Es gefällt mir nicht, aber es geht nicht anders ... Es gibt keinen anderen Weg.«

Eisenhower stand auf. Er sah müde aus, aber etwas von der Gespanntheit war aus seinem Gesicht gewichen. Sechs Stunden später würde er bei einer kurzen Besprechung zur erneuten Auswertung der Wetterlage bei seiner Entscheidung bleiben und sie noch einmal bekräftigen: Dienstag, der 6. Juni, sollte der Tag der Landung sein.

Eisenhower und seine Befehlshaber verließen den Raum; eilig nun, um den Großangriff so rasch wie möglich in Bewegung zu setzen. In der nun stillen Bibliothek hing ein blauer Rauchschleier über dem Beratungstisch, das Feuer spiegelte sich in dem gebohnerten Fußboden, und die Uhr auf dem Kaminsims zeigte 21 Uhr 45.

XI

Gegen zehn Uhr abends beschloß der Fallschirmjäger Arthur B. Schultz, genannt Dutch, von der 82. Luftlandedivision, mit dem Würfeln Schluß zu machen; so viel Geld würde er vielleicht nie wieder besitzen. Seit der Nachricht, daß man die Luftlandeoffensive um mindestens vierundzwanzig Stunden verschoben hatte, war das Spiel ununterbrochen in Gang. Es hatte hinter einem Zelt begonnen, war dann unter der Tragfläche eines Flugzeuges fortgesetzt worden, und nun befand es sich in vollem Schwung in dem Hangar, den man in einen riesigen Schlafsaal umgewandelt hatte. Auch hier hatte es mehrfach den Platz gewechselt; in den Korridoren zwischen den Reihen zweistöckiger Feldbetten wanderte es auf und ab. Und Dutch war einer von den ganz großen Gewinnern.

Wieviel er gewonnen hatte, wußte er nicht. Aber er schätzte, daß sich die Packen grüner Dollarscheine, englischer Pfundnoten und nagelneuen blaugrünen französischen Invasionsgeldes, die er in der Faust hielt, auf insgesamt mehr als zweitausendfünfhundert Dollar beliefen. Das war mehr Geld, als er in seinem einundzwanzigjährigen Leben jemals auf einem Haufen gesehen hatte.

Körperlich und seelisch hatte er alles getan, um sich auf seinen Sprung vorzubereiten. Gottesdienste für alle Glaubensbekenntnisse waren am Morgen auf dem Flugplatz abgehalten worden, und Dutch, der katholisch war, hatte gebeichtet und kommuniziert. Er wußte genau, was er mit dem gewonnenen Geld anfangen würde. In Gedanken hatte er die Verteilung festgelegt. Tausend Dollar wollte er in der Schreibstube deponieren. Er würde sie für den Urlaub brauchen können, wenn er nach England zurückkehrte. Weitere tausend Dollar wollte er an seine Mutter in San Francisco schicken, damit sie es für ihn verwahrte, aber sie sollte fünfhundert Dollar davon geschenkt haben – sie konnte das Geld bestimmt gebrauchen. Für den Rest hatte Dutch sich eine ganz besondere Verwendung ausgedacht: den würde er bei einem Zug durch die Gemeinde auf den Kopf hauen, wenn sein Haufen, die 505., in Paris ankam.

Der junge Fallschirmjäger war in bester Stimmung;

er hatte für alles Sorge getragen – oder vielleicht doch nicht? Warum fiel ihm der kleine Zwischenfall vom Morgen immer wieder ein und erfüllte ihn mit heimlichem Unbehagen?

Morgens beim Postappell hatte er einen Brief von seiner Mutter erhalten. Als er ihn aufriß, war ein Rosenkranz herausgeglitten und vor seinen Füßen auf die Erde gefallen. Er hatte ihn rasch aufgehoben, damit die Kameraden um ihn herum nichts merkten und sich nicht über ihn lustig machten, und ihn dann in einen Wäschesack gestopft, den er zurücklassen wollte.

Nun führte der Gedanke an den Rosenkranz plötzlich zu einer Frage, die er sich bis dahin nicht gestellt hatte: Wie kam er dazu, in solch einem Augenblick wie diesem an einem Glücksspiel teilzunehmen? Er blickte auf die gefalteten und zusammengeknüllten Geldscheine, die zwischen seinen Fingern hervorschauten – mehr Geld, als er in einem Jahr hätte verdienen können. In diesem Augenblick *wußte* der Fallschirmjäger Dutch Schultz, daß er sterben würde, wenn er all dies Geld einheimste. Dutch wollte es nicht darauf ankommen lassen. »Macht mal Platz«, sagte er, »und laßt mich an die Würfel!« Er warf einen raschen Blick auf seine Armbanduhr und überlegte, wie lange man wohl brauchte, um zweitausendfünfhundert Dollar zu verspielen.

Schultz war nicht der einzige, der sich an diesem Abend seltsam benahm. Vom einfachen Soldaten bis zum General schien keinem daran gelegen, das Schicksal herauszufordern. Drüben bei Newbury, im Hauptquartier der 101. Luftlandedivision, saß der Kommandeur, Generalmajor Maxwell D. Taylor, seit Stunden im zwanglosen Gespräch mit seinen leitenden Offizieren. Etwa zwölf Männer befanden sich in dem Raum, und einer von ihnen, Brigadegeneral Don Pratt, der stellvertretende Divisionskommandeur, hockte auf einem Bett. Während sie sich unterhielten, traf ein weiterer Offizier ein. Er nahm seine Mütze ab und warf sie auf das Bett. General Pratt sprang auf, fegte die Mütze auf den Boden und sagte: »Verdammt, das bedeutet ganz großes Pech!« Alle lachten, aber Pratt setzte sich nicht wieder auf das Bett. Er wollte die Luftlandeverbände der 101. bei ihrem Angriff in der Normandie selber anführen.

Die Nacht fiel ein, und in ganz England warteten die Invasionsstreitkräfte weiter. Nach monatelanger Ausbildung waren sie voll und ganz zum Einsatz bereit, der Aufschub machte sie nervös. Etwa achtzehn Stunden waren nun vergangen, seitdem der Alarm abgeblasen worden war, und jede Stunde hatte die Geduld und den Einsatzwillen der Truppen auf eine harte Probe gestellt. Sie wußten nicht, daß es nun kaum noch sechsundzwanzig Stunden bis zum Tag der Landung dauern würde; es war noch viel zu früh, um die Entscheidung bekanntzugeben. Und so warteten an diesem stürmischen Sonntag abend die Männer in ihrer Verlassenheit, ihrer Besorgnis und in ihren geheimen Ängsten darauf, daß etwas – irgend etwas – geschah.

Sie taten genau das, was man von Männern in einer solchen Lage erwartet: Sie dachten an ihre Angehörigen, ihre Frauen, ihre Kinder, ihre Mädchen. Und alle sprachen von den bevorstehenden Kämpfen. Wie würde der Strand wirklich aussehen? Würde die Landung tatsächlich so schwierig und gefährlich sein, wie jeder zu glauben schien? Keiner konnte sich ein Bild vom Tag der Landung machen, aber jeder bereitete sich auf seine Art auf ihn vor.

In der nachtschwarzen, aufgewühlten Irischen See, an Bord des amerikanischen Zerstörers *Herndon*, versuchte Oberleutnant zur See Bartow Farr, sich auf seine Bridgekarten zu konzentrieren. Es war nicht leicht; zu vieles um ihn herum erinnerte ihn daran, daß dies nicht einer der gewohnten geselligen Abende war. An den

Wänden der Offiziersmesse klebten große Luftaufnahmen von deutschen Geschützstellungen an der Normandieküste. Diese Geschütze waren das Feuerziel der *Herndon* am Tage der Landung. Farr mußte daran denken, daß die *Herndon* ihrerseits auch das Ziel dieser Geschütze sein würde.

Er war einigermaßen überzeugt, daß er die Invasion überleben würde. Allenthalben hatte man sich gegenseitig aufgezogen und Vermutungen angestellt, wer zurückkommen würde und wer nicht. Im Hafen von Belfast hatte die Besatzung ihres Schwesterschiffes, der *Corry*, zehn zu eins gegen die Rückkehr der *Herndon* gewettet. Die Besatzung der *Herndon* schlug zurück, indem sie das Gerücht verbreitete, die *Corry* werde, wenn die Invasionsflotte auslief, wegen des schlechten Kampfgeistes an Bord im Hafen liegenbleiben.

Oberleutnant Farr glaubte zuversichtlich, daß die *Herndon* heil zurückkehren würde und er mit ihr. Trotzdem war er froh, daß er einen langen Brief an seinen ungeborenen Sohn geschrieben hatte. Nicht ein einziges Mal dachte er daran, daß seine Frau Anne zu Hause in New York statt des Sohnes ein Mädchen zur Welt bringen könnte. (Hat sie auch nicht. Im November bekamen die Farrs ihren Sohn.)

Im Bereitstellungsraum in der Nähe von Newhaven saß Unteroffizier Reginald Dale von der britischen 3. Division auf seinem Bett und machte sich Sorgen um seine Frau Hilda. Sie hatten 1940 geheiratet und sich seither beide ein Kind gewünscht. Während seines letzten Urlaubs, vor ein paar Tagen erst, hatte Hilda ihm anvertraut, daß sie ein Kind erwarte. Dale war fuchsteufelswild geworden. Die ganze Zeit schon hatte er das Gefühl gehabt, daß die Invasion bevorstand und daß er dabeisein würde. »Ausgerechnet jetzt!« hatte er seiner Frau darum bissig geantwortet. Nun sah er wieder ihre Augen vor sich, denen er angemerkt hatte, wie gekränkt sie war, und er schalt sich abermals wegen seiner unbedachten Worte.

Aber nun war es zu spät. Er konnte sie nicht einmal mehr anrufen. Dale streckte sich auf sein Bett, und, wie Tausende von anderen Männern in den britischen Bereitstellungsräumen, versuchte er, den Schlaf herbeizuzwingen.

Ein paar Männer – Männer ohne Nerven – schliefen tief und fest. Einer von ihnen war Stabsfeldwebel Stanley Hollis in der Einschiffzone der britischen 50. Division. Er hatte längst gelernt zu schlafen, wann immer er Gelegenheit dazu fand. Der bevorstehende Angriff machte Hollis nicht viel Kummer; er konnte sich ziemlich genau vorstellen, womit er zu rechnen hatte. Er war aus Dünkirchen herausgeholt worden, hatte mit der 8. Armee in Nordafrika gekämpft und war an der Küste Siziliens gelandet. Unter den Millionen von Soldaten, die in jener Nacht auf der britischen Insel lagen, war Hollis eine Rarität. Er *freute* sich auf die Invasion, er wollte dringend nach Frankreich zurück, um ein paar Deutsche mehr umzubringen.

Hollis hatte seine persönlichen Gründe. Zur Zeit von Dünkirchen war er Melder gewesen, und auf dem Rückzug hatte sich ihm in Lille ein Anblick geboten, den er nicht wieder vergessen konnte. Von seiner Einheit abgeschnitten, hatte Hollis in einem Teil der Stadt, durch den offenbar gerade die Deutschen vorgedrungen waren, den falschen Weg eingeschlagen. Er stand mit einemmal in einer Sackgasse, in der die noch warmen Leichen von über hundert französischen Männern, Frauen und Kindern lagen. Sie waren von Maschinengewehren niedergemäht worden. In der Mauer hinter den Leichen staken Hunderte von verschossenen Patronen, und weitere Hunderte lagen über dem Boden verstreut. In diesem Augenblick hatte Stan Hollis beschlossen, Jagd auf Feinde zu machen. Seine Erfolgsliste belief sich bereits auf über neunzig. Am Ende des Landungstages sollte er seinen einhundertzweiten Abschuß in den Lauf seiner Maschinenpistole ritzen.

Und noch andere waren begierig, französischen Boden zu betreten. Für Fregattenkapitän Philippe Kieffer und den 171 harten Männern seines französischen Kommandotrupps schien das Warten kein Ende nehmen zu wollen. Sie hatten sich nur von ihren wenigen neugewonnenen englischen Freunden und sonst von niemandem zu verabschieden brauchen – ihre Angehörigen lebten noch in Frankreich.

In ihrem Lager an der Hamblemündung vertrieben sie sich die Zeit mit Waffenreinigen und dem Studium eines Schaumgummimodells des Strandabschnittes »Sword« nebst Angriffszielen in der Stadt Ouistreham. Einer der Männer des Kommandotrupps, Graf Guy de Montlaur, der mächtig stolz auf seinen Feldwebelrang war, freute sich außerordentlich, als er an diesem Abend von einer geringfügigen Änderung des Angriffsplanes erfuhr: Sein Zug sollte das Spielkasino des Seebades stürmen, in dem man einen stark befestigten deutschen Gefechtsstand vermutete. »Es wird mir ein Vergnügen sein«, sagte der Graf zu Fregattenkapitän Kieffer. »In dem Ding habe ich mal ein Vermögen verspielt!«

Zweihundertvierzig Kilometer entfernt, im Sammelabschnitt der 4. amerikanischen Infanteriedivision bei Plymouth, fand Feldwebel Harry Brown, als er seinen Dienst beendete, einen Brief vor. Mehr als einmal hatte er etwas Ähnliches in Kriegsfilmen gesehen, aber es war ihm nie eingefallen, daß es ihm selber passieren könnte: Der Brief enthielt einen Prospekt mit dem Werbetext »Adlerschuhe heben!« Die Reklameanzeige erbitterte den Feldwebel über alle Maßen. Alle Leute in seiner Korporalschaft waren so klein, daß man ihnen den Namen »Browns Zwerge« gegeben hatte. Der Feldwebel war der größte – mit 1,66 Metern.

Während er noch überlegte, wer der Firma Adler wohl seine Adresse angegeben haben könnte, kam einer aus seinem Zug auf ihn zu. Unteroffizier John Gwiadosky hatte beschlossen, seine Schulden zu bezahlen. Feierlich überreichte er dem Feldwebel das Geld. Brown konnte es einfach nicht fassen. »Mach dir ja keine falschen Hoffnungen«, erläuterte Gwiadosky. »Ich hab' nur keine Lust, mich von dir kreuz und quer durch die Hölle jagen zu lassen, wenn du dein Geld einzutreiben versuchst!«

Auf der anderen Seite der Bucht, an Bord des Truppentransporters »New Amsterdam«, der bei Weymouth vor Anker lag, war Leutnant George Kerchner vom 2. Bataillon der »Rangers« (ursprünglich Leichte Reiter, im letzten Krieg Kommandotruppe für Sondereinsätze) mit unliebsamer Routinearbeit beschäftigt. Er zensierte die Post seines Zuges. Es war ein besonders dicker Stoß an diesem Abend; jeder der Männer schien einen langen Brief nach Hause geschrieben zu haben. Dem 2. und 3. Bataillon der »Rangers« stand am Tag der Landung einer der härtesten und gefährlichsten Stoßtruppeinsätze bevor: Sie mußten die über dreißig Meter hohen, fast nackten Felsenklippen an einem Pointe du Hoc genannten Küstenvorsprung erklettern und eine Batterie von sechs weitreichenden Geschützen zum Schweigen bringen. Solche Feuerkraft hatten die Geschütze, daß sie den Landungsabschnitt »Omaha« und die Ausbootungszone für »Utah« unter Beschuß nehmen konnten, und den »Rangers« würde nicht mehr als eine halbe Stunde zur Erledigung ihres Auftrages zur Verfügung stehen.

Man rechnete mit hohen Verlusten – manche vermuteten, daß sie um sechzig Prozent liegen würden –, falls es den Bombern und Schiffsgeschützen nicht gelingen sollte, die Batterie zu zerschlagen, bevor die »Rangers« eintrafen. Aber selbst in diesem Fall erwartete niemand, daß der Angriff ein reines Vergnügen sein würde – genauer gesagt, niemand außer Stabsfeldwebel Larry Johnson, einer von Kerchners Gruppenführern.

Der Leutnant war sprachlos, als er Johnsons Brief las. Zwar wurde die ganze Post ohnehin erst am Tag nach der Landung – wann immer sie sein mochte – abgeschickt. Aber dieser Brief würde auch dann auf normalem Wege nicht zu befördern sein. Kerchner ließ Johnson rufen, und als der Stabsfeldwebel kam, gab er ihm den Brief zurück. »Larry«, sagte er trocken, »den bringst du besser selber auf die Post – wenn du in Frankreich ankommst!« Johnson hatte an ein Mädchen geschrieben und ein Wiedersehen Anfang Juni verabredet. Das Mädchen wohnte in Paris. Als der Stabsfeldwebel die Kabine verließ, konnte sich der Leutnant nicht des Gedankens erwehren, daß nichts unmöglich war, solange es Optimisten vom Schlage Johnsons gab.

Fast jeder Angehörige der Invasionsstreitkräfte schrieb während dieser langen Stunden des Wartens an irgend jemanden einen Brief. Die Männer hatten seit langem in höchster Spannung gelebt, und die Briefe schienen ihnen etwas von dem Druck zu nehmen, der auf ihrer Seele lastete. Viele von ihnen schrieben ihre Gedanken in einer Weise nieder, die sonst selten Männerart ist.

Hauptmann John F. Dulligan von der 1. Infanteriedivision, die für die Landung im Abschnitt »Omaha« bestimmt war, schrieb an seine Frau: »Ich habe diese Männer gern. Überall im Schiff schlafen sie – auf den Decks, in, auf und unter den Fahrzeugen. Sie rauchen, spielen Karten, balgen sich und treiben allerhand Unfug. Sie sitzen in Gruppen zusammen und reden meistens über Mädchen, über zu Hause und über ihre Erlebnisse (mit und ohne Mädchen). Sie sind gute Soldaten, die besten der Welt. Vor der Landung in Nordafrika war ich nervös, und ich hatte ein wenig Angst. Während der Landung in Sizilien gab es so viel zu tun, daß an Furcht nicht zu denken war. Diesmal werden wir an der Küste Frankreichs landen, und von da an weiß Gott allein die Antwort. Du sollst wissen, daß ich dich von ganzem Herzen liebe. Ich bete zu Gott, daß es ihm gefallen möge, mich deinetwegen und um Anns und Pats willen zu verschonen.«

Die Männer auf den schweren Kriegsschiffen und den großen Truppentransportern, auf den Flugplätzen und in den Einschiffzonen konnten sich glücklich preisen. Auch sie lebten auf engem Raum und von der Außenwelt abgeschnitten, aber sie waren trocken, warm und wohlauf. Von den Soldaten in den flachbödigen Landungsschiffen, die fast vor jedem Hafen vor Anker lagen, konnte man das nicht behaupten. Manche der Männer hockten schon seit über einer Woche an Bord. Die Schiffe waren überfüllt und rochen übel; die Männer fühlten sich unvorstellbar elend.

Für sie hatte der Kampf begonnen, lange bevor sie England überhaupt verließen. Es war ein Kampf gegen ständige Übelkeit und Seekrankheit. Die meisten dieser Männer erinnern sich noch heute, daß die Schiffe nach dreierlei stanken: nach Dieselöl, verstopften Toiletten und Erbrochenem.

Die Verhältnisse waren von Schiff zu Schiff verschieden. Auf LCT (Panzerlandungsboot) 777 sah Signalgast George Hackett mit Erstaunen die Wellen so hoch gehen, daß sie an einem Ende des stampfenden Schiffes hereinkrachten und zum anderen wieder hinausrollten. LCT 6, ein britisches Panzerlandungsboot, war so überladen, daß Oberstleutnant Clarence Hupfer von der 4. amerikanischen Division glaubte, es müsse jeden Augenblick sinken. Wasser platschte gegen die Schandecks und überspülte von Zeit zu Zeit das Boot. Die Kombüse stand unter Wasser, und die Truppen waren gezwungen, kalt zu essen – wenn ihnen überhaupt nach Essen zumute war.

LST (Panzerlandungsschiff) 97 war so stark besetzt – erinnert sich Feldwebel Keith Bryan von der 5. Pionier-Sonderbrigade –, daß einer auf den anderen trat, und das Schiff rollte so heftig, daß die Männer, die Glück gehabt und eine Koje erwischt hatten, sich kaum darin halten konnten. Und Feldwebel Morris Magee von der kanadischen 3. Division fand das Schaukeln seines Schiffes »schlimmer als in einem Ruderboot mitten auf dem Champlainsee«. Ihm war so übel, daß er sich schon nicht mehr übergeben konnte.

Das Schlimmste jedoch machten bei diesem langen Warten die Truppen auf den zurückbefohlenen Geleitzügen durch. Den ganzen Tag über hatten die Schiffe gegen den Sturm im Kanal bestehen müssen. Nun, da die letzten weit auseinandergezogenen Geleitzüge Anker warfen, säumten die Männer müde, mißmutig und durchnäßt die Reling. Um 23 Uhr waren alle Schiffe zurück.

Vor dem Hafen von Plymouth stand Korvettenkapitän Hoffman auf der Brücke der *Corry* und blickte auf die lange Reihe von schwarzen Schatten – verdunkelte Landungsschiffe jeder Art und Größe. Es war kalt. Der Wind blies immer noch heftig, und Hoffman konnte die Schiffe, die wegen ihres geringen Tiefgangs in jedem Wellental stark rollten, auf das Wasser platschen hören.

Hoffman war müde. Vor kurzer Zeit erst war er mit der *Corry* in den Stützpunkt zurückgekehrt, und bei der Rückkehr hatten sie zum erstenmal den Grund für den Aufschub der Invasion erfahren. Und nun war schon wieder erhöhte Bereitschaft befohlen worden.

Unter Deck verbreitete sich die Nachricht rasch. Bennie Glisson, der Funker, hörte davon, als er sich zu seiner Wache fertigmachte. Er ging zur Messe hinunter, wo er über ein Dutzend Männer beim Abendessen antraf – Truthahn gab es an diesem Abend, mit allem, was dazugehört. Die Männer machten einen niedergeschlagenen Eindruck. »Ihr Brüder seht aus, als ob ihr eure Henkersmahlzeit löffeltet!« sagte Bennie. Er sollte beinahe recht behalten. Mindestens die Hälfte der anwesenden Männer ging kurz nach Beginn der Landung mit der *Corry* unter.

Auf dem in der Nähe liegenden LCI (Infanterie-Landungsboot) 408 war die Stimmung ebenfalls trübe. Die Küstenschutzbesatzung war überzeugt, daß der Fehlstart nur wieder einmal ein Manöver gewesen sei. Schütze William Joseph Phillips von der 29. Infanteriedivision versuchte sie aufzuheitern. »Unser Haufen hier«, erklärte er ernsthaft, »wird überhaupt nicht zum Einsatz kommen. Wir sind schon so lange in England – unser Auftrag fängt erst nach dem Krieg an: Die lassen uns die Vogelscheiße von den Kreidefelsen bei Dover kratzen!«

Gegen Mitternacht begannen Kutter des Küstenschutzes und Zerstörer der Marine mit dem ungeheuer schwierigen Unternehmen, die Geleitzüge neu zusammenzustellen. Diesmal würde es kein Zurück geben.

Vor der französischen Küste stieg das Kleinst-U-Boot X 23 langsam an die Oberfläche. Es war 1 Uhr morgens, am 5. Juni. Rasch öffnete Kapitänleutnant George Honour die Luke. Zusammen mit einem anderen Besatzungsmitglied kletterte er in den kleinen Kommandoturm und richtete die Antenne auf. Unter Deck stellte Kapitänleutnant James Hodges die Skala des Funkgerätes auf 1850 kHz ein und hielt die Hände über die Muscheln seines Kopfhörers. Er brauchte nicht lange zu warten. Sehr schwach hörte er ihr Rufzeichen: »Padfoot – Padfoot – Padfoot.« Als er die dann folgende, aus nur einem Wort bestehende Durchsage vernahm, blickte er ungläubig auf. Noch fester preßte er die Hörmuscheln auf die Ohren und horchte von neuem. Aber ein Irrtum war ausgeschlossen. Er informierte die anderen. Keiner sagte ein Wort. Mürrisch blickten die Männer sich an; vor ihnen lag ein weiterer voller Tag unter Wasser.

XII

Im frühen Morgenlicht lag die Küste der Normandie in Dunst eingehüllt. Die Schauer des vorhergehenden Tages waren zu einem ständigen Nieselregen geworden, der alles durchnäßte. Hinter der Küste breiteten sich die uralten Äcker aus, die schon zahllose Schlachten gesehen hatten und auf denen nun noch weitere Kämpfe ausgetragen werden sollten.

Seit vier Jahren lebten die Bewohner der Normandie unter deutscher Besatzung. Diese Abhängigkeit hatte sich nicht für alle Bewohner gleich ausgewirkt. In den drei wichtigsten Städten – in Le Havre und Cherbourg, den Häfen, die das Gebiet nach beiden Seiten abgrenzen, und in Caën, das, etwa sechzehn Kilometer von der Küste entfernt, geographisch und der Größe nach zwischen diesen beiden liegt – war die Besatzung ein harter und steter Bestandteil des täglichen Lebens. Hier befanden sich die Befehlsstellen der Gestapo und der SS. Hier wurde man beständig an den Krieg erinnert – durch nächtliches Zusammentreiben von Geiseln, durch die nie endenden Repressalien gegen die Untergrundbewegung, durch die willkommenen und dennoch furchtbaren alliierten Luftangriffe.

Außerhalb der Städte, besonders zwischen Caën und Cherbourg, erstreckte sich von Hecken durchzogenes Ackerland: kleine Felder, von hohen Erdwällen eingeschlossen, die mit ihrem Bewuchs von Buschwerk und kleinen Bäumen seit der Römerzeit von Eindringlingen und Verteidigern als natürliche Befestigungen benutzt worden waren. Über das Land verstreut lagen die Fachwerkhöfe mit ihren Dächern aus Schilf oder roten Ziegeln; und hier und da standen Städte wie kleine Burgen, fast jede mit dem stämmigen Turm einer normannischen Kirche, um die sich die jahrhundertealten grauen Bruchsteinhäuser drängten. Die meisten Menschen in aller Welt hatten die Namen dieser Orte noch nie gehört: Vierville, Colleville, La Madeleine, Ste.-Mère-Eglise, Chef-du-Pont, Ste.-Marie-du-Mont, Arromanches, Luc. Hier, auf dem nur dünnbesiedelten Land, bedeutete die Besatzung etwas anderes als in den Großstädten. Der normannische Bauer, der in den Bereich des Krieges geraten war, hatte getan, was er konnte, um mit der Situation fertig zu werden. Tausende von Männern und Frauen waren aus Städten und Dörfern als Zwangsarbeiter verschickt worden, und die Zurückgebliebenen zwang man, einen Teil des Tages in Arbeitsbataillonen beim Ausbau der Küstenstellungen mitzuarbeiten. Aber die unbändigen, freiheitsliebenden Bauern taten nicht mehr, als unbedingt erforderlich war. Sie lebten von einem Tag auf den anderen, haßten die Deutschen mit normannischer Hartnäckigkeit und warteten in stoischer Gelassenheit auf den Tag der Befreiung.

Im Hause seiner Mutter auf einem Hügel über dem verschlafenen Dorf Vierville stand der einunddreißigjährige Rechtsanwalt Michel Hardelay an einem Fenster des Wohnzimmers und beobachtete mit seinem Feldstecher einen deutschen Soldaten, der auf einem schweren Ackergaul zum Strand hinunterritt. Zu beiden Seiten des Sattels hingen mehrere Kochgeschirre. Es war ein lächerlicher Anblick. Der klotzige Pferderumpf, die baumelnden Kochgeschirre und als krönender Abschluß der eimerartige Helm des Soldaten.

Unter Hardelays Augen ritt der Deutsche durch das Dorf; vorbei an der Kirche mit ihrem hohen schlanken Turm und weiter zu der Betonmauer hinunter, die die Hauptstraße gegen den Strand hin abriegelte. Dann stieg er aus dem Sattel und schnallte alle Kochgeschirre außer einem ab. Plötzlich tauchten auf geheimnisvolle Weise aus der Gegend der Klippen drei, vier Soldaten auf. Sie nahmen die Kochgeschirre in Empfang und verschwanden wieder. Mit dem verbleibenden Kochgeschirr kletterte der Deutsche über die Mauer und ging auf ein großes rotbraunes Sommerhaus zu, das, von Bäumen umgeben, am Ende der Strandpromenade stand. Hier kniete er nieder und reichte das Kochgeschirr an ein Paar wartender Hände weiter, die sich ihm zu ebener Erde aus dem Gebäude entgegenstreckten.

Jeden Morgen war es dasselbe. Der Deutsche verspätete sich nie; immer brachte er um diese Zeit den Morgenkaffee an den Ortsausgang von Vierville. Ein neuer Tag hatte begonnen für die Geschützbedienungen in den Unterständen im Steilufer und in den getarnten Bunkern unten auf dem Strand – einem friedlich aussehenden, sanft geschwungenen Sandstreifen, den die Welt am nächsten Tag unter dem Namen »Omaha« kennenlernen sollte. Michel Hardelay wußte, daß es genau 6 Uhr 15 war.

Schon oft hatte er dem Zeremoniell zugeschaut, und stets war es ihm ein wenig komisch vorgekommen – teils wegen des skurril aussehenden Soldaten, teils weil es ihn amüsierte, daß das vielgerühmte Organisationstalent der Deutschen versagte, wenn es um eine solch simple Angelegenheit wie die Versorgung von Bunkerbesatzungen mit Morgenkaffee ging. Aber es war ein bitteres Vergnügen für Hardelay. Wie alle Bewohner der Normandie haßte er die Deutschen seit Jahr und Tag, und nun haßte er sie ganz besonders.

Seit Monaten hatte Hardelay zugesehen, wie deutsche Truppen und zwangsweise ausgehobene Arbeitsbataillone in den Steilhängen hinter dem Strand und in den Klippen zu beiden Enden Gräben angelegt, Löcher ausgehoben und Tunnel eingetrieben hatten. Er hatte sie den Strand mit Hindernissen versperren und Tausende von abscheulichen, den Tod bringenden Minen legen sehen. Und das war noch nicht alles gewesen. Mit methodischer Gründlichkeit war die ganze Reihe von hübschen roten, weißen und rosa Sommerhäuschen und Villen, die sich am Fuß des Steilhangs den Strand entlangzog, abgerissen worden. Von ehemals neunzig Häusern standen nun nur noch sieben. Die anderen waren nicht nur abgebrochen worden, um der Artillerie ein besseres Schußfeld zu verschaffen, sondern auch, weil die Deutschen das Holz zum Ausschlagen ihrer Bunker haben wollten. Das größte von den sieben unversehrten Häusern, eine winterfeste Villa aus Stein, gehörte Hardelay. Ein paar Tage zuvor war ihm vom Ortskommandanten offiziell mitgeteilt worden, daß sein Haus abgerissen werden würde. Die Deutschen brauchten die Ziegel und Bruchsteine.

Hardelay hoffte, daß vielleicht irgend jemand irgendwo diese Entscheidung umstoßen würde. In manchen Dingen waren die Deutschen unberechenbar. In vierundzwanzig Stunden würde Hardelay es jedenfalls ganz genau wissen; man hatte ihm gesagt, daß sein Haus am nächsten Tag an der Reihe sei – am 6. Juni.

Um 6 Uhr 30 schaltete Hardelay das Radio ein, um die Nachrichten der BBC zu hören. Es war verboten, aber wie Hunderttausende anderer Franzosen scherte er sich nicht um das Verbot – auch eine Art, Widerstand zu leisten. Trotzdem drehte Hardelay den Apparat bis auf ein Flüstern herunter. Wie immer gab »Oberst England« – Douglas Ritchie, der als Sprecher des Oberkommandos des alliierten Expeditionskorps galt – am Ende der Nachrichten eine wichtige Meldung durch.

»Heute, Montag, den 5. Juni«, sagte er, »hat der Oberbefehlshaber mir folgende Mitteilung aufgetragen: Unsere Sendungen sind nun eine direkte Verbindung zwischen dem Oberbefehlshaber und euch in den besetzten

Gebieten ... Nach und nach werden Anweisungen von großer Wichtigkeit durchgegeben werden, aber es wird nicht immer möglich sein, sie zu vorher bekanntgegebenen Zeiten zu senden. Daher müßt ihr dazu übergehen, entweder selber oder abwechselnd mit euren Freunden zu jeder Zeit unsere Sendungen abzuhören. Das ist nicht so schwierig, wie es sich anhört.« Hardelay vermutete, daß die »Anweisungen« mit der Invasion zusammenhingen. Jeder wußte, daß sie bevorstand. Er nahm an, daß die Alliierten an der engsten Stelle des Ärmelkanals angreifen würden – in der Gegend von Calais oder Dünkirchen, wo es Häfen gab. Aber gewiß nicht hier.

Die in Vierville wohnenden Familien Dubois und Davot hörten den Nachrichtendienst nicht; sie schliefen lange an diesem Morgen. Bei ihnen war vom vergangenen Abend an bis in die frühen Morgenstunden hinein gefeiert worden. Ähnliche Feiern hatten in der ganzen Normandie stattgefunden, denn die Kirchenbehörde hatte Sonntag, den 4. Juni, als Tag für die Erstkommunion festgesetzt. Das war immer ein großes Fest und ein alljährlicher Anlaß zu Familientreffen.

In ihren besten Kleidern waren die Kinder der Dubois und Davots in der kleinen Kirche von Vierville vor den Augen ihrer stolzen Eltern und Verwandten zum erstenmal zur Kommunion gegangen. Alle Verwandten trugen einen Sonderpassierschein der deutschen Behörden bei sich, um den sie sich schon Monate vorher hatten bemühen müssen. Einige waren von Paris herangereist. Die Reise war aufreibend und gefährlich gewesen – aufreibend, weil keiner der überfüllten Züge mehr nach Fahrplan lief, gefährlich, weil sämtliche Lokomotiven das Ziel alliierter Jabos waren.

Aber es hatte sich gelohnt; eine Reise in die Normandie lohnte sich immer. Lauter Dinge, die man in Paris nun nur noch selten zu sehen bekam, waren hier noch reichlich vorhanden: frische Butter, Käse, Eier, Fleisch und natürlich Calvados, der scharfe Apfelschnaps der Normandie. Außerdem empfahl sich in diesen schwierigen Zeiten die Normandie als angenehmer Aufenthaltsort. Sie war still und friedlich und zu weit von England entfernt, um für die Invasion in Frage zu kommen.

Das Treffen der beiden Familien hatte einen außerordentlich zufriedenstellenden Verlauf genommen. Und es war alles andere als beendet. Am kommenden Abend würden sie sich alle zu einem weiteren großen Festmahl mit den besten Weinen und Kognaks, die ihre Gastgeber hatten retten können, um den Tisch versammeln. Das Mahl würde die Festlichkeiten beschließen, und die Verwandten würden Dienstag morgen den Frühzug zurück nach Paris nehmen.

Ihr dreitägiger Ausflug in die Normandie sollte viel länger dauern; die nächsten vier Monate saßen sie in Vierville fest.

Weiter die Küste hinunter, in der Nähe des Ortsausganges von Colleville, tat der vierzigjährige Fernand Broeckx, was er jeden Morgen um 6 Uhr 30 tat: Er saß in seinem regentriefenden Stall, Brille schief auf der Nase, den Kopf vom Euter einer Kuh zur Seite gedrückt, und lenkte einen dünnen Milchstrahl in den Melkeimer. Sein Hof lag an einem schmalen Feldweg oben auf einer flachen Anhöhe, nur ein paar hundert Meter von der See entfernt. Broeckx war schon lange nicht mehr den Weg zum Strand hinuntergegangen – nicht mehr, seitdem die Deutschen ihn gesperrt hatten.

Seit fünf Jahren bewirtschaftete er den Hof in der Normandie. Im Ersten Weltkrieg hatte der Belgier Broeckx zusehen müssen, wie sein Elternhaus zerstört wurde. Das konnte er nicht vergessen. Als 1939 der Zweite Weltkrieg begann, gab er sofort seine Stelle in einem Büro auf und schickte seine Frau und seine Tochter nach der Normandie, wo sie seiner Meinung nach sicher sein würden.

Sechzehn Kilometer entfernt, in der Domstadt Bayeux, machte sich seine hübsche neunzehnjährige Tochter Anne Marie, die Kindergärtnerin war, für ihren allmorgendlichen Gang zum Kindergarten fertig. Sie freute sich auf den Dienstschluß, denn heute begannen die Sommerferien. Sie würde ihre Ferien auf dem Hof des Vaters verbringen. Am nächsten Tag würde sie mit dem Fahrrad nach Hause fahren.

Ebenfalls am nächsten Tag sollte ein großer schlanker Amerikaner aus Rhode Island, dem Anne Marie noch nie zuvor begegnet war, auf dem Strand fast unmittelbar in Höhe des väterlichen Bauernhofes landen. Sie wird ihn heiraten.

An der ganzen Normandieküste entlang gingen die Leute ihrem gewohnten Tagewerk nach. Die Bauern arbeiteten auf dem Feld, pflegten ihre Obstgärten und trieben ihre rotbunten Kühe auf die Weide. In den kleinen Städten und Dörfern wurden die Läden geöffnet. Für die Einwohner war es ein Besatzungstag wie jeder andere.

In dem kleinen Weiler La Madeleine, der hinter den Dünen und dem kleinen Sandstreifen lag, den man bald als den Strandabschnitt »Utah« kennen würde, öffnete Paul Gazengel wie jeden Tag sein winziges Café mit Kramladen, obwohl es kaum Kundschaft gab.

Früher hatte Gazengel sein Auskommen gehabt; es war nicht viel gewesen, was er verdiente, aber es hatte für ihn, seine Frau Marthe und seine Tochter Jeannine gereicht. Nun jedoch war das ganze Küstengebiet gesperrt. Die Familien, die unmittelbar am Meer wohnten – etwa von der nahe gelegenen Viremündung die ganze diesseitige Küste der Halbinsel Cotentin entlang –, waren evakuiert worden. Nur die Besitzer von Bauernhöfen hatten bleiben dürfen. Der Lebensunterhalt des Ca-

Cafébesitzers hing nun von sieben Familien ab, die noch in La Madeleine wohnten, und von ein paar deutschen Soldaten in der Umgebung, die zu bedienen er gezwungen war.

Gazengel wäre gerne fortgegangen. Als er jetzt in seinem Café saß und auf den ersten Kunden wartete, ahnte er nicht, daß er schon in weniger als vierundzwanzig Stunden auf Reisen gehen sollte. Man würde ihn und alle anderen Männer des Dorfes abholen und zum Verhör nach England schicken.

Einem von Gazengels Freunden, dem Bäcker Pierre Caldron, lagen an diesem Morgen ernstere Probleme auf der Seele. In dem sechzehn Kilometer von der Küste entfernten Carentan saß er in Dr. Jeannes Klinik am Bett seines fünfjährigen Sohnes Pierre, dem gerade die Mandeln herausgenommen worden waren. Gegen Mittag untersuchte Dr. Jeanne seinen Sohn noch einmal. »Sie brauchen sich keine Gedanken zu machen«, versicherte er dem besorgten Vater. »Alles ist in bester Ordnung. Morgen können Sie ihn mit nach Haus nehmen!« Aber Caldron hatte es sich anders überlegt. »Nein«, sagte er. »Ich glaube, seiner Mutter ist es lieber, wenn ich den Kleinen heute schon mitnehme.« Eine halbe Stunde später machte sich Caldron mit dem kleinen Jungen auf dem Arm auf den Heimweg nach Ste.-Marie-du-Mont. Das Dorf lag landeinwärts hinter dem Strandabschnitt »Utah«. Hier würden am Tag der Landung die Fallschirmjäger mit den Männern der 4. Division zusammentreffen.

Auch für die Deutschen war es ein stiller, ereignisloser Tag. Nichts geschah, und man rechnete auch nicht damit, daß etwas geschah; das Wetter war viel zu schlecht. Es war so schlecht, daß im Hauptquartier der Luftwaffe im Pariser Palais de Luxembourg der Chefmeteorologe, Oberst Professor Dr. Walter Stöbe, den Stabsoffizieren bei der Lagebesprechung versicherte, sie könnten ausspannen. Er bezweifelte sogar, daß alliierte Flugzeuge an diesem Tag überhaupt Einsätze fliegen könnten. Die erhöhte Alarmbereitschaft für alle Flakeinheiten wurde prompt abgeblasen.

Dann telefonierte Stöbe mit Boulevard Victor Hugo 20 in St.-Germain-en-Laye, dem zwanzig Kilometer entfernten Vorort von Paris. Am andern Ende der Leitung lag ein riesiger dreistöckiger Bunker, der, fast hundert Meter lang und hundertachtzig Meter tief, in einen Abhang in der Nähe einer Oberschule für Mädchen gebettet war: OB West, von Rundstedts Hauptquartier. Stöbe sprach mit dem Verbindungsoffizier, dem Meteorologen Major Hermann Müller, der die Wettervorhersage pflichtgemäß entgegennahm und dann an den Chef des Stabes, Generalmajor Blumentritt, weiterleitete. Wetterberichte wurden beim OB West sehr ernstgenommen, und auf diesen hatte Blumentritt ganz besonders gewartet. Er traf gerade die letzten Vorbereitungen zu einer Inspektionsreise des Oberbefehlshabers West. Der Wetterbericht bestätigte seine Ansicht, daß die Reise wie geplant stattfinden konnte. Von Rundstedt hatte sich vorgenommen, in Begleitung seines Sohnes, eines jungen Oberleutnants, am kommenden Dienstag die Küstenbefestigungen in der Normandie zu besichtigen.

Nur wenige Einwohner von St.-Germain-en-Laye wußten von der Existenz des Bunkers, und noch weniger ahnten, daß der Generalfeldmarschall mit der höchsten Befehlsgewalt im Westen in einer kleinen bescheidenen Villa hinter der Oberschule an der Rue Alexandre Dumas wohnte. Eine hohe Mauer umgab das Haus, und das Eisentor war ständig verschlossen. Betreten konnte man die Villa nur durch einen eigens durch die Wände der Schule getriebenen Gang oder durch eine unauffällige Tür in der Mauer, die an die Rue Alexandre Dumas grenzte.

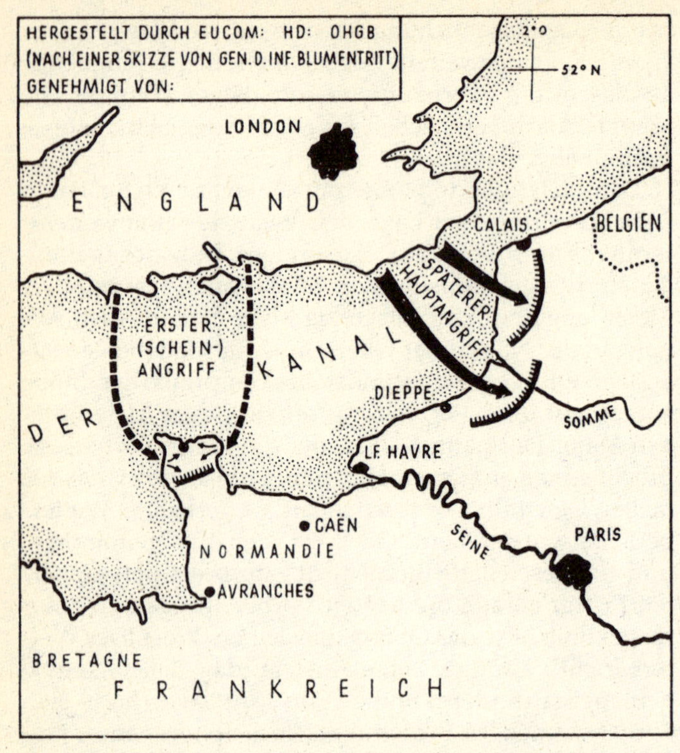

Generalfeldmarschall von Rundstedt erwartete zwei alliierte Invasionen. Die erste, ein Ablenkungsmanöver, bei Cherbourg, den Hauptangriff zwischen Calais und Dieppe, wo die starken Streitkräfte der 15. Armee lagen. Noch nach dem Tag der Invasion glaubte Hitler, daß eine Landung am Pas de Calais erfolgen würde, und beließ die 15. Armee bis zur zweiten Julihälfte in ihren Stellungen.

Von Rundstedt schlief wie gewöhnlich lange (der betagte Generalfeldmarschall stand nur noch selten vor 10 Uhr 30 auf), und es war fast Mittag, als er sich im Arbeitszimmer der Villa im ersten Stock an seinen Schreibtisch setzte. Hier beriet er sich mit dem Chef des Stabes und zeichnete OB Wests »Beurteilung der alliierten Ab-

Oben: Rommel besichtigt den Atlantikwall, Februar 1944. *Unten:* General Eisenhower, der Oberbefehlshaber der Alliierten, mit seinen Kommandeuren. Von links nach rechts: Generalleutnant Omar N. Bradley; Admiral Bertram Ramsey: General der Luftwaffe Tedder; Eisenhower; Feldmarschall Bernard Montgomery; General der Luftwaffe Leigh-Mallory; Generalmajor Walter Bedell Smith, Eisenhowers Stabschef

Hitlers Atlantikwall war ein gewaltiges Festungswerk, das allerdings nicht ganz fertig wurde. Geschützbunker, MG-Stellungen, Stacheldrahtverhaue, Minenfelder und Strandhindernisse bildeten einen dichten Sperriegel

Oben: Hemmbock mit Säge und Tellermine – eine von Rommels tödlichen »Erfindungen«. *Mitte:* Pfähle mit Tellerminen bei Niedrigwasser. *Unten:* Bunker mit verminten Stacheldrahtverhauen

Oben: Panzerlandungsschiffe werden in Brixham (England) beladen. *Unten:* Ein Teil der 5000 Landungsfahrzeuge vor der Invasionsküste.

Oben: Eisenhower im Gespräch mit Fallschirmjägern der 101. Division, kurz vor ihrem Einsatz am Abend des 5. Juni. *Unten:* Das Wrack eines mit 30 Mann besetzten Lastenseglers vom Typ *Horsa* auf einer Wiese bei St. Mère-Eglise. Acht Fallschirmjäger kamen bei der Bruchlandung ums Leben

Headquarters 1st Infantry Division
APO # 1, U. S. Army
G-3 Journal
Appendix V

From 0001B

Date; 6 June 1944

Time:

To.: 2400B

CP Location: USS ANCON, ENGLISH CHANNEL
off Coast of France

Time	No.	From	Synopsis	Rec'd Via	Disposition
0230	1		Arrived in Transport Area at 0230.		
0251	2		Dropped Anchor at 0251.		
0630	3	CG	Land CT 115 at H/4 unless otherwise directed.		Comdr CTF 124
0708	4		1st wave landed 0635 2d wave landed 0636	Rad	J
0830	5		16 Inf and 116 Inf touched down 060635.	Rad	J
0630	6	Talley	It 1 DUKW No one waterborne	Rad	V Corps & J
0636	7	Talley	It 3 Dog Dogs Launched Saw empty LCT returning.	Rad	V Corps & J
0655	8	PC552	NK First wave foundered.	Rad	Navy & J
0702	9	Javelin	LCA unit is landing half on DOG GREEN half on CHARLIE.	Rad	Navy & J
0700	10	Talley	Brilliant white flare seen near POINTE DE HOE.	Rad	V Corps & J
0641	11	PC 552	Entire first wave foundered.	Rad	Chase & J
0807	17	Thomas Jefferson	Returning boats report floating mines near beach endangering landings. Many boats have swamped because of them. Many persons in water.	R d	COMTRANSDIV 3 & J
0730	23	DC/S V Corps	LCIL 94 and 493 landed 0740. Firing heavy on beach.	Rad	V Corps & J
0638	24	Control Vessel Dog Red	The obstacles are mined. No chance of destroying mines by demolition yet.	Rad	J
0816	25	LCT 535	There are DUKWS in distress between here and the beach.	Rad	Ancon & J
0710	27	CTG 124.4 (Rngr Co)	Two LCTS knocked out by enemy btry back of center of Beach Dog Green.	Rad	Ancon & J
0809	28	Control Craft	All of DD Tks for Fox Green beach sank between disembarkation point and line of departure.	Rad	CG, G-3, J
0824	29	CTG 124.9	Btrys at MAISY still in commission. Being kept under fire.	Rad	CG, G-3, J
0830	30	50th Div	Request progress of your trs. Progress of 50th Div going according to plan.	Rad	CG, G-3, J
0833	31	LCT 538	Failed to unload due to indirect fire of 88's. Hit. 5 Army casualties.	Rad	PC 617, G-3, J

Auszüge aus dem Einsatztagebuch der amerikanischen 1. Division geben eine fast von Minute zu Minute fortschreitende Darstellung der sieben-

0843	32	V Corps	Wave Claude & Eric touched down at 0720. Obstacles not breached. Four tks held up by enemy fire, heavy this area. Wave E & C forced to withdraw. Casualties appeared heavy.	Rad	CG V Corps, CG, G-3, J.
0849	34	1st Bn 116Ct	Held up by enemy MG fire. Request fire support.	Rad	Co CT 116, CG, G-3, J
0859	35	Rngr Co	Brit Off reports on Dog Green Beach. Heavy MG fire. Obstacles not cleared.	Rad	CG, G-3, J.
0910	36	Rngr Co	Tide rising rapidly. Obstacles still on beach. Need demolition squad.	Rad	CG, G-3, J.
0909	44	CG	Enemy btry back of center of beach Dog Green. Find and Silence.	Rad	CTG, 124. 9
0930	46	Prince Leopold	Rngrs landed safely. Heavy opposition. Beach not cleared of obstruction. Very dangerous for LCA's.	Rad	Prince Charles, CG, G-3, J.
-	48	Control Vessel	Do not know whether firing on beach is friendly or enemy. Keeping LCI'S from landing.	Rad	USS Chase, CG, G-3, J.
0945	49	Div Bat 5	Btrys at MAISY completely destroyed.	Rad	CG, G-3, J.
0946	50	CG	Firing on Beach Easy Red is keeping LCI's from landing.	Rad	CTG 124.8, J.
0950	52	ACG	Beach too many vehs. Send combat trs.	Rad	CG, G-3, J.
0955	63	CTG 124.8	Control vessel reports many wounded at DOG RED beach needing immediate evacuation. Many LCTS standing by bouy but cannot unload because of heavy shell fire on beach.	Rad	CTF 124.4 + ~~V Corps & J.~~
1040	75	CG 1st Div	Reinforce 2d Bn 16th Inf at once.	Rad	Co. CT 18, & J
-	76	Beachmaster Easy Red	Send in H Plus 195 wave at once.	Rad	Ancon & J
1115	93	Comdesron 18	Inf advancing send reinforcements. Also Dog Green needs inf.	Rad	CG & CTG 124.9, G-3 & J
1137	99	Thomas Jefferson	Fire support on Easy Green beach reported excellent. Germans reported leaving positions and surrendering to American soldiers.	Rad	Comtransdiv 3, CG, G-3, J.
1320	154	CG	16th Inf at COLLEVILLE SUR MER 687882. Other units progressing slowly- Beaches not yet clear of fire 061315.	Rad	50 Div & J.
1341	155	Navy	Beaches DOG GREEN WHITE RED are entirely clear of opposition and ready for landing trs. No opposition on beach. EASY GREEN AND RED trs ashore apparently waiting infantry reinforcements. All fire support ships are waiting on Army for target assignments. Request you get this info to Army ashore.	Rad	CG & J.

stündigen Krise auf »Omaha«, bis zu dem Augenblick, in dem kurz nach 13 Uhr die ersten Truppen vom Strand landeinwärts vorstießen

Oben: Wellen von Sturmbooten preschen an dem amerikanischen Kreuzer *Augusta* vorbei. *Unten:* Stunde X auf »Omaha«. Unter Beschuß kämpfen sich Sturmtruppen durch Hindernisse und schwere Brandung ans Ufer

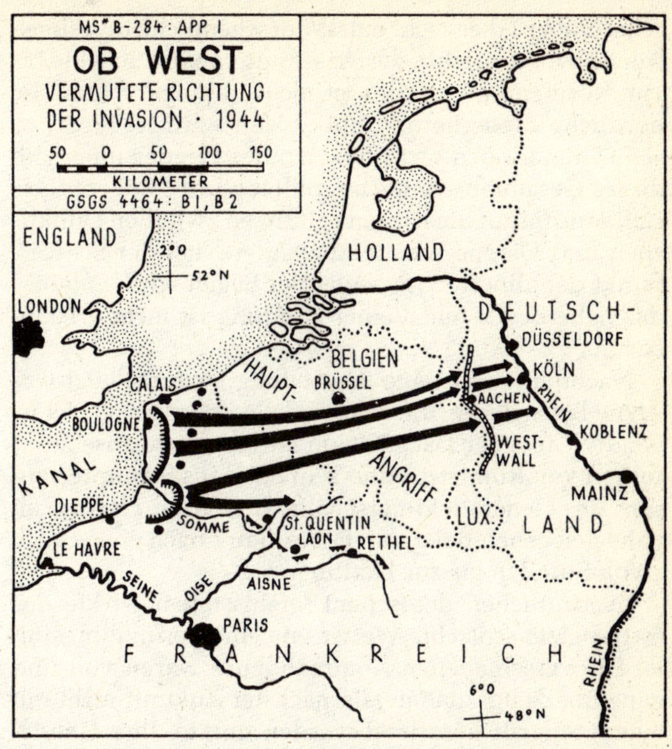

Diese Karte zeigt einen der Gründe, warum die Invasion am Pas de Calais erwartet wurde: Er lag der deutschen Grenze am nächsten. Die Deutschen nahmen an, die Alliierten würden sich für den kürzesten Weg für ihren Vorstoß auf das Reich entscheiden. Sogar nach Beginn der Normandie-Invasion glaubte Generalmajor Hans Speidel, Rommels Stabschef, an einen Ablenkungsangriff.

sichten« ab, damit sie später am Tag an Hitlers Hauptquartier, das OKW, durchgegeben werden konnte. Die Beurteilung war wieder einmal ein typischer Fehlschluß. Sie lautete:

»Die deutliche und systematische Zunahme der Luftangriffe läßt vermuten, daß der Gegner einen hohen Bereitschaftsgrad erreicht hat. Wahrscheinliche Invasionsfront bleibt weiterhin der Abschnitt von der Schelde bis zur Normandie – und es ist nicht unmöglich, daß die nördliche Bretagne mit einbezogen wird ... [aber] es steht immer noch nicht fest, wo der Gegner innerhalb dieses Gesamtabschnitts angreifen wird. Konzentrierte Luftangriffe auf die Küstenstellungen zwischen Dünkirchen und Dieppe könnten bedeuten, daß der Schwerpunkt der alliierten Invasion hier liegen wird ... [aber] das nahe Bevorstehen einer Landung ist nicht erkennbar ...«

Nachdem diese vage Beurteilung weitergeleitet war – eine Beurteilung, die das mögliche Invasionsgebiet irgendwo an einer fast 1300 km langen Küste ansetzte –, fuhren von Rundstedt und sein Sohn ins Stammrestaurant des Generalfeldmarschalls, den »Coq Hardi«, im nahe gelegenen Bougival. Es war kurz nach eins – noch zwölf Stunden bis zur Landung.

In sämtlichen deutschen Befehlsstellen wirkte das fortgesetzte schlechte Wetter wie eine Beruhigungspille. Die verschiedenen Kommandeure waren voll und ganz überzeugt, daß in allernächster Zukunft nicht mit einem Angriff gerechnet werden mußte. Ihre Überlegungen fußten auf sorgfältig ausgewerteten Darstellungen der Wetterlage während der alliierten Landungen in Nordafrika, Italien und Sizilien. Von Fall zu Fall waren die Bedingungen unterschiedlich gewesen, aber den Meteorologen, z. B. Stöbe und seinem Chef in Berlin, Dr. Karl Sonntag, war aufgefallen, daß die Alliierten noch nie eine Landung versucht hatten, wenn nicht fast sichere Aussicht auf günstiges Wetter – besonders für die Unterstützung aus der Luft – bestand. Für den methodischen deutschen Verstand war ein Abweichen von der Regel undenkbar; das Wetter mußte genau richtig sein, oder die Alliierten würden nicht angreifen. Und das Wetter war nicht genau richtig.

Im Hauptquartier der Heeresgruppe B in La Roche Guyon lief die Arbeit so weiter, als ob Rommel selber da wäre, aber der Chef des Stabes, Generalleutnant Speidel, hielt die Lage für ruhig genug, um ein kleines Abendessen zu geben. Er hatte mehrere Gäste eingeladen: seinen Schwager Dr. Horst, den Philosophen und Schriftsteller Ernst Jünger und einen alten Freund, den Kriegsberichterstatter Ritter von Schramm. Speidel, der Schöngeist, freute sich auf die Tafelrunde. Er hoffte, daß man über sein Lieblingsthema, französische Literatur, sprechen würde. Und noch etwas würde es zu diskutieren geben: ein zwanzigseitiges Manuskript, das Jünger vorbereitet und heimlich Rommel und Speidel zugeleitet hatte. Beide setzten große Hoffnungen auf diese Schrift. Sie entwickelte einen Plan, Frieden zu schließen, nachdem Hitler beseitigt oder von einem deutschen Gericht abgeurteilt worden war. »Heute abend werden wir allerhand zu bereden haben«, hatte Speidel zu von Schramm gesagt.

Im Generalkommando des 84. Armeekorps in St.-Lô traf der Ic, Major Friedrich Hayn, Vorbereitungen zu einer andersgearteten Gesellschaft. Er hatte mehrere Flaschen vorzüglichen Chablis bestellt, denn um Mitternacht wollte der Stab den Kommandierenden des Armeekorps, General Erich Marcks, überraschen. Der 6. Juni war sein Geburtstag.

Die Geburtstagsfeier sollte um Mitternacht stattfinden, weil Marcks bei Tagesanbruch nach Rennes in der Bretagne abfahren mußte. Er und alle höheren Befehlshaber in der Normandie sollten an einer großen Planübung teilnehmen, die für Dienstag morgen angesetzt worden war. Die Rolle, die man Marcks zugedacht hatte, amüsierte ihn: Er würde die »Alliierten« vertreten. Die Übung war von General Eugen Meindl geplant worden, und der Kern des Manövers sollte – vermutlich weil Meindl Fallschirmjäger war – in einer »Invasion«

bestehen, die mit einem Fallschirmjäger-»Angriff« begann und mit einer »Landung« von See her fortgesetzt wurde. Alle Beteiligten versprachen sich ein interessantes »Kriegsspiel« – die theoretische Invasion sollte in der Normandie stattfinden.

Dieses Kriegsspiel bereitete dem Chef des Stabes der 7. Armee, Generalmajor Max Pemsel, Kopfzerbrechen. Den ganzen Nachmittag hatte er sich in seinem Hauptquartier in Le Mans Gedanken darüber gemacht. Es war schon schlimm genug, daß alle seine Truppenführer in der Normandie und auf der Halbinsel Cotentin gleichzeitig ihre Befehlsstellen verließen. Aber geradezu gefährlich mußte es sein, wenn sie auch über Nacht abwesend sein würden. Für die meisten war Rennes weit weg, und Pemsel fürchtete, daß manche von ihnen sich vorgenommen hatten, die Front vor Tagesanbruch zu verlassen. Die Morgendämmerung machte Pemsel von jeher die größten Sorgen; falls eine Invasion in der Normandie kommen sollte, dann würde der Angriff, glaubte er, beim ersten Tageslicht einsetzen. Er beschloß, alle zu dem Planspiel bestellten Offiziere noch einmal daran zu erinnern. Der Befehl, den er mit dem Fernschreiber hinausschickte, lautete: »Kommandierende Generale und alle anderen Teilnehmer am Planspiel sind gehalten, sich nicht vor Tagesanbruch am 6. Juni nach Rennes in Marsch zu setzen.« Aber es war zu spät. Die ersten waren bereits abgefahren.

Und so kam es, daß am Vorabend der Schlacht die Kommandeure – mit Rommel angefangen – einer nach dem anderen die Front verlassen hatten. Jeder besaß einen Grund, aber es schien fast, als hätte ein launisches Geschick ihre gleichzeitige Abreise eingefädelt. Rommel war in Deutschland, desgleichen der Ia der Heeresgruppe B, von Tempelhoff. Admiral Theodor Krancke, der Marinebefehlshaber im Westen, brach nach Bordeaux auf, nachdem er von Rundstedt benachrichtigt hatte, daß wegen der groben See die Patrouillenboote unmöglich ihre Stützpunkte verlassen könnten. Generalleutnant Heinz Hellmich, Kommandeur der 243. Division, die eine Seite der Halbinsel Cotentin hielt, fuhr nach Rennes ab; ebenso Generalleutnant Karl von Schlieben von der 709. Division. Generalleutnant Wilhelm Falley von der schlagkräftigen 91. Luftlandedivision, die gerade in die Normandie verlegt worden war, bereitete sich zur Abreise vor. Oberst Wilhelm Meyer-Detring, Rundstedts Ic, war in Urlaub, und der Chef des Stabes einer Division konnte überhaupt nicht erreicht werden – er befand sich mit seiner französischen Freundin auf einem Jagdausflug[1].

In diesem Augenblick, da die Offiziere, deren Befehl die Verteidigungsstellungen im Invasionsgebiet unterstanden, über ganz Europa verstreut waren, beschloß

1 Nach der Landung erschien Hitler das Zusammentreffen all dieser Fälle von Abwesenheit von der Invasionsfront so auffallend, daß die Rede von einer Untersuchung ging, die feststellen sollte, ob der britische Geheimdienst möglicherweise seine Hand im Spiel habe.

Tatsache ist, daß Hitler kaum weniger als seine Generale von dem großen Tag überrascht wurde. Der »Führer« hielt sich in Berchtesgaden auf. Sein Marinesachverständiger, Admiral Karl Jesko von Puttkamer, erinnert sich, daß Hitler spät aufstand, die übliche militärische Lagebesprechung gegen zwölf Uhr abhielt und um sechzehn Uhr zu Mittag aß. Außer seiner Geliebten, Eva Braun, saßen mehrere Würdenträger der Partei mit ihren Frauen an der Tafel. Der Vegetarier Hitler entschuldigte sich bei den Damen mit seiner gewohnten Tischbemerkung für die fleischlose Mahlzeit: »Der Elefant ist das stärkste Tier, auch er kann Fleisch nicht ausstehen.« Nach dem Essen begab sich die Gesellschaft in den Garten, wo der Führer seinen Lindenblütentee trank. Er schlief zwischen achtzehn und neunzehn Uhr, hielt eine weitere militärische Lagebesprechung um 23 Uhr ab, und kurz vor Mitternacht wurden die Damen zurückgebeten. Soweit von Puttkamer sich erinnern kann, mußten alle Anwesenden sich dann vier Stunden lang Wagner, Lehár und Strauß anhören.

das Oberkommando der Wehrmacht, die letzten noch in Frankreich stationierten Jagdstaffeln der Luftwaffe so weit zurückzuziehen, daß die Küste der Normandie für sie nicht mehr erreichbar war. Die Flieger waren entsetzt.

Der Hauptgrund für die Verlegung war der, daß die Staffeln für die Verteidigung des Reiches gebraucht wurden, das schon seit Monaten Tag und Nacht immer heftiger werdenden alliierten Bombenangriffen ausgesetzt war. Unter diesen Umständen hielt das OKW es für unvernünftig, die kostbaren Maschinen auf vorgeschobenen französischen Flugplätzen stehenzulassen, wo sie nach und nach von alliierten Jägern und Bombern am Boden zerstört wurden. Hitler hatte seinen Generalen versprochen, daß die Luftwaffe am Tag der Landung mit tausend Flugzeugen die Invasionsküste angreifen würde. Das war nun gänzlich unmöglich. Am 4. Juni standen nur 183 Jagdmaschinen in ganz Frankreich, davon galten etwa 160 als einsatzbereit[1].

Von diesen 160 wurde ein Geschwader, das 26. Jagdgeschwader, mit 124 Maschinen an eben diesem Nachmittag von der Küste zurückgezogen.

Im Hauptquartier des 26. Jagdgeschwaders in Lille, das zum Bereich der 15. Armee gehörte, stand Oberst Josef (genannt »Pips«) Priller, einer der erfolgreichsten deutschen Jagdflieger (er hatte 96 feindliche Maschinen abgeschossen), auf dem Flugplatz und kochte vor Wut. Über ihm nahm eine seiner drei Staffeln Kurs auf Metz in Nordostfrankreich. Seine zweite Staffel stand start-

1 Bei den Vorbereitungen zu diesem Buch stieß ich auf nicht weniger als fünf verschiedene Angaben über die Zahl der in Frankreich stationierten Jagdflugzeuge. Die hier angegebene Zahl, 183, halte ich für die zutreffende. Meine Quelle ist eine kürzlich erschienene Geschichte der Luftwaffe von Oberst Josef Priller (siehe nächste Seite), dessen Buch zur Zeit als der verläßlichste Bericht über die Tätigkeit der Luftwaffe gilt.

klar. Sie war nach Reims (etwa in der Mitte zwischen Paris und der deutschen Grenze) befohlen worden. Die dritte Staffel war bereits nach Südfrankreich abgeflogen.

Dem Oberst blieb nichts weiter übrig als zu protestieren. Priller war ein reizbarer Mann und in der Luftwaffe für seinen Jähzorn bekannt. Er stand in dem Ruf, Generalen die Meinung zu sagen, und jetzt ging er ans Telefon und rief seinen Geschwaderkommandeur an. »Das ist doch Wahnsinn!« schrie Priller. »Wenn wir mit einer Invasion rechnen, dann sollten die Staffeln vorgezogen werden, nicht zurück! Und was passiert, wenn der Angriff während der Verlegung anfängt? Mein Nachschub kann nicht vor morgen oder übermorgen in den neuen Stützpunkten sein. Ihr seid alle verrückt!«

»Hören Sie zu, Priller«, erwiderte der Geschwaderkommodore, »eine Invasion kommt überhaupt nicht in Frage. Das Wetter ist viel zu schlecht.«

Priller knallte den Hörer in die Gabel und ging nach draußen auf das Rollfeld zurück. Nur noch zwei Maschinen standen nun auf dem Platz, seine und die seines Rottenkameraden Feldwebel Heinz Wodarczyk. »Was können wir dran machen?« sagte Priller zu Wodarczyk. »Wenn die Invasion kommt, verlangen die wahrscheinlich von uns, daß wir sie ganz allein aufhalten. Da fangen wir besser jetzt schon an, uns zu besaufen.«

Von all den Millionen Menschen, die überall in Frankreich auf ihrem Posten waren und warteten, wußten nur einige wenige Männer und Frauen, daß die Invasion unmittelbar bevorstand – alles in allem weniger als ein Dutzend. Sie gingen ihren Geschäften so gelassen und beiläufig wie immer nach. Gelassen und unbeteiligt zu wirken, gehörte mit zu ihrer Aufgabe: Sie waren die Führer der französischen Untergrundbewegung.

Die meisten von ihnen wohnten in Paris. Von dort aus

befehligten sie eine ausgedehnte und äußerst kompli- zierte Organisation – eine regelrechte Armee mit einem voll durchgegliederten Befehlssystem und zahllosen Ab- teilungen und Dienststellen, die sich mit allem und jedem befaßten: von der Rettung abgesprungener alliier- ter Piloten über Sabotage und Spionage bis zu Atten- taten. Die Organisation hatte ihre Gebietschefs, Be- zirkskommandeure, Abschnittsleiter und Tausende von Mitgliedern – Männer und Frauen. Innerhalb der Wider- standsbewegung gab es so viele sich überschneidende Einsatzpläne, daß das Ganze auf dem Papier unnötig verwickelt aussah. Aber dieser scheinbare Wirrwarr hat- te seinen Sinn. In ihm lag die Stärke der Untergrundbe- wegung. Ein Überlappen der Befehlsbereiche gewährte größere Sicherheit; eine Vielzahl von Einsatzplänen ga- rantierte den Erfolg eines jeden Unternehmens; und so geheim war das Gesamtgefüge, daß nur wenige der Füh- rer sich gegenseitig anders als unter ihrem Decknamen kannten und eine Gruppe nie wußte, was die andere tat. So mußte es sein, wenn die Untergrundbewegung über- haupt bestehen wollte. Aber trotz all dieser Sicherheits- vorrichtungen waren die deutschen Vergeltungsmaß- nahmen so einschneidend, daß im Mai 1944 ein aktiver Widerstandskämpfer damit rechnete, nicht länger als sechs Monate lang mit dem Leben davonzukommen.

Die Männer und Frauen dieser geheimen Wider- standsarmee hatten seit über vier Jahren einen lautlo- sen Krieg geführt – einen Krieg, der oft wenig Großarti- ges an sich hatte, aber immer gefährlich war. Tausende waren hingerichtet worden, weitere Tausende starben in Konzentrationslagern. Nun jedoch war – obwohl die allermeisten Männer und Frauen es noch nicht wußten – der Tag nahe, für den sie gekämpft hatten.

In den letzten Tagen hatte die Befehlszentrale der Un- tergrundbewegung Hunderte von chiffrierten BBC-Mel- dungen empfangen. Ein paar davon waren Vorwarnungen, die bedeuteten, daß die Invasion jeden Augenblick beginnen könne. Eine dieser Meldungen war die erste Zeile des Verlaine-Gedichtes »Chanson d'Automne« gewesen – dieselbe Vorwarnung, die Oberstleutnant Meyers Leute im Hauptquartier der deutschen 15. Armee am 1. Juni abgefangen hatten. (Canaris hatte recht gehabt.)

Nun warteten die Führer der Untergrundbewegung – noch aufgeregter und gespannter als Meyer – auf die zweite Zeile des Gedichtes und auf andere Meldungen, die die vorher empfangenen Informationen bestätigen würden. Keine dieser Alarmmeldungen würde früher eintreffen als ein paar Stunden vor dem Tag der Landung, und die Widerstandsführer wußten, daß sie aus den Meldungen auch dann noch nicht erfahren würden, wo genau die Landung stattfinden sollte. Für die ganze Untergrundbewegung würde der Einsatz in dem Augenblick beginnen, in dem die Alliierten den Befehl zur Durchführung der vorher vereinbarten Sabotageaktionen gaben. Zwei Durchsagen sollten die Überfälle auslösen. Die eine, »Es ist heiß in Suez«, würde den »Grünen Plan« in Marsch setzen – die Sabotage an Eisenbahnlinien und Zügen. Die andere, »Die Würfel sind auf dem Tisch«, würde die Ausführung des »Roten Planes« verlangen – das Durchschneiden von Telefonleitungen und unterirdischen Kabeln. Alle Gebiets-, Bezirks- und Abschnittsführer waren angewiesen worden, auf diese beiden Durchsagen zu achten.

An diesem Montag abend, dem Abend vor der Landung, wurde die erste Meldung von der BBC um 18 Uhr 30 durchgegeben. »Es ist heiß in Suez. – Es ist heiß in Suez«, verkündete die ernste Stimme des Ansagers.

Guillaume Mercader, Nachrichtenchef für den Küstenabschnitt zwischen Vierville und Port-en-Bessin (ungefähr der Landeabschnitt »Omaha«), hörte die Durchsage, als er vor dem versteckten Radioapparat im Keller seines Fahrradgeschäftes in Bayeux hockte. Mercader war wie betäubt von der Wirkung der Worte. Nie würde er diesen Augenblick vergessen. Er wußte nicht, wo und wann die Invasion stattfinden würde, aber nach all den Jahren des Wartens sollte sie nun endlich kommen!

Im Radio trat eine Pause ein. Dann kam die zweite Meldung, auf die Mercader gewartet hatte. »Die Würfel sind auf dem Tisch«, sagte der Nachrichtensprecher. Danach folgte eine lange Reihe von Durchsagen, die alle wiederholt wurden: »Napoleons Hut ist in dem Ring. – John liebt Mary. – Der Pfeil wird nicht vorbeifliegen ...« Mercader schaltete den Apparat aus. Er hatte die beiden Nachrichten gehört, die ihn angingen. Die anderen Durchsagen galten Gruppen in anderen Teilen Frankreichs.

Mercader eilte nach oben und sagte zu seiner Frau Marie: »Ich muß fort. Ich komme heute abend erst spät nach Hause.« Dann holte er ein niedriges Rennrad aus seiner Werkstatt und trampelte los, um seine Abschnittsführer zu benachrichtigen. Mercader war einmal Radrennmeister der Normandie gewesen und hatte die Provinz mehrere Male bei der berühmten Tour de France vertreten. Er wußte, daß die Deutschen ihn nicht anhalten würden. Sie hatten ihm einen Sonderpassierschein gegeben, damit er trainieren konnte.

Überall erfuhren nun die Widerstandsgruppen durch ihre unmittelbaren Führer in aller Stille von dem Alarm. Jede Einheit hatte ihren besonderen Auftrag und wußte genau, was sie zu tun hatte. Albert Augé, der Bahnhofsvorsteher von Caën, und seine Männer sollten die Wasserpumpen zwischen den Verschiebegleisen unbrauchbar machen und die Dampfdüsen der Lokomotiven zerschlagen. André Farine, Cafébesitzer in Lieu Fontaine bei Isigny, hatte die Aufgabe, den Nachrichtenverkehr in der Normandie lahmzulegen: Sein Trupp von vierzig Mann sollte das massive Telefonkabel aus Cherbourg durchschneiden. Dem Lebensmittelhändler Yves Gresselin stand eines der schwierigsten Unternehmen bevor: Seine Männer sollten einen Teil des Eisenbahnnetzes zwischen Cherbourg, St.-Lô und Paris in die Luft sprengen. Und dies waren nur einige wenige Trupps. Bei der Untergrundbewegung war eine große Bestellung eingegangen. Nur wenig Zeit stand zur Verfügung, und man konnte mit den Angriffen nicht beginnen, bevor es dunkel wurde. Aber überall entlang der Invasionsküste von der Bretagne bis zur belgischen Grenze hielten sich die Männer bereit. Sie alle hofften, daß die Landung in ihrem Abschnitt stattfinden würde.

Für manche der Männer warfen die Durchsagen ganz andere Probleme auf. Im Seebad Grandcamp an der Viremündung, fast genau in der Mitte zwischen den Landeabschnitten »Omaha« und »Utah«, hatte Abschnittschef Jean Marion außerordentlich wichtige Informationen für London. Er überlegte, wie er damit durchkommen sollte und ob er überhaupt noch genügend Zeit haben würde. Am frühen Nachmittag hatten seine Männer die Ankunft einer neuen Flakeinheit einen guten Kilometer von der Stadt entfernt gemeldet. Um ganz sicherzugehen, war Marion scheinbar zufällig mit dem Rad vorbeigefahren, um sich die Geschütze näher anzusehen. Er wußte, daß er durchkam, auch wenn man ihn anhielt: Unter den zahlreichen gefälschten Kennkarten, die er für solche Fälle bei sich trug, befand sich auch eine, die ihn als Atlantikwall-Bauarbeiter auswies.

Marion war bestürzt über die Größe der Einheit und des Abschnitts, den sie unter Feuer nehmen konnte. Was er sah, war ein motorisiertes Flak-Sturmregiment mit schweren, leichten und gemischten Flakbatterien. Fünf Batterien mit insgesamt fünfundzwanzig Geschützen gehörten dazu, und sie bezogen Stellungen, aus denen sie die ganze Küste von der Viremündung bis an den Stadtrand von Grandcamp bestreichen konnten. Marion fiel auf, daß die Bedienungen wie wild mit der

Aufstellung der Geschütze beschäftigt waren – fast so, als arbeiteten sie gegen die Zeit an. Diese fieberhafte Eile machte Marion Sorgen. Sie konnte bedeuten, daß die Invasion dicht bevorstand und daß die Deutschen irgendwie davon wußten.

Marion konnte es nicht wissen, aber die Geschütze standen genau in dem Abschnitt, über den in wenigen Stunden die Flugzeuge und Segler der 82. und 101. Luftlandedivision einfliegen sollten. Wenn jedoch irgend jemand im OKW von dem bevorstehenden Angriff gewußt haben sollte – Oberst Werner von Kistowski, dem Kommandeur des Flak-Sturmregiments 1, hatte man nichts davon gesagt. Er wunderte sich immer noch, warum man seine zweitausendfünfhundert Mann starke Flakeinheit in aller Eile hierher verlegt hatte. Aber Kistowski war an plötzliche Verlegungen gewöhnt. Sein Haufen war einmal ganz allein in den Kaukasus geschickt worden. Ihn überraschte gar nichts mehr.

Jean Marion, der seelenruhig an den bei den Geschützen arbeitenden Soldaten vorbeiradelte, schlug sich mit einem schwierigen Problem herum: Wie sollte er seine überaus wichtige Information an das geheime Hauptquartier Léonard Gilles, den stellvertretenden Nachrichtenchef der Normandie, im achtzig Kilometer entfernten Caën weiterleiten? Marion konnte seinen Abschnitt jetzt nicht verlassen. Es gab zuviel zu tun. Er beschloß daher zu versuchen, die Nachricht über eine Kette von Kurieren an Mercader in Bayeux zu schicken. Er wußte, daß es Stunden dauern konnte, aber er war sicher, daß Mercader – falls die Zeit noch reichte – mit der Nachricht nach Caën durchkam.

Noch etwas anderes wollte Marion London wissen lassen. Es war nicht so wichtig wie die Flakstellungen – lediglich eine Bestätigung der Meldung, die er ein paar Tage zuvor über die mächtigen Geschützstände oben auf den neun Stockwerke hohen Klippen bei Pointe du Hoc geschickt hatte. Marion wollte noch einmal darauf hinweisen, daß die Geschütze noch nicht eingebaut waren. Sie waren immer noch unterwegs, etwa drei Kilometer von der Stellung entfernt. (Obwohl Marion alles versuchte, um London zu informieren, verlor der amerikanische Stoßtrupp der »Rangers« am Tag der Landung 135 von 225 Leuten bei seinem heldenhaften Sturmangriff auf Geschütze, die niemals dagewesen waren.)

Für einige Angehörige der Widerstandsbewegung, die nichts von der kurz bevorstehenden Landung wußten, hatte es mit dem 6. Juni aus anderen Gründen seine ganz besondere Bewandtnis. Léonard Gille war für Dienstag zu einer Besprechung mit seinen Vorgesetzten nach Paris bestellt worden. Nun saß er gelassen im Zug nach Paris, obgleich er damit rechnete, daß nach dem »Grünen Plan« operierende Sabotagetrupps ihn früher oder später zum Entgleisen bringen würden. Gille war ganz sicher, daß die Alliierten die Invasion nicht für Dienstag angesetzt hatten, zumindest nicht in seinem Bezirk. Denn seine Vorgesetzten hätten die Besprechung doch bestimmt abgeblasen, falls ein Angriff in der Normandie bevorstand.

Aber das Datum ließ Gille trotzdem keine Ruhe. Am Nachmittag hatte ihm in Caën einer seiner Abschnittschefs, der Führer einer angeschlossenen kommunistischen Gruppe, mit Nachdruck versichert, daß die Invasion im Morgengrauen des 6. Juni beginnen werde. Die Informationen dieses Mannes hatten sich bisher immer als richtig erwiesen, und ein alter Verdacht stieg von neuem in Gille auf: Erhielt der Mann seine Informationen geradewegs aus Moskau? Gille glaubte nicht daran; er konnte sich nicht vorstellen, daß die Russen durch Verrat von Geheimnissen die Pläne der Alliierten absichtlich gefährden sollten.

Für Janine Boitard, Gilles in Caën zurückgebliebene Verlobte, konnte der Dienstag nicht früh genug kommen. In den drei Jahren ihrer Tätigkeit in der Widerstandsbewegung hatte sie mehr als sechzig alliierte Piloten in ihrer kleinen Erdgeschoßwohnung in der Rue Laplace 15 versteckt gehalten. Es war eine gefährliche, undankbare, nervenaufreibende Aufgabe; eine kleine Unachtsamkeit konnte die Hinrichtung bedeuten. Ab Dienstag würde Janine ein wenig freier atmen können – bis sie den nächsten abgesprungenen Flieger bei sich verbarg –, denn am Dienstag sollte sie zwei Flugzeugführer der RAF, die über Nordfrankreich abgeschossen worden waren, zur nächsten Station auf dem Fluchtweg weiterreichen. Die beiden hatten die letzten vierzehn Tage in ihrer Wohnung zugebracht. Janine hoffte, daß ihr das Glück auch weiterhin treu blieb.

Andere hatten weniger Glück gehabt. Für Amélie Lechevalier konnte der 6. Juni alles oder nichts bedeuten. Sie und ihr Mann Louis waren am 2. Juni von der Gestapo verhaftet worden. Über hundert alliierten Fliegern hatten sie zur Flucht verholfen. Einer von ihren eigenen Knechten hatte sie schließlich verraten. Nun saß Amélie Lechevalier in ihrer Zelle im Gefängnis von Caën und überlegte, ob sie und ihr Mann wohl bald hingerichtet werden würden.

XIII

Kurz vor 21 Uhr tauchte ein Dutzend kleiner Schiffe vor der französischen Küste auf. Ruhig zogen sie am Horizont entlang, so dicht, daß ihre Besatzung die Häuser in der Normandie deutlich erkennen konnte. Die Schiffe wurden nicht bemerkt. Sie führten ihren Auftrag aus und zogen sich dann zurück. Es waren britische Minenräumboote – die Vorhut der mächtigsten Flotte, die sich jemals zusammengefunden hatte.

Dem nun rückte hinten im Kanal, die bewegte graue See durchpflügend, eine Phalanx von Schiffen immer dichter gegen Hitlers Europa vor. Macht und Zorn der freien Welt setzten endlich zum Sturm an. Da kamen sie – unbarmherzig, eine Kette nach der anderen, zwölf Bahnen breit, in dreißig Kilometer breiter Front, fünftausend Schiffe aller Art: schnelle neue, bewaffnete Truppentransporter, langsame, vom Rost zerfressene Frachter, kleine Ozeandampfer, Kanalfährschiffe, Lazarettschiffe, verwitterte Tanker, Küstenfrachter und aufgeregte Schlepper. Endlose Kolonnen von Landungsschiffen mit geringem Tiefgang waren dabei – große, sich hin und her schlingernde Wasserfahrzeuge, manche von ihnen über hundert Meter lang. Viele der Landungsschiffe und der anderen großen Transporter führten kleinere Landungsboote für den eigentlichen Angriff auf die Strandabschnitte mit – im ganzen über 1500. Vor den Geleitzügen her zog eine Prozession von Minenräumbooten, Küstenschutzkuttern, Bojenlegern und Motorbarkassen. Sperrballone standen über den Schiffen. Jagdstaffeln flogen unter der Wolkendecke hin und her. Und von allen Seiten geschützt wurde dieser fantastische Aufmarsch der mit Männern, Geschützen, Panzern, Kraftfahrzeugen und Nachschub (darunter kleinen Wasserfahrzeugen) vollgepackten Schiffe von einer drohenden Streitmacht von 702 Kriegsschiffen[1].

1 Die Meinungen über die genaue Anzahl der Schiffe in der Invasionsflotte gehen beträchtlich auseinander, aber die exaktesten militärischen Darstellungen der Landung – Gordon Harrisons »Cross Channel Attack« (die offizielle Darstellung der amerikanischen Armee) und Admiral Samuel Eliot Morrisons Marinebericht »Invasion of France and Germany« – geben beide eine Zahl von rund fünftausend. Darin sind die Landungsboote eingeschlossen, die an Bord der Schiffe mitgeführt wurden. »Operation Neptune« des britischen Fregattenkapitäns Kenneth Edwards gibt nur viertausendfünfhundert an.

Geleitschutz fuhr unter anderem der schwere Kreuzer USS *Augusta,* Konteradmiral Kirks Flaggschiff. Er führte die amerikanischen Einsatztruppen an – einundzwanzig Geleitzüge für die Strandabschnitte »Utah« und »Omaha«. Knapp vier Monate vor dem japanischen Angriff auf Pearl Harbor hatte die königliche *Augusta* Präsident Roosevelt zu dessen erstem Zusammentreffen mit Winston Churchill in eine stille Neufundlandbucht gebracht. In der Nähe zogen majestätisch unter ihren wehenden Flaggen die Schlachtschiffe einher: HMS *Nelson, Ramillies* und *Warspite* und USS *Texas, Arkansas* und die stolze *Nevada,* die die Japaner in Pearl Harbor versenkt und schon abgeschrieben hatten.

Die achtunddreißig britischen und kanadischen Geleitzüge für »Sword«, »Juno« und »Gold« wurden von dem Kreuzer HMS *Scylla* angeführt. Die *Scylla* war das Flaggschiff des Konteradmirals Sir Philip Vian, des Mannes, der das deutsche Schlachtschiff *Bismarck* aufspürte. Und nahebei fuhr einer der berühmtesten britischen Leichten Kreuzer – HMS *Ajax,* einer von dem Trio, das im Dezember 1939 den Stolz der Hitlerschen Kriegsflotte, die *Graf Spee,* nach der Schlacht am Rio de la Plata im Hafen von Montevideo ins Verderben hetzte. Und noch andere berühmte Kreuzer waren dabei – die USS *Tuscaloosa* und *Quincy,* HMS *Enterprise* und *Black Prince,* Frankreichs *Georges Leygues* – zweiundzwanzig im ganzen.

Auf den Flanken der Geleitzüge marschierten Schiffe aller Art: gedrungene Korvetten, schlanke Kanonenboote, wie zum Beispiel die holländische *Soemba,* U-Boot-Jäger, schnelle Torpedoboote und überall schneidige Zerstörer. Außer den Dutzenden von amerikanischen und britischen Zerstörern fuhren Kanadas *Qu'Appelle, Saskatchewan* und *Ristigouche* und Norwegens *Swenner* mit, und selbst die polnischen Streitkräfte waren mit der *Poiron* vertreten.

Langsam und schwerfällig rückte diese große Armada über den Kanal vor. Sie folgte einem Minute um Minute festgelegten Marschplan, wie er in dieser Art noch nie zuvor unternommen worden war. Die Schiffe verließen in Scharen die britischen Häfen, fuhren auf zwei Geleitzugbahnen die Küste entlang, um sich im Bereitstellungsraum südlich der Insel Wight zu sammeln.

Dort wurden sie aussortiert, und jedes Schiff bezog seine vorher sorgfältig festgelegte Position bei der Einsatztruppe, die nun zu dem jeweils zugeteilten Angriffsabschnitt auslief. Wenn die Geleitzüge den Bereitstellungsraum, der prompt den Spitznamen »Piccadilly Circus« erhielt, verlassen hatten, zogen sie auf fünf mit Bojen markierten Bahnen nach Frankreich hinüber. Und vor der Küste der Normandie teilten sich diese fünf Bahnen in zehn Kanäle, zwei für jeden Landestrand – der eine für schnellen Verkehr, der andere für langsamen. Ganz vorne, knapp hinter dem Stoßkeil der Minenräumboote, Schlachtschiffe und Kreuzer, liefen die Befehlsschiffe, fünf bewaffnete Truppentransporter mit einem Wald von Funk- und Radarantennen. Diese schwimmenden Gefechtsstände würden die Nervenzentren der Invasion sein.

Schiffe, wohin man sah. Für die Männer an Bord war diese historische Schlachtflotte »der eindrucksvollste, unvergeßlichste Anblick«, dem sie jemals begegnet waren.

Trotz der vor ihnen liegenden Strapazen und Gefahren begrüßten es die Truppen, daß es nun endlich vorwärts ging. Die Männer waren immer noch angespannt, aber der Druck hatte nachgelassen. Jetzt wollten sie einfach nur noch an ihren Auftrag heran und ihn möglichst schnell erledigen. Auf Landungsschiffen und Truppentransportern schrieben die Leute noch schnell einen Brief, spielten Karten oder beteiligten sich an langen allgemeinen Aussprachen. »Bei den Feldgeistlichen«, erinnert sich Major Thomas Spencer Dallas von der 29. Division, »herrschte ein Betrieb wie im Büro eines Grundstückmaklers!«

Hauptmann Lewis Fulmer Koon, Feldprediger für das 12. Infanterieregiment der 4. Division, betreute als Geistlicher auf einem vollgestopften Landungsschiff Angehörige aller Glaubensbekenntnisse. Ein jüdischer Offizier, Hauptmann Irving Gray, bat Pfarrer Koon, mit seiner Kompanie »zu dem Gott zu beten, an den wir alle glauben – ob Protestanten, Katholiken oder Juden –, daß unser Auftrag gelingen und wir alle, wenn möglich, sicher nach Hause zurückkehren mögen«. Koon stimmte freudig zu. Und in der zunehmenden Dämmerung (erinnert sich Kanonier William Sweeney von der Besatzung eines Küstenschutzbootes) schickte der bewaffnete Truppentransporter *Samuel Chase* ein Blinksignal aus – »Gottesdienst hat begonnen!«

Die meisten Männer waren sehr still in den ersten Stunden der Überfahrt. Viele wurden nachdenklich und sprachen von Dingen, die Männer gewöhnlich für sich behalten. Hunderte erinnerten sich später, daß sie anderen ihre Ängste eingestanden und mit ungewöhnlicher Offenheit über allerhand andere persönliche Angelegenheiten redeten. Sie kamen sich näher in dieser seltsamen Nacht und vertrauten ihre Gedanken Männern an, die sie nie zuvor gesehen hatten. »Wir sprachen viel von zu Hause und von unseren Erlebnissen und wie das wohl sein würde bei der Landung«, erinnert sich Gefreiter Earlston Hern vom 146. Pionierbataillon. Er unterhielt sich auf dem nassen, schlüpfrigen Deck seines Landungsschiffes mit einem Sanitäter, dessen Namen er nie erfuhr. »Der Sani hatte Ärger zu Hause. Seine Frau war Mannequin und wollte sich scheiden lassen. Er war ein geplagter Mann. Er sagte, sie müsse wohl oder übel warten, bis er nach Hause käme. Ich erinnere mich auch noch gut, daß während der ganzen

Zeit, als wir uns unterhielten, einer von den Jungs in der Nähe leise vor sich hin sang. Und einmal sagte er, er könne jetzt besser singen als früher, und das schien ihm wirklich Spaß zu machen.«

An Bord der *Empire Anvil* wandte sich der frisch ausgebildete Schütze Joseph Steinber aus Wisconsin an Unteroffizier Michael Kurtz von der amerikanischen 1. Division, der schon bei den Landungen in Nordafrika, Sizilien und Italien dabeigewesen war.

»Unteroffizier«, sagte Steinber, »glauben Sie ehrlich, daß wir eine Chance haben, davonzukommen?«

»Aber ganz bestimmt«, antwortete Kurtz. »Wer wird denn gleich ans Sterben denken? In diesem Haufen machen wir uns um eine Schlacht erst Sorgen, wenn sie anfängt!«

Feldwebel Bill Petty vom 2. Bataillon der »Rangers« machte sich allerdings schon jetzt seine Sorgen. Mit seinem Freund, dem Gefreiten Bill McHugh, saß er auf dem Deck des alten Kanalfährschiffes *Isle of Man* und sah zu, wie es allmählich immer dunkler wurde. Die langen Reihen von Schiffen um ihn herum waren für ihn ein schlechter Trost; in Gedanken stürmte er bereits die Klippen von Pointe du Hoc. Zu McHugh gewandt, sagte er: »Wir haben keine Aussicht, aus der verdammten Sache lebendig herauszukommen!«

»Du bist ein verfluchter Pessimist!« erwiderte McHugh.

»Kann ja sein«, meinte Petty. »Jedenfalls schafft es nur einer von uns beiden, alter Freund.«

McHugh ließ sich nicht erschüttern. »Wenn's sein muß, dann muß es eben sein«, sagte er.

Einige der Männer versuchten zu lesen. Unteroffizier Alan Bodet von der 1. Division fing ein Buch von Henry Bellaman an, aber er konnte sich nur schlecht konzentrieren, weil er immer an seinen Jeep denken mußte. Würde die Abdichtung wirklich standhalten, wenn er durch metertiefes Wasser fuhr? Kanonier Arthur Henry Boon von der kanadischen 3. Division versuchte an Bord eines mit Panzern beladenen Landungsschiffes ein Taschenbuch mit dem vielversprechenden Titel »Ein Mädchen und Millionen Männer« auszulesen. Auf dem Truppentransporter HMS *Empire Anvil* sah Feldgeistlicher Lawrence E. Deery von der 1. Division mit Staunen einen britischen Marineoffizier Horaz' Oden auf lateinisch lesen. Aber Deery selber, der mit dem 16. Infanterieregiment in der ersten Welle auf dem Strandabschnitt »Omaha« landen würde, brachte den Abend mit der Lektüre von Symonds »Leben Michelangelos« zu. In einem anderen Geleitzug, auf einem Landungsschiff, das so stark rollte, daß fast alles seekrank war, holte Hauptmann Douglas Gillan, ebenfalls Kanadier, das eine Buch hervor, das in dieser Nacht Sinn hatte. Um seine Nerven und die eines anderen Offiziers zu beruhigen, schlug er den 23. Psalm auf und las laut: »Der Herr ist mein Hirte; mir wird nichts mangeln ...«

Aber nicht überall ging es ernst zu, es fehlte auch nicht an Leichtherzigkeit. An Bord des Truppentransporters HMS *Ben Machree* spannten ein paar Stoßtruppleute von den »Rangers« armdicke Taue von den Masten zu den Decks hinunter und kletterten daran zum Erstaunen der britischen Besatzung über das ganze Schiff. Auf einem anderen Schiff veranstalteten Angehörige der kanadischen 3. Division einen Bunten Abend mit Vortragskünstlern, Einzel- und Gruppentänzen und Chören. Feldwebel James Percival de Lacy vom »Regiment des Königs«, Ire und darum Paddy genannt, war so gerührt, als man die »Rose von Tralee« auf Dudelsäcken spielte. Dabei vergaß er völlig, wo er war, erhob sich und brachte einen Toast auf Irlands Staatspräsidenten Eamon de Valera aus, »weil er uns aus dem Krieg herausgehalten hat«.

Viele der Männer, die sich stundenlang mit dem Gedanken herumgequält hatten, ob sie wohl mit dem Leben davonkommen würden, konnten nun die Ankunft vor der Invasionsküste nicht abwarten. Die Überfahrt in den Schiffen erwies sich als furchtbarer als die schlimmste Angst vor den Deutschen. Wie die Pest war die Seekrankheit über die neunundfünfzig Geleitzüge hergefallen und hatte besonders in den rollenden Landungsschiffen reichlich Opfer gefunden. Jeder Mann war mit Pillen gegen die Seekrankheit versorgt worden und dazu mit einem Ausrüstungsgegenstand, der in den Ladelisten mit typischer militärischer Gründlichkeit als »Brich-hinein-Tüte« verzeichnet stand.

Das war beste militärische Organisation, aber es genügte nicht. »Die Kotzbecher waren voll, die Helme waren voll, der Sand in den Feuerlöscheimern wurde ausgekippt und die Eimer ebenfalls vollgebrochen«, erinnert sich Unterfeldwebel William James Wiedefeld von der 29. Division. »Auf den Stahldecks konnte man nicht stehen, und überall hörte man die Leute sagen: ›Wenn wir schon draufgehen, dann holt uns ja aus diesen verdammten Pötten raus!‹« Auf manchen Landungsschiffen war den Männern so übel, daß verschiedene – wohl mehr der Wirkung wegen als im Ernst – drohend verkündeten, sie würden sich über Bord stürzen. Soldat Gordon Laing von der kanadischen 3. Division ertappte sich dabei, wie er sich an einen Freund klammerte, der »mich beschwor, sein Koppel loszulassen«. Feldwebel Russel John Wither von einem Kommandotrupp der britischen Marineinfanterie erinnert sich, daß auf seinem Landungsschiff »die Speitüten schnell aufgebraucht waren und schließlich nur noch eine übrigblieb«. Sie wurde von Hand zu Hand weitergereicht.

Wegen der Seekrankheit gaben die Männer das beste Essen wieder von sich, das sie auf Monate hinaus zu sehen bekommen sollten. Größte Vorsorge war getroffen worden, daß sämtliche Schiffe die bestmögliche Verpflegung erhielten. Die Sonderleistung der Küche, von den Leuten Henkersmahlzeit genannt, war von Schiff zu Schiff verschieden, und der Appetit unterschied sich von Mann zu Mann. An Bord des bewaffneten Truppentransporters *Charles Carroll* verspeiste Hauptmann Carroll B. Smith von der 29. Division ein Steak à la Meyer und aß hinterher Eiskrem und Himbeeren. Zwei Stunden später kämpfte er um einen Platz an der Reling. Leutnant Joseph Rosenblatt vom 112. Pionierbataillon aß sieben Portionen Hühnerfrikassee und fühlte sich prächtig danach. Ebenso Feldwebel Keith Bryan von der 5. Pionier-Sonderbrigade. Er stopfte Brote mit Kaffee in sich hinein und hatte immer noch Hunger. Einer seiner Kameraden »organisierte« einen Kanister Fruchtsaft aus der Küche, den sie zu viert leermachten.

An Bord der HMS *Prince Charles* ging Feldwebel Avery J. Thornhill vom 5. Bataillon der »Rangers« allen Unannehmlichkeiten aus dem Weg. Er schluckte eine Überdosis Seekrankheitspillen und verschlief die ganze Überfahrt.

Trotz all des gemeinsamen Elends und all der Ängste, denen die Männer ausgeliefert waren, sind doch einige Erinnerungen überraschend klar haftengeblieben. Leutnant Donald Anderson von der 29. Division erinnert sich daran, wie die Sonne etwa eine Stunde vor dem Dunkelwerden durchbrach, so daß sich die Silhouette der ganzen Flotte gegen den Horizont abzeichnete. Die Männer der Kompanie F im 7. Bataillon der »Rangers« scharten sich um Feldwebel Tom Ryan und brachten ihm ein Geburtstagsständchen. Er wurde zweiundzwanzig. Und Soldat Robert Marion Allen von der 1. Division wurde so vom Heimweh gepackt, daß ihm die Nacht »wie gemacht für eine Bootsfahrt auf dem Mississippi« vorkam.

Überall auf den Schiffen der Flotte versuchten die Männer, die im Morgengrauen des nächsten Tages Geschichte machen würden, wenigstens etwas Schlaf zu finden. Als Fregattenkapitän Philippe Kieffer, Führer der einzigen französischen Kommandoeinheit, sich an Bord seines Landungsschiffes in seine Decken rollte, fiel ihm das Gebet Sir Jacob Astleys in der Schlacht von Edgehill im Jahre 1642 ein. »O Herr«, betete Kieffer, »Du weißt, wieviel es an diesem Tag für mich zu tun gibt. Wenn ich Dich vergessen sollte, so vergiß Du mich doch nicht ...« Er zog die Decken hoch und schlief fast augenblicklich ein.

Kurz nach 22 Uhr 15 kam Oberstleutnant Meyer, Abwehrchef der deutschen 15. Armee, aus seinem Dienstzimmer gerannt. In der Hand hielt er die wahrscheinlich wichtigste Nachricht, die die Deutschen im ganzen Zweiten Weltkrieg abgefangen hatten. Meyer wußte jetzt, daß die Invasion innerhalb von achtundvierzig Stunden stattfinden würde. Dank dieser Information konnten die Alliierten in die See zurückgejagt werden. Die Nachricht, die aus einer BBC-Sendung für die französische Untergrundbewegung stammte, war die zweite Zeile des Verlaine-Gedichtes: »Blessent mon cœur d'une langueur monotone.« (»Die mein Herz mit langweilender Mattigkeit verwunden.«)

Meyer platzte ins Offizierskasino, wo Generaloberst Hans von Salmuth, der Oberbefehlshaber der 15. Armee, mit seinem Chef des Stabes und zwei weiteren Offizieren Skat spielte. »Herr Generaloberst«, stieß Meyer atemlos hervor. »Die Nachricht, die zweite Hälfte – hier ist sie!«

Von Salmuth überlegte einen Augenblick, dann befahl er höchste Alarmbereitschaft für die 15. Armee. Während Meyer eilig den Raum verließ, sah sich von Salmuth von neuem seine Karten an. »Ich bin ein viel zu alter Hase«, erinnert er sich bemerkt zu haben, »um mich groß darüber aufzuregen.«

Tag Uhrzeit Ort und Art der Unterkunft	Darstellung der Ereignisse (Dabei wichtig: Beurteilung der Lage [Feind- und eigene], Eingangs- und Abgangszeiten von Meldungen und Befehlen)
5.6.44	Am 1., 2. und 3.6.44 ist durch die Nast innerhalb der "Messages personelles" der französischen Sendungen des britischen Rundfunks folgende Meldung abgehört worden : "Les sanglots longs des violons de l'automme ".
	Nach vorhandenen Unterlagen soll dieser Spruch am 1. oder 15. eines Monats durchgegeben werden, nur die erste Hälfte eines ganzen Spruches darstellen und ankündigen, dass binnen 48 Stunden nach Durchgabe der zweiten Hälfte des Spruches, gerechnet von 00.00 Uhr des auf die Durchsage folgenden Tages ab, die anglo-amerikanische Invasion beginnt.
21.15 Uhr	Zweite Hälfte des Spruches "Blessent mon coeur d'une longeur monotone" wird durch Nast abgehört.
21.20 Uhr	Spruch an Ic-AO durchgegeben. Danach mit Invasionsbeginn ab 6.6. 00.00 Uhr innerhalb 48 Stunden zu rechnen.
	Überprüfung der Meldung durch Rückfrage beim Militärbefehlshaber Belgien/Nordfrankreich in Brüssel (Major von Wangenheim).
22.00 Uhr	Meldung an O.B. und Chef des Generalstabes.
22.15 Uhr	Weitergabe gemäss Fernschreiben (Anlage 1) an Generalkommandos. Mündliche Weitergabe an 16.Flak-Division.

Wiedergabe aus dem Kriegstagebuch der 15. Armee. Es ist ersichtlich, daß der Verlaine-Spruch von Oberstleutnant Meyer richtig gedeutet worden ist. Obgleich andere Invasionsnachrichten dechiffriert worden sind, ist diese die einzige in deutschen Kriegstagebüchern festgehaltene. Am 8. Juni verlangte das Führerhauptquartier unter ausdrücklicher Bezugnahme auf den Verlaine-Spruch eine Erklärung von Rundstedt, warum keine höchste Alarmbereitschaft angeordnet worden sei.

Von seinem Dienstzimmer aus informierten Meyer und sein Stab unverzüglich per Telefon OB West, von Rundstedts Hauptquartier. Gleichzeitig wurden alle anderen Befehlsstellen mit Fernschreiber benachrichtigt.

Auch diesmal erhielt die 7. Armee aus Gründen, die niemals zufriedenstellend geklärt wurden, keine Meldung[1]. Die alliierte Flotte würde nun nur noch wenig mehr als vier Stunden bis zu den Ausgangsstellungen vor den fünf Strandabschnitten in der Normandie brauchen; in drei Stunden würden achtzehntausend Fallschirmjäger über den nun dunkel werdenden Feldern und Hecken abspringen – genau in den Abschnitt der deutschen Armee hinein, die als einzige nichts von der Landung wußte.

1 Alle Zeitangaben in diesem Buch sind nach britischer doppelter Sommerzeit, die eine Stunde hinter deutscher Normalzeit lag. Für Meyer war es also 21 Uhr 15, als seine Männer die Nachricht auffingen. Im Kriegstagebuch der 15. Armee steht das Fernschreiben verzeichnet, das an die verschiedenen Befehlsstellen geschickt wurde. Es lautet: »Fernschreiben No. 2117/26 dringend an 67., 81., 82., 89. Korps; Militärbefehlshaber Belgien und Nordfrankreich; Heeresgruppe B; 16. Flakdivision; Admiral Kanalküste; Luftwaffe Belgien und Nordfrankreich. BBC-Nachricht durchgegeben 5. Juni 22.15. Bedeutet nach den verfügbaren Unterlagen ›Erwarten Invasion innerhalb 48 Stunden, beginnend 6. Juni Null Uhr‹.«

Man wird feststellen, daß weder die 7. Armee noch das 84. Armeekorps in der obigen Liste enthalten sind. Sie zu benachrichtigen war nicht Meyers Aufgabe. Die Verantwortung lag bei Rommels Hauptquartier, da diese Einheiten der Heeresgruppe B unterstanden. Völlig unverständlich jedoch ist, warum OB West, von Rundstedts Hauptquartier, nicht die gesamte Invasionsfront von Holland bis zur spanischen Grenze in Alarmbereitschaft versetzt hat. Dies wird noch unbegreiflicher durch die Tatsache, daß die Deutschen nach Kriegsende behaupteten, mindestens fünfzehn die Landung betreffende Meldungen abgefangen und richtig gedeutet zu haben. Die Verlaine-Meldungen sind jedoch die einzigen, die ich in den deutschen Kriegstagebüchern fand.

Fallschirmjäger Dutch Schultz von der 82. Luftlandedivision war bereit. Wie alle anderen auf dem Flugplatz trug er seinen Springeranzug; den Fallschirm hatte er über den rechten Arm gelegt. Sein Gesicht war mit Holzkohle geschwärzt, sein Kopf nach einer verrückten Mode, die an diesem Abend überall die Runde machte, im Irokesenstil geschoren: Ein schmaler Streifen Haar lief von der Stirn zum Nacken mitten über den Skalp. Um ihn herum lag Dutchs Ausrüstung; er war in jeder Beziehung bereit. Von den zweitausendfünfhundert Dollar, die er vor ein paar Stunden gewonnen hatte, besaß er jetzt noch zwanzig.

Nun warteten die Männer auf die Lastwagen, die sie zu ihren Maschinen bringen sollten.

Fallschirmjäger Gerald Columbi, einer von Dutchs Freunden, kam von einer kleinen Würfelrunde, die immer noch in Gang war, herübergerannt. »Leih mir mal schnell zwanzig Piepen!« sagte er.

»Wieso?« fragte Schultz. »Und wenn es dich erwischt?«

»Du kannst das hier haben«, sagte Columbi und nahm seine Armbanduhr ab.

»O.k.«, erwiderte Dutch und gab seine letzten zwanzig Dollar weg.

Columbi rannte zu dem Würfelspiel zurück. Dutch sah sich die Uhr an. Sie war aus Gold und hatte Columbis Namen und eine Inschrift von seinen Eltern zur Schulentlassung eingraviert. In diesem Augenblick rief jemand: »O.k., es geht los!«

Dutch packte seine Ausrüstung und verließ mit den anderen Fallschirmjägern den Hangar. Als er auf einen Lastwagen kletterte, kam er an Columbi vorbei. »Hier«, sagte er und gab ihm die Uhr zurück, »ich brauch' keine zwei davon.« Nun blieb Dutch nur noch der Rosenkranz, den seine Mutter ihm geschickt hatte. Er hatte beschlossen, ihn doch noch mitzunehmen. Die Lastwagen überquerten den Flugplatz in Richtung auf die wartenden Maschinen.

Überall in England wurden nun die Luftlandeverbände der Alliierten in ihre Flugzeuge und Segler verladen. Die Maschinen mit den Pfadfindern, den Männern, die mit ihren Lichtern die Absprungzonen für die Luftlandetruppen markieren sollten, waren bereits aufgestiegen. Im Hauptquartier der 101. Luftlandedivision in Newbury sah der Oberbefehlshaber, General Dwight D. Eisenhower, die ersten Flugzeuge an den Start rollen. Über eine Stunde lang hatte er mit den Männern gesprochen. Er machte sich mehr Gedanken um die Luftlandeoffensive als über irgendeine andere Phase der Invasion. Einige seiner Kommandeure waren überzeugt, daß der Angriff aus der Luft über achtzig Prozent an Verlusten kosten würde.

Eisenhower hatte sich von dem Kommandeur der 101., Generalmajor Maxwell D. Taylor, verabschiedet, der seine Männer in den Kampf führte. Taylor war in sehr steifer, kerzengerader Haltung davongegangen. Der Oberbefehlshaber sollte nicht merken, daß er sich am Nachmittag beim Ballspielen eine Sehnenzerrung im rechten Knie zugezogen hatte. Er hätte ihm unter Umständen die Erlaubnis zum Aufstieg verweigert.

Nun sah Eisenhower zu, wie seine Maschinen über die Startbahn rollten und sich langsam vom Boden lösten. Eine folgte der anderen in die Dunkelheit. Sie kreisten über dem Flugplatz, bis sie sich formiert hatten. Mit tief in den Taschen vergrabenen Händen blickte Eisenhower angespannt in den Nachthimmel hinauf. Als der gewaltige Verband letztmals über den Platz donnerte und dann Richtung Frankreich aufbrach, sah Merrill Mueller von der NBC zu dem Oberbefehlshaber hinüber. Eisenhower standen die Tränen in den Augen.

Minuten später hörten die Männer der Invasionsflotte im Kanal das Dröhnen der Maschinen. Von Sekunde zu Sekunde wurde es lauter, und dann flog Welle um Welle über sie hinweg: Es dauerte eine lange Zeit, bis alle Verbände passiert hatten. Ganz allmählich wurde der Lärm der Motoren leiser. Auf der Brücke der *Herndon* starrten Oberleutnant zur See Bartow Farr, die Wachoffiziere und Tom Wolf, der Kriegsberichterstatter von NEA, in das Dunkel über ihnen. Keiner sprach. Und dann, als der letzte Verband über ihnen flog, blinkte ein gelbes Licht aus den Wolken auf die Flotte hinunter. Langsam morste es dreimal kurz, einmal lang: V für »Victory« – für Sieg.

ZWEITER TEIL
Die Nacht

I

Mondlicht flutete in das Schlafzimmer. Madame Angèle Levrault, sechzig Jahre alt und Lehrerin in Ste.-Mère-Eglise, öffnete langsam die Augen. An der dem Bett gegenüberliegenden Wand spielten lautlos rote und weiße Lichtbündel. Madame setzte sich kerzengerade auf und starrte die Wand an. Das blinkende Licht schien langsam zu Boden zu tropfen.

Nun war die alte Dame hellwach, und sie merkte, daß die Lichter Reflexe in dem großen Spiegel über ihrem Ankleidetisch waren. Und im selben Augenblick hörte sie in der Ferne das leise Brummen von Flugzeugen, das dumpfe Krachen von Explosionen und das scharfe Bellen schnellfeuernder Flakbatterien. Rasch ging sie zum Fenster.

Weiter die Küste hinauf hingen gleißende Büschel von Leuchtsignalen unheimlich am Himmel. Ein rotes Glühen verfärbte die Wolken. Über dem Horizont blitzte es hellrot, und Bänder von orangenen, grünen und gelben Leuchtspurgeschossen kletterten durch die Nacht. Für Madame Levrault sah alles danach aus, daß das vierundzwanzig Kilometer entfernte Cherbourg wieder einmal bombardiert wurde, und sie war froh, daß sie in dieser Nacht in dem stillen kleinen Ste.-Mère-Eglise wohnte.

Die Lehrerin zog Schuhe und Morgenrock über und eilte durch die Küche und zur Hintertür hinaus in Richtung Örtchen. Alles war ruhig im Garten. Die Leuchtraketen und das Mondlicht ließen ihn taghell erscheinen. Die angrenzenden Felder mit ihren Hecken lagen, in lange Schatten gehüllt, still und friedlich da.

Schon nach wenigen Schritten hörte Madame Levrault das Dröhnen der Flugzeuge anschwellen und auf das Städtchen zukommen. Mit einem Schlag begannen sämtliche Flakbatterien der Umgebung zu feuern. Entsetzt suchte Madame schleunigst unter einem Baum Schutz. Vom donnernden Dauerfeuer der Flak begleitet, flogen die Flugzeuge tief und schnell heran, und einen Augenblick lang war die Lehrerin von dem Lärm wie betäubt. Aber schon Sekunden später wurde das Brüllen der Motoren leiser, das Flakfeuer verstummte, und alles wurde wieder so still, als ob überhaupt nichts geschehen wäre.

Da vernahm Madame Levrault über sich plötzlich ein seltsames Flattern. Sie blickte auf. Ein Fallschirm schwebte herab, genau auf ihren Garten zu, und unter ihm pendelte ein klobiges Paket. Einen Atemzug lang verdunkelte sich der Mond, und dann fiel Fallschirmjäger Robert M. Murphy[1] vom 505. Regiment der 82. Luftlandedivision, einer der Pfadfinder, keine zwanzig Meter entfernt aus dem Himmel und purzelte kopfüber in den Garten. Madame Levrault stand wie versteinert da.

Blitzschnell riß der achtzehnjährige Fallschirmjäger ein Messer heraus, schnitt sich von seinem Fallschirm los, griff nach einem großen Sack und erhob sich. Jetzt

1 Als Kriegsberichter habe ich im Juni 1944 Madame Levrault interviewt. Sie hatte keine Ahnung, wie der Mann hieß oder zu welcher Einheit er gehörte, aber sie zeigte mir Patronentaschen mit dreihundert Schuß Munition, die der Fallschirmjäger zurückgelassen hatte. Als ich 1958 im Rahmen der Vorbereitungen zu diesem Buch begann, mit Invasionsteilnehmern zu korrespondieren und zu sprechen, konnte ich nur ein Dutzend der ehemaligen amerikanischen Pfadfinder ausfindig machen. Einer von ihnen, Mr. Murphy, heute ein bekannter Bostoner Rechtsanwalt, erzählte mir: »Sobald ich landete … zog ich meinen Nahkampfdolch aus dem Stiefel und kappte die Fallschirmgurte. Ohne es zu merken, schnitt ich dabei dreihundert Schuß Munition mit ab.« Sein Bericht stimmte in allen Punkten mit den vierzehn Jahre vorher mir gegenüber gemachten Angaben Madame Levraults überein.

erst sah er Madame Levrault. Einen langen Augenblick starrten die beiden sich gegenseitig an. Für die alte Französin bot der Fallschirmjäger einen unheimlichen, furchterregenden Anblick. Er war groß und dünn; das Gesicht trug eine streifige Kriegsbemalung, die Backenknochen und Nase scharf hervortreten ließ, und er war über und über mit Ausrüstung und Waffen bepackt. Und plötzlich, während die alte Dame noch mit weit aufgerissenen Augen und unfähig, sich zu rühren, die seltsame Erscheinung anblickte, legte ihr Gegenüber die Finger auf die Lippen und verschwand. Jetzt wurde Madame Levrault lebendig. Sie raffte ihr Nachtgewand zusammen und raste wie besessen ins Haus zurück. Sie hatte einen der ersten in der Normandie gelandeten Amerikaner gesehen. Die Uhr zeigte 0 Uhr 15; es war Dienstag, der 6. Juni. Der Tag der Landung hatte begonnen.

In der ganzen Gegend waren Pfadfinder abgesprungen, manche aus kaum mehr als dreihundert Meter Höhe. Der taktische Auftrag dieser Vorausabteilung der Invasion, einer kleinen, mutigen Gruppe von Freiwilligen, bestand darin, hinter dem Landeabschnitt »Utah« in einem 130 Quadratkilometer großen Gebiet der Halbinsel Cotentin »Absprungzonen« für die Fallschirmjäger und Lastensegler der 81. und 101. Luftlandedivision zu markieren. Die Männer waren in einer von Brigadegeneral James M. Gavin eigens zu diesem Zweck ins Leben gerufenen Spezialschule ausgebildet worden. »Wenn ihr in der Normandie landet«, hatte Gavin zu ihnen gesagt, »habt ihr nur einen Freund: unseren Herrgott.« Er hatte sie angewiesen, jedes Aufsehen zu vermeiden. Ihr entscheidend wichtiger Auftrag mußte schnell und in aller Stille erledigt werden.

Aber schon gleich zu Anfang begegneten die Pfadfinder Schwierigkeiten über Schwierigkeiten. Sie sprangen in ein absolutes Chaos. Die Dakotas waren so schnell über ihre Ziele hinweggefegt, daß die Deutschen zunächst glaubten, sie hätten es mit Jägern zu tun. Von der Plötzlichkeit des Angriffs überrascht, hatten die Flakeinheiten aufs Geratewohl das Feuer eröffnet und den Himmel mit einem dichten Gespinst aus glühenden Leuchtspurgeschossen und tödlichen Granatsplittern überzogen. Als Feldwebel Charles Asay von der 101. abwärtsschwebte, sah er seltsam unbeteiligt zu, wie »lange, graziöse Lichtbögen aus bunten Kugeln von der Erde heraufwinkten«. Asay empfand sie als »sehr hübsch«, und sie erinnerten ihn an das Feuerwerk am amerikanischen Unabhängigkeitstag.

Kurz bevor Fallschirmjäger Delbert Jones sprang, erhielt seine Transportmaschine einen Volltreffer. Die Granate schlug durch, ohne viel Schaden anzurichten, aber sie verfehlte Jones nur um Daumenbreite. Und als Fallschirmjäger Adrian Doss mit über einem Zentner Ausrüstung durch die Luft sackte, sah er zu seinem Entsetzen von allen Seiten die Bahnen der Leuchtspurgeschosse auf sich zukommen. Sie schnitten sich genau über ihm, und sein Fallschirm ruckte, wenn ein Geschoß durch die Seide fetzte. Plötzlich traf eine ganze Geschoßgarbe den vor ihm hängenden Ausrüstungssack. Wie durch ein Wunder blieb Doss selber verschont, aber die Kugeln rissen ein Loch in seinen Munitionskasten, »so groß, daß alles rausfallen konnte«.

Das Flakfeuer war so heftig, daß viele Maschinen von ihrem Kurs abgedrängt wurden. Nur achtunddreißig der insgesamt einhundertzwanzig Pfadfinder landeten genau in ihrem Zielgebiet. Der Rest kam viele Kilometer davon entfernt herunter. Die Männer sprangen in Felder, Gärten, Bäche und Sümpfe hinein. Sie landeten in Bäumen, Hecken und auf Dächern. Die meisten waren kampferfahrene Fallschirmjäger, aber selbst sie erlebten böse Überraschungen, als sie sich nach dem Sprung zurechtzufinden suchten. Die Felder waren kleiner, die Hecken höher und die Wege schmaler als die, die sie monatelang auf ihren Geländekarten studiert hatten. In diesen schrecklichen ersten Minuten der völligen Orientierungslosigkeit taten manche der Männer tollkühne und auch gefährliche Dinge. Gefreiter Frederick Wilhelm vergaß beim Aufkommen in seiner Verblüffung, daß er sich hinter den feindlichen Linien befand, und knipste eine der großen Peillaternen an, die er tragen mußte. Er wollte nur sehen, ob sie noch funktionierte. Sie funktionierte. Plötzlich war das ganze Feld hell erleuchtet, und das Licht jagte Wilhelm einen größeren Schrecken ein, als direkter feindlicher Beschuß es vermocht hätte. Hauptmann Frank Lillyman, der Führer der Absprungtrupps der 101. Division, verriet um ein Haar sein Versteck. Er landete in einer Wiese und sah sich plötzlich einer massigen Gestalt gegenüber, die aus der Dunkelheit immer näher auf ihn zukam. Gerade wollte der Hauptmann das Feuer eröffnen, da gab sich die Gestalt mit einem leisen Muhen zu erkennen.

Aber die Pfadfinder versetzten nicht nur sich selber und die Bewohner der Normandie in Angst und Schrekken – auch die wenigen Deutschen, denen sie begegneten, stürzten sie in heillose Verwirrung. Zwei Fallschirmjäger landeten genau vor dem Stabsquartier des Hauptmanns Ernst Düring von der 352. Division, über achtzig Kilometer von der nächsten Absprungzone entfernt. Düring, der eine in Brevands stationierte schwere Maschinengewehrkompanie führte, war von den tieffliegenden Verbänden und dem heftigen Flakfeuer aufgeweckt worden. Er sprang aus dem Bett und zog sich so schnell an, daß er versehentlich seine Stiefel vertauschte (was er erst am Ende des Landungstages merkte). Auf der Straße erblickte Düring in einiger Entfernung die schattenhaften Umrisse der beiden Männer. Er rief sie an, erhielt aber keine Antwort. Sofort strich er die Umgebung mit Feuerstößen aus seiner Maschinenpistole ab. Die beiden vorzüglich ausgebildeten Pfadfinder erwiderten das Feuer nicht. Sie verschwanden kurzerhand. Düring hastete in seinen Gefechtsstand zurück und rief seinen Bataillonskommandeur an. »Fallschirmjäger!« schrie er außer Atem ins Telefon. »Fallschirmjäger!«

Andere Pfadfinder hatten weniger Glück. Als sich Fallschirmjäger Robert Murphy von der 82. Division, sein Gepäck mit dem tragbaren Radargerät auf dem Rücken, aus Madame Levraults Garten nach seiner Absprungzone im Norden von Ste.-Mère-Eglise aufmachte, hörte er einen kurzen Feuerstoß zu seiner Rechten. Später erfuhr er, daß sein Kamerad, Fallschirmjäger Leonard Dvorchak, in diesem Augenblick tödlich getroffen wurde. Dvorchak, der geschworen hatte, sich »pro Tag einen Orden zu verdienen, nur um mir zu beweisen, daß ich es kann«, war vielleicht der erste Amerikaner, der am Tag der Landung fiel.

Überall versuchten nun die Pfadfinder, sich zu orientieren. Lautlos von Hecke zu Hecke pirschend, tapsig in ihren Springerblusen, mit Maschinenpistole, Minen, Scheinwerfern, Radargeräten und Leuchtschirmen wie Packesel beladen, setzten sich die grimmig aussehenden Fallschirmjäger nach ihren Treffpunkten in Marsch. Kaum eine Stunde blieb ihnen, um die Absprungzonen für den um 1 Uhr 15 beginnenden Großangriff der amerikanischen Luftlandetruppen zu markieren.

Achtzig Kilometer weiter östlich, am anderen Ende des Kampfgebietes in der Normandie, überflogen sechs Transportmaschinen mit britischen Pfadfindern und sechs RAF-Bomber mit Segelflugzeugen im Schlepp die Küste. Vor ihnen gewitterte ekelhaftes Flakfeuer über den Himmel, und gespenstische Kronleuchter aus Leuchtraketen hingen überall. Auch der elfjährige Alain Doix in dem wenige Kilometer von Caën entfernten Dörfchen Ranville hatte die Lichttrauben gesehen. Von dem Geschützlärm aufgeweckt, blickte er, starr vor Erstaunen wie Madame Levrault und gänzlich fasziniert, auf die kaleidoskopischen Lichtreflexe in den dicken Messingknöpfen auf den Pfosten am Fußende des Bettes. Alain rüttelte seine neben ihm schlafende Großmutter, Madame Mathilde Doix, und rief aufgeregt: »Wach auf! Wach doch auf, Oma! Ich glaube, es ist was passiert!«

Im selben Augenblick stürzte Alains Vater, René Doix, ins Zimmer. »Zieht euch schnell an!« drängte er. »Sieht nach einem schweren Luftangriff aus!« Vom Fenster aus konnten Vater und Sohn die Maschinen über die Felder herankommen sehen, aber als sie dort standen und hinausspähten, fiel René plötzlich auf, daß die Flugzeuge keinen Lärm machten. Schlagartig wurde ihm klar, was er vor sich sah. »Mein Gott!« rief er. »Das sind keine Bomber! Das sind Segelflugzeuge!«

Wie riesige Fledermäuse schossen die sechs Lastensegler, jeder mit etwa dreißig Männern an Bord, lautlos auf die Erde hinunter. Genau in dem Augenblick, als sie an einer etwa acht Kilometer von Ranville entfernten Stelle die Küste überflogen hatten, waren sie in rund dreitausend Meter Höhe von ihren Schleppflugzeugen abgehängt worden. Nun hielten sie auf zwei parallel laufende, im Mondschein glitzernde Wasserstraßen zu, den Caën-Kanal und die Orne. Zwei schwer bewachte, miteinander gekoppelte Brücken überspannten Fluß und Kanal zwischen Ranville und dem Dorf Bénouville. Diese beiden Brücken waren das Angriffsziel des kleinen Segler-Stoßtrupps von der britischen 6. Luftlandedivision – Freiwillige aus solch stolzen Einheiten wie den Leichten Infanterieregimentern »Oxfordshire« und »Buckinghamshire« und den »Königlichen Pionieren«. Ihr gefahrvoller Auftrag bestand darin, die Brücken einzunehmen und die Wachmannschaft zu überwältigen. Gelang der Handstreich, dann hatte man eine wichtige

Verkehrsschlagader zwischen Caën und dem Meer zerschnitten, und die Deutschen waren außerstande, Verstärkungen, insbesondere Panzereinheiten, von Osten nach Westen zu einem Stoß gegen die Flanke des britisch-kanadischen Invasionsabschnitts vorzuziehen. Da die Brücken jedoch von den Alliierten für die Ausweitung des Landekopfes gebraucht würden, mußten sie unbeschädigt eingenommen werden, also bevor die Wachen sie in die Luft sprengen konnten. Daher war ein blitzschneller Überraschungsangriff unerläßlich. Von englischer Seite hatte man eine kühne und gefährliche Lösung vorgeschlagen: Die Männer, die sich nun unterhakten und den Atem anhielten, während ihre Segelflugzeuge leise durch die mondhelle Nacht rauschten, schickten sich an, unmittelbar auf der Auffahrt zu den Brücken bruchzulanden.

Soldat Bill Gray, Maschinengewehrschütze in einem der drei für die Brücke über den Caën-Kanal bestimmten Segler, schloß die Augen und wartete auf die Bruchlandung. Es war unheimlich still. Kein Flakfeuer, kein Laut; nur das Singen des schweren, durch die Luft schwebenden Lastenseglers. Major John Howard, der den Angriff leitete, hockte neben der Tür – Hand am Griff, damit er sie aufstoßen konnte, sobald das Flugzeug aufsetzte. Gray erinnert sich, daß sein Zugführer, Oberleutnant H. D. Brotheridge, rief: »Aufgepaßt, Jungs!« Dann folgte ein Splittern und Bersten und Krachen. Das Fahrgestell wurde weggerissen, Splitter der zerschmetterten Flugzeugführerkanzel regneten nach hinten, und hin und her schleudernd wie ein Lastwagen, dessen Fahrer die Gewalt über das Steuer verloren hat, kreischte der Segler über das Pflaster, daß die Funken stoben. Mit einer heftigen halben Kehrtwendung, bei der einem schlecht werden konnte, kam das Wrack schließlich zum Stehen – »mit der Nase im dicksten Stacheldraht und beinahe auf der Brücke«, erinnert sich Gray.

Jemand schrie: »Los, los, Jungs!«, und die Männer kamen herausgeklettert. Einige zwängten sich neben- und übereinander durch die Tür, andere purzelten von der eingerammten Nase auf die Erde. Fast im selben Augenblick rutschten und krachten nur wenige Meter entfernt die beiden anderen Lastensegler heran, und aus ihnen quoll der Rest des Stoßtrupps. Im Handumdrehen stürmte alles gegen die Brücke vor. Es entstand ein unbeschreiblicher Tumult. Die Deutschen waren entsetzt und völlig verwirrt. Handgranaten flogen in ihre Unterstände und Verbindungsgräben. Ein paar Deutsche, die in ihrer Geschützstellung fest geschlafen hatten, wachten von dem ohrenbetäubenden Krach der Detonationen auf und sahen sich plötzlich den Mündungen von Maschinenpistolen gegenüber. Andere griffen, immer noch benommen, nach Karabiner oder Maschinengewehr und schossen aufs Geratewohl in Richtung der schattenhaften Gestalten, die aus dem Nichts aufgetaucht zu sein schienen.

Während mehrere Trupps den Widerstand an der Brückenauffahrt brachen, stürmten Gray und etwa vierzig weitere Mann unter Oberleutnant Brotheridge über die Brücke hinweg, um das über alles wichtige jenseitige Ufer zu besetzen. Auf halbem Wege erblickte Gray einen deutschen Wachposten mit einer Leuchtpistole in der Hand. Der Deutsche wollte ein Alarmsignal abfeuern. Es war die letzte Tat eines mutigen Mannes. Gray feuerte mit seinem leichten Maschinengewehr aus der Hüfte, und alle anderen, glaubt er, schossen mit ihm. Der Wachposten brach in dem Augenblick tot zusammen, als die Leuchtrakete über der Brücke krepierte und in weitem Bogen durch den Nachthimmel schoß.

Der Alarmschuß, der vermutlich den Deutschen auf der wenige hundert Meter entfernten Ornebrücke galt, wurde viel zu spät abgefeuert. Die dortigen Stellungen waren bereits überrannt, obwohl bei diesem Überfall nur zwei der Segelflugzeuge ihr Anflugziel fanden. (Das dritte landete zehn Kilometer entfernt an einer falschen Brücke – der über den Dives.) Die Brücken über den Kanal und über die Orne fielen fast zur gleichen Zeit. Die Deutschen waren durch das Tempo des Angriffs so verblüfft, daß sie bald überwältigt waren. Ironischerweise hätten die Sicherungsmannschaften der Wehrmacht die Brücken überhaupt nicht zerstören können, selbst wenn ihnen Zeit dazu geblieben wäre. Als die britischen Pioniere über die Brücken ausschwärmten, stellten sie fest, daß man zwar alle Vorbereitungen zur Sprengung getroffen, die Sprengladungen selber aber nicht eingebaut hatte. Sie wurden später in einer Baracke in der Nähe gefunden.

Nun trat jene seltsame Stille ein, die stets einem Gefecht zu folgen scheint – wenn die Männer, noch halb betäubt vom raschen Gang der Ereignisse, nicht ganz begreifen, daß sie überhaupt noch leben, und allenthalben herumgefragt wird, wer sonst noch davongekommen ist. Der neunzehnjährige Gray, stolz auf seinen Anteil am Gelingen des Handstreichs, suchte überall nach seinem Zugführer Danny Brotheridge, den er zuletzt gesehen hatte, als der Oberleutnant den Sprung über die Brücke anführte. Aber es hatte Verluste gegeben, und zu ihnen zählte der 28jährige Oberleutnant. Gray fand Brotheridges Leiche vor einem kleinen Café in der Nähe der Kanalbrücke. »Er hatte einen Halsschuß«, erinnert sich Gray, »und war außerdem offenbar von einer Phosphorhandgranate getroffen worden. Seine Feldbluse brannte immer noch.«

Aus einem geknackten Bunker in der Nähe funkte Gefreiter Edward Tappenden das Erfolgssignal. Immer wieder rief er die verschlüsselte Meldung in sein Tornistergerät: »Ham and jam (Schinken und Marmelade) – ham and jam – ham and jam.« Das erste Gefecht am Tage der Landung war zu Ende. Es hatte kaum fünfzehn Minuten gedauert. Weit hinter den feindlichen Linien und fürs erste ohne Aussicht auf Verstärkung, machten sich Major Howard und sein rund hundertfünfzig Mann starker Stoßtrupp nun daran, die entscheidend wichtigen Brücken zu halten.

Sie wußten jedoch wenigstens, wo sie sich befanden, was man von der Mehrzahl der sechzig britischen Fallschirmjäger-Pfadfinder nicht sagen konnte, die um 0 Uhr 20 aus sechs leichten Bombern abgesprungen waren – zur selben Zeit, als Howards Segelflugzeuge an den Brücken aufsetzten.

Diese Männer hatten eine der härtesten Einsatzaufgaben am Tage der Landung auf sich genommen. Sie, die Vorhut für den Sturmangriff der britischen 6. Luftlandedivision, hatten sich freiwillig zum Sprung ins Unbekannte gemeldet. Westlich der Orne sollten sie mit Blinklichtern, Radarbaken und anderen Leitgeräten drei Absprungzonen markieren. Die Zonen lagen alle in einem Gebiet von etwa fünfzig Quadratkilometern in der Nähe dreier kleiner Dörfer: Varaville (knapp fünf Kilometer landeinwärts), Ranville (dicht bei den Brücken, die Howards Leute nun besetzt hielten), und Touffréville (kaum acht Kilometer vom Stadtrand von Caën entfernt). Um 0 Uhr 50 würden die ersten britischen Fallschirmjäger über diesen Zonen abspringen. Den Pfadfindern blieben genau dreißig Minuten für die Kennzeichnung.

Selbst in England und bei Tageslicht wäre es ein schwieriges Unternehmen gewesen, Absprungzonen in einer halben Stunde zu finden und zu markieren. Bei Nacht jedoch, in feindlichem Gebiet und in einem Land, das nur wenige von ihnen jemals gesehen hatten, war es eine fast unlösbare Aufgabe. Genau wie ihre achtzig Kilometer weiter entfernt abgesprungenen Kameraden hatten auch die britischen Pfadfinder von Anfang an Pech. Sie sprangen ebenfalls weit verstreut ab und gerieten in ein noch größeres Chaos.

Mit dem Wetter fingen ihre Schwierigkeiten an. Unerklärlicherweise war Wind aufgekommen (den die amerikanischen Pfadfinder nicht zu spüren bekamen), und über Teilen des Absprunggebietes lag plötzlich leichter Nebel. Die Maschinen mit den britischen Pfadfindern gerieten in schweres Flakfeuer. Ihre Piloten nahmen unwillkürlich zu Ausweichmanövern Zuflucht – mit dem Ergebnis, daß die Maschinen über die Absprungstellen hinausschossen oder sie überhaupt nicht finden konnten. Einige Flugzeugführer überflogen die vorgesehene Stelle dreimal, bis sie alle Pfadfinder abgesetzt hatten. Ein sehr tief fliegendes Flugzeug brummte vierzehn höllische Minuten lang durch dichtes Flakfeuer verbissen hin und her, bevor es seine Pfadfinder auslud. Der Erfolg war, daß viele Pfadfinder oder ihre Ausrüstung an der falschen Stelle landeten.

Die für Varaville bestimmten Fallschirmjäger landeten ziemlich genau, aber sie mußten schon bald feststellen, daß der größte Teil ihrer Ausrüstung beim Aufprall zu Bruch gegangen oder an anderer Stelle abgeworfen worden war. Keiner der für Ranville angesetzten Pfadfinder landete nach dem Absprung auch nur in der Nähe des Einsatzgebietes; kilometerweit wurden sie verstreut. Am wenigsten Glück jedoch hatten die Trupps für Touffréville. Zwei Gruppen von je zehn Mann sollten diesen Abschnitt mit Lichtern markieren, die den Kennbuchstaben »K« zum Nachthimmel hinaufblinkten. Eine der Gruppen landete innerhalb des Abschnitts Ranville. Sie hatte bald gesammelt, fand das Gelände, das sie für die richtige Absprungzone hielt, und blinkte schon nach wenigen Minuten – das falsche Signal.

Die zweite Touffréville-Gruppe erreichte ebenfalls nicht den richtigen Abschnitt. Von den zehn Männern dieses Trupps gelang nur vieren eine sichere Landung. Einer von ihnen, Fallschirmjäger James Morrisey, beobachtete mit Entsetzen, wie die anderen sechs in einem plötzlich aufkommenden heftigen Wind weit nach Osten abtrieben. Machtlos mußte Morrisey zusehen, wie die Männer in Richtung des überfluteten Divestales davongefegt wurden, das in der Ferne im Mondlicht schimmerte. Es war dies das Gebiet, das die Deutschen als Teil ihrer Küstenbefestigungen »angesumpft« hatten. Morrisey sah keinen von den sechs jemals wieder.

Morrisey und die drei anderen Männer landeten ganz in der Nähe von Touffréville. Sie sammelten, und Gefreiter Patrick O'Sullivan machte sich auf, um die Absprungzone zu erkunden. Minuten später streckte ihn ein Feuerstoß vom Rand der Zone, die sie markieren sollten, nieder. Morrisey und die restlichen beiden Männer bauten daraufhin die Blinklichter in dem Kornfeld auf, in dem sie ursprünglich gelandet waren.

Feindberührung hatten in diesen ersten verwirrenden Minuten eigentlich nur wenige Pfadfinder. Hier und dort erschreckten die Männer einen Wachposten und wurden beschossen, und ein paar Ausfälle waren unvermeidlich. Aber viel furchtbarer wirkte die drohende Stille, die sie nach allen Seiten umgab. Die Fallschirmjäger hatten erwartet, gleich bei der Landung auf heftigen deutschen Widerstand zu stoßen; statt dessen war es überall still – so still, daß einige der Männer von ihrer eigenen Fantasie in wahrhaft alptraumhafte Erlebnisse verwickelt wurden. Mehrere Pfadfinder beschlichen sich gegenseitig in den Feldern und Hecken, da jeder den anderen für einen Deutschen hielt.

An Bauernhöfen und an den Rändern schlafender Dörfer entlangtappend, suchten die Pfadfinder und die zweihundertzehn Mann der Luftlandevorausabteilung in der normannischen Nacht nach ihrem Weg. Zunächst galt es, genau festzustellen, wo man sich befand. Wer an der richtigen Stelle abgesetzt worden war, erkannte die hervorstechenden Merkmale des Geländes wieder, die man ihm in England auf der Karte gezeigt hatte. Andere jedoch waren völlig ohne jeden Anhaltspunkt und versuchten, ihren Standort mit Hilfe von Karte und Kompaß zu bestimmen. Hauptmann Anthony Windrum von einem Nachrichtentrupp der Vorausabteilung löste das Problem auf einfachere Weise. Wie ein Autofahrer, der sich in einer dunklen Nacht verfahren hat, kletterte er an einem Wegweiser hoch, riß seelenruhig ein Streichholz an und stellte fest, daß sein Sammelplatz, Ranville, nur ein paar Kilometer entfernt lag.

Einige der Pfadfinder waren gleich verloren. Zwei sprangen aus dem Nachthimmel mitten auf den Rasen vor dem Stabsquartier des Kommandeurs der deutschen 711. Division, Generalleutnant Josef Reichert. Reichert saß beim Skat, als er das Dröhnen der herannahenden Flugzeuge hörte, und er und die anderen Offiziere stürzten auf die Veranda hinaus – gerade rechtzeitig, um die beiden Engländer auf dem Rasen landen zu sehen.

Schwer zu sagen, wer überraschter war, Reichert oder die beiden Pfadfinder. Der Nachrichtenoffizier des Generals nahm die beiden Fallschirmjäger gefangen, entwaffnete sie und brachte sie zur Veranda hinauf. Reichert war so verblüfft, daß ihm nichts anderes einfiel, als »Wo kommt ihr denn her?« zu fragen. Worauf einer der beiden Pfadfinder mit der Miene eines Mannes, der versehentlich in eine geschlossene Gesellschaft gerät, antwortete: »Entschuldigen Sie vielmals, aber wir sind wirklich nur ganz zufällig hier gelandet!«

Während die beiden zum Verhör abgeführt wurden, bereiteten 570 amerikanische und englische Fallschirmjäger, die ersten Streitkräfte der alliierten Befreiungsarmee, das Terrain für die Landungsschlacht vor. Aus den Absprungzonen blinkten bereits die ersten Lichter in den Nachthimmel hinauf.

II

»*Was ist denn bloß los?*« brüllte Major Werner Pluskat ins Telefon. Er war benommen und erst halb wach und immer noch in Unterhosen. Vom Lärm der Flugzeuge und Geschütze geweckt, hatte er instinktiv gespürt, daß es sich um mehr als einen der üblichen Luftangriffe handelte. Zwei Jahre bitterer Erfahrungen an der russischen Front hatten den Major gelehrt, sich in hohem Maße auf seinen Instinkt zu verlassen.

Oberstleutnant Ocker, Pluskats Regimentskommandeur, schien verärgert über den Anruf. »Mein lieber Pluskat«, erwiderte er eisig, »wir wissen noch nicht, was los ist. Sobald wir es herausgefunden haben, werden wir Ihnen Nachricht geben!« Ein scharfes Knacken in der Leitung, Ocker hatte eingehängt.

Pluskat gab sich mit der Antwort nicht zufrieden. Seit zwanzig Minuten waren Flugzeuge über den mit Leuchtzeichen besäten Himmel gebrummt und hatten im Osten und Westen die Küste bombardiert. In Pluskats Küstenabschnitt in der Mitte dazwischen blieb es unbehaglich still. Aus seinem Gefechtsstand in Etreham, sieben Kilometer landeinwärts, befehligte er vier Batterien der 352. Division – im ganzen zwanzig Geschütze. Sie konnten eine Hälfte des Strandabschnitts »Omaha« unter Feuer nehmen.

Von der Lage beunruhigt, rief Pluskat über den Kopf seines Regimentskommandeurs den Divisionsgefechtsstand an und sprach mit dem Ic der 352., Major Block. »Wahrscheinlich nichts weiter als ein gewöhnlicher Bombenangriff, Pluskat«, meinte Block. »Ist noch nicht ganz klar.«

Pluskat kam sich ein bißchen blöde vor und hängte ein. Hatte er es nicht doch zu eilig gehabt? Schließlich war keine Alarmbereitschaft befohlen worden. Ganz im Gegenteil: Pluskat erinnerte sich, daß diese Nacht nach vielen Wochen angesetzter und wieder abgeblasener Alarmbereitschaft die erste war, in der seine Männer in Ruhe lagen.

Pluskat war nun hellwach und zu unruhig, um wieder einschlafen zu können. Eine Zeitlang saß er auf der Kante seines Bettes. Harras, sein Schäferhund, lag ruhig zu seinen Füßen. Alles war still im Château, aber in der Ferne konnte Pluskat immer noch das Brummen von Flugzeugen hören.

Plötzlich klingelte der Feldfernsprecher. Pluskat griff hastig nach dem Hörer. »Auf der Halbinsel werden Fallschirmjäger gemeldet«, sagte Ockers ruhige Stimme. »Alarmieren Sie Ihre Leute und begeben Sie sich selber umgehend zur Küste. Dies kann die Invasion sein.«

Minuten später setzten sich Pluskat, Hauptmann Lutz Wilkening, Chef seiner 2. Batterie, und Oberleutnant Fritz Theen, sein Schießoffizier, nach ihrem vorgeschobenen Gefechtsstand, einem in der Nähe des Dorfes Ste.-Honorine in die Klippen getriebenen Beobachtungsbunker, in Marsch. Harras fuhr mit. Sie mußten dicht aneinanderrücken in dem VW-Kübelwagen, und Pluskat erinnert sich, daß niemand während der paar Minuten, die sie bis zur Küste brauchten, sprach. Pluskat plagte eine einzige Sorge: Seine Batterien hatten nur für vierundzwanzig Stunden Munition. Vor ein paar Tagen war General Marcks vom 84. Armeekorps zur Inspektion der Geschütze dagewesen, und Pluskat hatte die Angelegenheit vorgetragen. »Falls in Ihrem Abschnitt jemals eine Invasion stattfinden sollte«, hatte Marcks ihm versichert, »kriegen Sie mehr Munition, als Sie verschießen können!«

Durch den äußeren Gürtel der Küstenbefestigungen erreichte der Volkswagen Ste.-Honorine. Hier kletterte Pluskat mit Harras an der Leine vor den beiden anderen langsam einen schmalen Trampelpfad hinauf, der an der Landseite der Klippen zu dem versteckten Gefechtsstand führte. Der Pfad war durch mehrere Stränge Stacheldraht deutlich markiert. Er bildete den einzigen Zugang zu der Stellung, und zu beiden Seiten lagen Minenfelder. Fast ganz oben auf dem Felsen sprang der Major in einen Splittergraben, stieg eine Betontreppe hinunter, folgte dann den Windungen eines Tunnels und betrat schließlich einen großen einräumigen Bunker, der mit drei Mann besetzt war.

Rasch trat Pluskat vor das linsenstarke Scherenfernrohr, das vor einem der beiden Sehschlitze des Bunkers auf einem Drehgestell stand. Für den Beobachtungsposten hätte keine bessere Position gewählt werden können: Er lag mehr als dreißig Meter hoch über dem »Omaha« genannten Strandabschnitt und fast genau im Zentrum des Gebietes, das bald Landekopf werden sollte. Bei klarem Wetter konnte ein Beobachter von dieser Stelle aus die ganze Seinebucht von der Spitze der Halbinsel Cotentin bis über Le Havre hinaus überblicken.

Selbst jetzt, im Mondlicht, hatte Pluskat bemerkenswert gute Sicht. Er drehte das Scherenfernrohr langsam von links nach rechts und suchte die Bucht ab. Stellenweise lag leichter Dunst über dem Wasser. Hier und dort verdeckten schwarze Wolken den hellglänzenden Mond und warfen dunkle Schatten auf die See, aber Ungewöhnliches zeigte sich nicht. Keine Lichter waren zu sehen, keine Geräusche zu hören. Pluskat graste die Bucht mehrmals mit seinem Scherenfernrohr ab, konnte jedoch kein einziges Schiff entdecken.

Schließlich trat er zurück. »Da draußen tut sich nichts«, sagte er zu Leutnant Theen, während er seinen Regimentskommandeur anrief. Aber Pluskat war immer noch nicht ganz beruhigt. »Ich bleibe hier«, schlug er Ocker vor. »Vielleicht ist es nur ein falscher Alarm; vielleicht passiert aber doch noch was!«

Mittlerweile liefen überall in der Normandie bei den Befehlsstellen der 7. Armee vage, sich widersprechende Meldungen ein, und die Kommandeure versuchten, sich nach ihnen ein Bild der Lage zu machen. Die Angaben waren dürftig; hier hatte man ein paar Schattengestalten gesehen, dort Schüsse gehört, an noch anderer Stelle einen von einem Baum herabhängenden Fallschirm gefunden. Hinweise, gewiß – aber auf was? Nur 570 Mann der alliierten Luftlandeverbände waren bisher gelandet, gerade genug, um die allerschlimmste Verwirrung zu stiften.

Die Meldungen waren bruchstückhaft, ohne Beweiskraft und so verstreut, daß selbst alte erfahrene Soldaten skeptisch blieben und von Zweifeln geplagt wurden. Wie viele Fallschirmjäger waren gelandet – zwei oder zweihundert? Handelte es sich um abgesprungene Bomberbesatzungen? Keiner war ganz sicher, nicht einmal Offiziere, die, wie Generalleutnant Reichert von der 711. Division, mit eigenen Augen Fallschirmjäger gesehen hatten. Reichert glaubte, er habe es mit einem Handstreich aus der Luft auf sein Stabsquartier zu tun gehabt, und in diesem Sinne informierte er auch seinen Korpskommandeur. Sehr viel später erreichte die Nachricht auch das Hauptquartier der 15. Armee, wo sie mit dem undurchsichtigen Zusatz »Keine weiteren Einzelheiten« dienstgemäß ins Kriegstagebuch eingetragen wurde.

So oft hatte es schon falschen Alarm gegeben, daß jeder außerordentlich vorsichtig war. Kompanieführer überlegten es sich gut, bevor sie eine Meldung ans Bataillon weitergaben. Sie schickten Spähtrupps aus, um ganz sicherzugehen. Bataillonskommandeure übten noch größere Vorsicht, ehe sie den Regimentsstab benachrichtigten. Was in diesen ersten Minuten des Landungstages wirklich zu den einzelnen Kommandostellen durchdrang, ist kaum noch festzustellen. In dieser

Frage gibt es so viele Darstellungen wie Beteiligte. Eins steht jedoch fest: Niemand war zu diesem Zeitpunkt gewillt, aufgrund solch lückenhafter Meldungen erhöhte Alarmbereitschaft zu befehlen, denn der Alarm hätte sich schließlich als falsch erweisen können. Und so verrannen die Minuten.

Zwei auf der Halbinsel Cotentin stationierte Generale waren bereits zu dem Planspiel nach Rennes abgefahren. Nun brach noch ein dritter auf, Generalleutnant Falley von der 91. Luftlandedivision. Falley setzte sich über die Weisung aus dem Hauptquartier der 7. Armee hinweg, die den Kommandeuren verbot, vor Tagesanbruch ihre Befehlsstelle zu verlassen, denn er wußte nicht, wie er sonst rechtzeitig zu dem Planspiel kommen sollte, wenn er sich nicht früher in Marsch setzte. Sein Entschluß sollte ihn das Leben kosten.

Generaloberst Friedrich Dollmann, Oberbefehlshaber der 7. Armee, schlief in seinem Hauptquartier in Le Mans. Vermutlich wegen des Wetters hatte er eine ursprünglich für diese Nacht angesetzte Alarmübung abgeblasen. Weil er müde war, hatte er sich früh zu Bett begeben. Sein Chef des Stabes, der sehr tüchtige und gewissenhafte Generalmajor Pemsel, ging nun ebenfalls schlafen.

In St.-Lô, im Hauptquartier des 84. Armeekorps, der nächsttieferen Befehlsstelle nach dem Armeeoberkommando, war alles zur Geburtstagsüberraschung für General Erich Marcks bereit. Major Friedrich Hayn, Ic beim Stab des Armeekorps, hatte den Wein kalt gestellt. Geplant war, daß Hayn, Oberstleutnant Friedrich von Criegern, der Chef des Stabes, und verschiedene andere höhere Offiziere ins Zimmer des Generals treten sollten, wenn die Glocke der Kathedrale von St.-Lô Mitternacht schlug (1 Uhr nach britischer doppelter Sommerzeit). Alles war gespannt, wie der ernste, schwerbeschädigte Marcks (er hatte ein Bein in Rußland verloren) reagieren würde. Er galt als einer der besten Generale in der Normandie, und er war ein nüchterner Mann, der nicht gern viel Aufhebens machte. Nun, die Vorbereitungen waren getroffen, und obgleich den Stabsoffizieren das Ganze ein wenig kindisch vorkam, waren sie entschlossen, die Geburtstagsfeier nun auch durchzuführen. Schon wollten sie zum Zimmer des Generals aufbrechen, da eröffnete ganz in der Nähe eine Flakbatterie das Feuer. Die Offiziere liefen nach draußen und sahen gerade noch einen brennenden alliierten Bomber abtrudeln und hörten die erfolgreiche Geschützbedienung schreien: »Wir haben ihn! Wir haben ihn!« General Marcks blieb in seinem Zimmer.

Als die Glocke der Kathedrale zu schlagen anhob, marschierte die kleine Gruppe ein wenig verlegen hinter Major Hayn, der den Chablis und mehrere Gläser trug, ins Zimmer des Generals, um ihrem Kommandierenden General ihre Aufwartung zu machen. Eine kleine Pause entstand, während Marcks aufblickte und die Männer durch seine Brillengläser ruhig ansah. »Seine Prothese knarrte«, erinnert sich Hayn, »als er zum Gruß aufstand.« Mit einer freundlichen Handbewegung verscheuchte er jegliche Befangenheit. Die Flaschen wurden geöffnet, die Stabsoffiziere gruppierten sich um ihren 53jährigen General und nahmen Haltung an. Mit zackig erhobenem Glas tranken sie auf seine Gesundheit, und keiner von ihnen ahnte auch nur, daß kaum siebzig Kilometer weiter 4255 britische Fallschirmjäger auf französischem Boden landeten.

III

Über die mondhellen Felder der Normandie rollte der heisere, fast schmerzliche Ruf eines englischen Jagdhorns. Einsam und unpassend hing der Klang in der Luft. Wieder und wieder ertönte das Horn. Dutzende von schattenhaften, behelmten Gestalten arbeiteten sich in ihren grün-braun-roten Fallschirmjägerblusen, mit Waffen und Ausrüstung behängt, über Felder, an Hecken und Gräben entlang in Richtung des Signals vor. Andere Hörner fielen ein. Plötzlich schmetterte ein Signalhorn los. Für Hunderte von Männern der britischen 6. Luftlandedivision war dies die Ouvertüre zur Schlacht.

Das seltsame Mißgetön kam aus der Gegend um Ranville. Die Hörner bliesen das Signal zum Sammeln für zwei Bataillone der 5. Fallschirmjägerbrigade, und die Männer hatten keine Zeit zu verlieren. Ein Bataillon sollte Major Howards winziger Lastenseglertruppe, die die Brücken hielt, zu Hilfe eilen. Die andere hatte den Auftrag, Ranville, das Dorf am östlichen Zugang zu diesen entscheidend wichtigen Fluß- und Kanalübergängen, einzunehmen und zu halten. Noch niemals zuvor hatten Fallschirmjägerkommandeure ihre Männer auf diese Weise zum Sammeln gerufen, aber Schnelligkeit wurde in dieser Nacht großgeschrieben. Die 6. Luftlandedivision lief ein Rennen gegen die Zeit. Die ersten Wellen der amerikanischen und britischen Invasionstruppen würden zwischen 6 Uhr 30 und 7 Uhr 30 auf den fünf Strandabschnitten in der Normandie landen. In fünfeinhalb Stunden mußten die »Roten Teufel« den ersten Landekopf errichtet und die linke Flanke fest verankert haben.

Die Division hatte eine ganze Reihe verschiedenartiger Einsatzaufgaben durchzuführen, die untereinander fast auf die Minute abgestimmt sein mußten. Der Operationsplan verlangte von den Fallschirmjägern die Beherrschung der Anhöhen im Nordosten von Caën, die Sicherung der Brücken über die Orne und den Caën-Kanal und die Zerstörung von fünf weiteren Brücken über den Dives, durch die verhindert werden sollte, daß feindliche Streitkräfte, insbesondere Panzereinheiten, gegen die Flanke des Invasionsbrückenkopfes vordrangen.

Aber die leicht bewaffneten Fallschirmjäger besaßen nicht genügend Feuerkraft, um einen massierten Panzervorstoß aufzuhalten. Der Erfolg des Unternehmens beruhte daher auf dem raschen und wohlbehaltenen Eintreffen von Pakgeschützen und Panzermunition. Wegen des Gewichts und der Größe der Geschütze gab es nur eine Möglichkeit, sie sicher in die Normandie zu transportieren: Sie mußten von Lastenseglerzügen herangebracht werden. Um 3 Uhr 20 sollte eine Flotte von neunundsechzig Lastenseglern mit Männern, Fahrzeugen, schwerem Gerät und den kostbaren Geschützen vom Himmel in die Normandie hinabstoßen.

Ihre Ankunft warf ein Mammutproblem auf. Die Segler waren riesig – jeder einzelne größer als eine DC-3. Vier von ihnen, die »Hamilcars«, waren so groß, daß sie sogar leichte Panzer befördern konnten. Um die neunundsechzig Lastensegler hereinzuschleusen, mußten die Fallschirmjäger zunächst das für die Landung vorgesehene Gebiet gegen feindliche Angriffe absichern. Danach mußten sie die mit Hindernissen aller Art durchsetzten Felder in einen Landestreifen umwandeln; mit anderen Worten: In stockdunkler Nacht mußten sie in knapp zweieinhalb Stunden einen ganzen Wald von verminten Pfählen und Eisenbahnschwellen beiseite räumen. Dieselbe Landebahn sollte auch von einem zweiten, für den Abend vorgesehenen Lastenseglerzug benutzt werden.

Und noch etwas war zu erledigen, und das war vielleicht der wichtigste von allen Kampfaufträgen der 6. Luftlandedivision: die Vernichtung einer schweren Küstenbatterie in der Nähe von Merville. Die alliierte Abwehr vermutete, daß die vier feuerstarken Geschütze dieser Batterie die bereitgestellte Invasionsflotte empfindlich stören und ein Gemetzel unter den auf dem

Strandabschnitt »Sword« landenden Truppen anrichten konnten. Die 6. Luftlandedivision hatte Befehl, die Geschütze bis spätestens fünf Uhr zu zerstören.

Um alle diese Aufträge zu erfüllen, waren 4255 Fallschirmjäger der 3. und 5. Fallschirmjägerbrigade über der Normandie abgesprungen. Sie landeten über ein gewaltiges Gebiet verstreut: Peilirrtümer, bockende, durch Flakfeuer vom Kurs abgedrängte Transportmaschinen, unzureichend markierte Absprungzonen und böige Winde waren die Ursachen dafür. Einige hatten Glück, aber Tausende kamen irgendwo, oft zehn Kilometer, zuweilen über fünfzig Kilometer von ihrer Absprungzone entfernt, zu Boden.

Von den beiden Brigaden erging es der 5. noch am besten. Die meisten ihrer Soldaten wurden in der Nähe ihrer Angriffsziele bei Ranville abgesetzt. Dennoch sollte es fast zwei Stunden dauern, bevor die Kompanieführer auch nur die Hälfte ihrer Männer gesammelt hatten. Dutzende von Fallschirmjägern waren jedoch noch unterwegs – herbeigerufen vom unsteten Klang der Hörner.

Fallschirmjäger Raymond Batten vom 13. Bataillon hörte die Hörner, aber obgleich er sich ganz in der Nähe seiner Absprungzone befand, mußte er fürs erste Signal Signal sein lassen. Batten war auf dem dichten Laubdach eines kleinen Waldes gelandet. Nun hing er an einem Baum und pendelte in seinen Gurten fünf Meter über der Erde gemächlich hin und her. Es war sehr still in dem Wald, aber Batten hörte in der Ferne lange Feuerstöße von Maschinengewehren, das Dröhnen von Flugzeugen und die Abschüsse von Flakbatterien. Gerade wollte er sein Messer ziehen, um sich von den Gurten loszuschneiden, da hörte er ganz nahe das jähe Stottern einer deutschen Maschinenpistole. Wenig später raschelte es im Unterholz, und jemand kam langsam auf ihn zu. Batten hatte seine Maschinenpistole beim Absprung verloren, und eine Pistole besaß er nicht. Hilflos hing er da, und er wußte nicht, ob es ein Deutscher war oder ein anderer Fallschirmjäger, der sich ihm näherte. »Dieser jemand kam also heran und blickte zu mir herauf«, erinnert sich Batten. »Mir fiel nichts anderes ein, als ganz stillzuhalten, und er dachte offensichtlich, ganz wie ich gehofft hatte, ich sei tot und ging weiter!«

Batten kletterte schleunigst von seinem Baum herunter und setzte sich in Richtung der zum Sammeln blasenden Hörner in Marsch. Aber seine Not war noch lange nicht zu Ende. Am Waldrand stieß er auf die Leiche eines jungen Fallschirmjägers, dessen Fallschirm sich nicht geöffnet hatte. Dann, als er eine Straße entlangtrabte, rannte ein Mann an ihm vorbei und schrie wie irre immerzu: »Meinen Kumpel haben sie erwischt! Sie haben meinen Kumpel erwischt!« Und als Batten schließlich eine Gruppe von Fallschirmjägern einholte, hielt sich an seiner Seite ein Mann, der einen bösen Nervenschock erlitten haben mußte. Weder nach rechts noch nach links blickend, marschierte er daher und merkte überhaupt nicht, daß sein Gewehr, das er mit der rechten Hand fest umklammerte, völlig verbogen war.

Gleich im ersten Augenblick gerieten Männer wie Batten in dieser Nacht an vielen Stellen mitten in die harte Realität des Krieges. Während Gefreiter Harold Tait vom 8. Bataillon sich aus seinen Gurten zu befreien versuchte, sah er, wie eine der Transportmaschinen vom Typ Dakota einen Flaktreffer erhielt. Das Flugzeug kippte wie ein hell leuchtender Komet über Tait ab und explodierte mit fürchterlichem Krach knapp zwei Kilometer entfernt. Tait überlegte, ob die Fallschirmjäger wohl schon abgesprungen waren.

Fallschirmjäger Percival Liggins vom kanadischen 1. Bataillon sah ebenfalls ein brennendes Flugzeug. Es flog »mit voller Geschwindigkeit, verlor Teile und war von vorn bis hinten in Flammen eingehüllt«, und es schien genau auf ihn zuzukommen. Liggins war von dem Anblick so fasziniert, daß er sich nicht rühren konnte. Die Maschine fegte über ihn hinweg und krachte hinter ihm in ein Feld. Mit anderen versuchte Liggins, an das Flugzeug heranzukommen, um die Männer zu retten, die noch darin waren, aber »die Munition ging schon hoch, und wir konnten nicht nahe genug ran«.

Für den einundzwanzigjährigen Fallschirmjäger Colin Powell vom 12. Bataillon war – viele Kilometer von seiner Absprungzone entfernt – ein Stöhnen aus dem Dunkeln das erste, das nach Krieg klang. Er kniete neben einem schwerverwundeten Fallschirmjäger nieder, einem Iren, der Powell mit schwacher Stimme beschwor: »Erschieß mich, Junge, bitte!« Powell brachte es nicht fertig. Er bettete den Fallschirmjäger so bequem, wie es ging, versprach ihm, Hilfe zu schicken, und eilte weiter.

Viele der Männer überlebten diese ersten Minuten nur dank ihrer eigenen Fixigkeit und Findigkeit. Oberleutnant Richard Hilborn vom kanadischen 1. Bataillon erinnert sich, daß er durch das Dach eines Gewächshauses krachte, wobei »die Scherben nach allen Seiten flogen und ein Höllenlärm entstand«, aber er war auf und davon, bevor noch der Scherbenregen aufgehört hatte. Ein anderer Fallschirmjäger fiel mit beachtlicher Präzision genau in einen Brunnen. Er zog sich Hand über Hand an seinen Fallschirmleinen heraus und machte sich, als ob nichts geschehen sei, zu seinem Sammelpunkt auf.

Überall befreiten sich Männer aus den unerfreulichsten Klemmen. Die meisten Situationen wären schon bei Tageslicht kritisch genug gewesen. In der Nacht, im feindlichen Gebiet, verschlimmerten sie sich beträchtlich durch Furcht und die eigene Einbildungskraft. So erging es dem Fallschirmjäger Godfrey Maddison. Er saß am

Rande eines Feldes, von Stacheldraht gefangengehalten, unfähig, sich auch nur zu rühren. Beide Beine hatten sich in dem Drahtverhau verheddert, und unter dem Gewicht des Gepäcks – 125 Pfund, darunter vier zehnpfündige Werfergranaten – war Maddison so tief in den Stacheldrahtverhau gerutscht, daß er ihn fast ganz einschloß. Maddison hatte sich auf dem Marsch zu den Signalhörnern des 5. Bataillons befunden, da war er auf einmal ausgeglitten und im Draht gelandet. »Zuerst wurde mir angst und bange«, erzählte er, »denn es war sehr dunkel, und ich rechnete fest damit, daß jemand kommen und mich abknallen würde.« Einige Atemzüge lang wartete und horchte Maddison. Als er überzeugt war, daß niemand ihn bemerkt hatte, begann er sich langsam und mühselig aus dem Verhau herauszuarbeiten. Stunden schienen ihm vergangen, bevor er einen Arm schließlich so weit frei hatte, daß er nach der Drahtschere hinten an seinem Koppel greifen konnte. In ein paar Minuten war er aus dem Drahtverhau heraus und von neuem in Richtung der Hornsignale unterwegs.

Etwa um dieselbe Zeit kroch Major Donald Wilkins vom kanadischen 1. Bataillon an einem Gebäude entlang, das nach einer kleinen Fabrik aussah. Plötzlich erblickte er mehrere Gestalten auf dem Rasen vor dem Gebäude. Sofort warf er sich lang hin. Die schattenhaften Gestalten rührten sich nicht. Wilkins spähte angestrengt zu ihnen hinüber. Eine Minute später erhob er sich fluchend, ging auf sie zu und fand seinen Verdacht bestätigt: Die Gestalten waren steinerne Gartenfiguren.

Ein Feldwebel derselben Einheit hatte ein ähnliches Erlebnis; allerdings waren die Gestalten, die er sah, durchaus nicht aus Stein. Fallschirmjäger Henry Churchill beobachtete aus einem Graben in der Nähe, wie der Feldwebel, der in knietiefem Wasser gelandet war, sich aus seinen Gurten wand und verzweifelt um sich blickte, als er plötzlich zwei Männer auf sich zukommen sah.

»Der Feldwebel wartete«, erinnert sich Churchill, »und versuchte festzustellen, ob die beiden Engländer oder Deutsche waren.« Die Männer kamen näher, und es ließ sich nicht überhören, daß sie deutsch sprachen. Die Maschinenpistole des Feldwebels bellte auf, und »er streckte sie mit einem einzigen raschen Feuerstoß nieder«.

Der schlimmste Feind in diesen ersten Minuten des Landungstages waren nicht die Deutschen, sondern die Natur. Rommels Luftlande-Abwehrmaßnahmen zahlten sich aus: Die Seen und Sümpfe des überfluteten Divestales erwiesen sich als wahre Menschenfallen. Viele Männer von der 3. Fallschirmjägerbrigade schwebten über diesem Gebiet abwärts wie Konfetti, das man aufs Geratewohl aus einer Tüte gestreut hat. Ihnen widerfuhr ein tragisches Mißgeschick nach dem anderen. Einige der Piloten gerieten in dichte Wolken, hielten die Mündung des Dives für die der Orne und setzten ihre Männer über einem Labyrinth von Marschen und Sümpfen ab. Ein Bataillon von siebenhundert Fallschirmjägern, dessen Absprünge sich auf einen Abschnitt von rund zwei Quadratkilometern konzentrieren sollten, wurde statt dessen auf einen über achtzig Kilometer langen Streifen verstreut, der zum größten Teil aus Sumpfgelände bestand. Und diesem Bataillon, dem vorzüglich ausgebildeten 9., war die härteste, dringendste Aufgabe der Nacht übertragen worden: der Sturm auf die Batterie von Merville. Einige der Männer sollten Tage brauchen, bis sie ihre Einheit wiederfanden; viele kehrten nie zurück.

Wie viele Fallschirmjäger in der Niederung des Dives ihr Leben ließen, wird sich niemals genau feststellen lassen. Überlebende berichten, daß die Marschen kreuz und quer von etwa zwei Meter tiefen und über ein Meter breiten Gräben durchschnitten wurden, die auf dem Grund klebrigen Schlick führten. Allein konnte ein Mann, der schwer an Maschinenpistole, Munition und

Ausrüstung trug, diese Gräben nicht überqueren. Die Rucksäcke sogen sich voll Wasser und verdoppelten fast ihr Gewicht, und die Männer mußten sie wegwerfen, wenn sie mit dem Leben davonkommen wollten. Viele Fallschirmjäger, denen es irgendwie gelang, sich durch die Marschen zu schlagen, ertranken nur wenige Schritte vom festen, trockenen Land entfernt im Fluß.

Soldat Henry Humberstone vom 224. Fallschirmjäger-Sanitätskorps entrann einem solchen Tod um Haaresbreite. Humberstone landete in hüfttiefem Sumpfgelände und hatte nicht die geringste Ahnung, wo er sich befand. Er war darauf vorbereitet gewesen, in der Obstgegend westlich von Varaville herunterzukommen, statt dessen hatte man ihn am Ostrande der Absprungzone ausgeladen. Zwischen ihm und Varaville lagen nicht nur die Sümpfe, sondern auch der Dives selber. Bodennebel bedeckte das ganze Gebiet wie ein schmutzigweißes Laken, und überall um sich herum hörte Humberstone die Frösche quaken. Mit einemmal jedoch vernahm er vor sich das nicht zu mißdeutende Rauschen eilig dahinströmenden Wassers. Humberstone stolperte weiter durch die überfluteten Felder und stieß auf den Dives. Als er nach einer Möglichkeit zur Überquerung des Flusses Ausschau hielt, entdeckte er auf dem gegenüberliegenden Ufer zwei Männer. Sie gehörten zum kanadischen 1. Bataillon. »Wie kommt man hier denn rüber?« schrie Humberstone über den Fluß. »Ganz ungefährlich!« rief einer von den beiden zurück und watete in den Fluß hinein, offensichtlich, um es Humberstone zu beweisen. »Ich beobachtete ihn«, erinnert sich Humberstone, »und im nächsten Augenblick war er verschwunden. Er brüllte nicht und schrie nicht; überhaupt nichts tat er. Ertrank einfach, bevor ich oder sein Kamerad am anderen Ufer irgend etwas unternehmen konnte.«

Hauptmann John Gwinnett, der Feldgeistliche des 9. Bataillons, hatte ganz und gar die Orientierung verloren. Auch er war in den Sümpfen gelandet, war völlig allein, und die Stille um ihn her zerrte an seinen Nerven. Gwinnett mußte aus dem Sumpf heraus. Er war überzeugt, daß der Sturm auf die Batterie von Merville blutig verlaufen würde, und er wollte darum bei seinen Männern sein. »Angst«, hatte er kurz vor dem Start auf dem Flugplatz zu ihnen gesagt, »klopfte an die Pforte. Der Glaube öffnete – und da war nichts.« Gwinnett wußte es jetzt noch nicht – es sollte volle siebzehn Stunden dauern, bis er aus den Sümpfen herausfand.

Maßlose Wut packte in diesem Augenblick den Kommandeur des 9. Bataillons, Oberstleutnant Terence Otway. Otway war viele Kilometer von seinem Sammelpunkt entfernt gelandet, und er ahnte, daß sein Bataillon in alle Winde verstreut war. Als er nun eilig durch die Nacht marschierte, bestätigten sich seine schlimmsten Befürchtungen: Überall tauchten seine Männer in kleinen Trupps auf. Otway hätte gerne gewußt, wie schlecht der Absprung geklappt hatte. Ob der für ihn bestimmte Lastenseglerzug auch auseinandergerissen worden war?

Otway brauchte dringend die mit Lastenseglern herangebrachten Geschütze und anderes Gerät, wenn der Sturm gelingen sollte, denn Merville war keine gewöhnliche Batterie. Um die Stellung zogen sich in mehreren Gürteln äußerst wirksame tief gestaffelte Verteidigungsanlagen. Um zum Kern der Batterie vorzudringen – zu den vier schweren Geschützen in ihren massiven Betonbettungen –, würde das 9. Bataillon Minenfelder und Panzergräben überqueren, ein fünf Meter tiefes Drahtverhau durchstoßen, weitere Minenfelder kreuzen und sich schließlich durch ein Gewirr von maschinengewehrbesetzten Gräben vorwärtskämpfen müssen. Die Deutschen hielten diese eindrucksvolle Befestigungsanlage mit ihrer zweihundert Mann starken Besatzung für fast uneinnehmbar.

Otway war anderer Ansicht, und seinen Plan zur Erstürmung der Batterie hatte er bis in die kleinste Einzelheit durchdacht. Nichts sollte dem Zufall überlassen bleiben. Zunächst sollten einhundert Lancaster-Bomber die Batterie mit 2000-Kilo-Bomben eindecken. Die Lastensegler sollten Jeeps, Pakgeschütze, Flammenwerfer, »Bangalore«-Torpedos (mit Sprengstoff gefüllte Rohre zur Sprengung der Drahthindernisse), Minensuchgeräte, Granatwerfer und sogar leichte Sturmleitern aus Aluminium heranbringen. Nachdem Otways Leute die Spezialausrüstung bei den Lastenseglern in Empfang genommen hatten, sollten sie sich in elf Abteilungen zur Batterie in Marsch setzen, um mit dem Angriff zu beginnen.

Der Plan erforderte genaueste zeitliche Abstimmung. Spähtrupps würden vorausmarschieren und die Gegend erkunden. »Räumkommandos« würden die Minen beseitigen und die Zugänge zu den gesäuberten Abschnitten markieren. »Durchbruchtrupps« würden mit ihren »Bangalore«-Torpedos den Stacheldraht zerfetzen. Scharfschützen, Granatwerfertrupps und Maschinengewehrschützen würden in Stellung gehen, um den Hauptstoß zu decken.

Und für die letzte Phase sah Otways Plan noch eine Überraschung vor: In demselben Augenblick, in dem seine Stoßtrupps auf der Erde zum Sturm ansetzten, sollten drei Lastensegler mit weiteren Soldaten *mitten in der Batterie* bruchlanden, und in einem kombinierten Stoß von der Erde und aus der Luft zugleich sollte die Befestigung genommen werden.

Teile dieses Plans sahen nach Selbstmord aus, aber das Risiko lohnte sich, denn die Geschütze von Merville würden Tausende von britischen Soldaten beim Betreten des Strandabschnitts »Sword« vernichten können. Selbst wenn in den nächsten Stunden alles planmäßig verlief, würden Otway und seine Männer nach

Erreichen der Batterie nur knapp eine Stunde Zeit haben, um die Geschütze unschädlich zu machen. Man hatte ihm unumwunden zu verstehen gegeben, daß Schiffsgeschütze seinen Auftrag zu Ende führen würden, falls es ihm selber nicht rechtzeitig gelingen sollte. Das bedeutete, daß Otway und seine Männer sich bis spätestens 5 Uhr 30 von der Batterie abgesetzt haben mußten – ganz gleich, welches Ergebnis ihr Angriff haben würde. Falls bis dahin kein Erfolgssignal von Otway kam, würde zu diesem Zeitpunkt der Beschuß von See her beginnen.

So war es vorgesehen. Aber als Otway nun in banger Sorge zum Sammelpunkt hastete, war der erste Teil des Plans bereits gescheitert. Der um 0 Uhr 30 geflogene Luftangriff war ein völliger Fehlschlag gewesen; keine einzige Bombe hatte die Batterie getroffen. Und die Pannen häuften sich: Die Lastensegler mit dem entscheidend wichtigen Nachschub waren nicht eingetroffen.

Im Zentrum des künftigen Landekopfes in der Normandie, in dem deutschen Beobachtungsbunker über dem Strandabschnitt »Omaha«, hielt Major Werner Pluskat immer noch Ausschau. Er sah weiße Wellenkämme – sonst nichts. Das Unbehagen hatte sich jedoch nicht verflüchtigt, vielmehr war Pluskat überzeugter denn je, daß sich etwas tat. Kurz nachdem er in dem Bunker eingetroffen war, hatte weit zu seiner Rechten ein Bomberverband nach dem anderen die Küste überflogen; mehrere hundert Flugzeuge im ganzen, schätzte Pluskat. Als er die Maschinen hörte, hatte er jeden Augenblick mit einem Anruf vom Regiment gerechnet, der seinen Verdacht, daß die Invasion begonnen habe, bestätigen würde. Aber das Telefon war stumm geblieben. Seit dem ersten Anruf hatte Ocker nichts von sich hören lassen. Nun vernahm Pluskat ein neues Geräusch: das langsam anschwellende Brummen einer großen Anzahl von

Flugzeugen zu seiner Linken, und zwar diesmal von hinten. Die Bomber schienen die Halbinsel Cotentin von Westen anzufliegen. Pluskats Bestürzung wuchs. Unwillkürlich blickte er noch einmal durch das Scherenfernrohr. Die Bucht lag vollständig leer vor ihm. Nichts war zu sehen.

IV

In Ste.-Mère-Eglise hörte man ganz in der Nähe Bombeneinschläge. Alexandre Renaud, Bürgermeister und Stadtapotheker, spürte, wie die Erde erzitterte. Er nahm an, daß die Flugzeuge die Batterien in St.-Marcouf und St.-Martin-de-Varreville angriffen, und beide Orte lagen nur wenige Kilometer entfernt. Renaud machte sich große Sorge um das Städtchen und seine Einwohner. Die Leute konnten nur in einem Graben im Garten oder im Keller Deckung suchen, denn wegen des Ausgangsverbots durften sie ihre Häuser nicht verlassen. Renaud brachte seine Frau Simone und die drei Kinder in den Korridor vor dem Eßzimmer. Hier boten die schweren Deckenbalken einigen Schutz. Es war 1 Uhr 10, als sich die Familie in diesem behelfsmäßigen Luftschutzbunker einfand. Renaud erinnert sich so genau an die Zeit (für ihn war es 0 Uhr 10), weil in diesem Augenblick jemand dringlich und ausdauernd an die Haustür klopfte.

Renaud ließ seine Familie in der Wohnung zurück und ging durch die dunkle Apotheke, die an der Place de l'Eglise, dem Kirchplatz, lag. Noch bevor er die Tür erreichte, sah er, was los war. Vor den Fenstern lag der Platz mit seinem Saum von Kastanienbäumen und der großen gotischen Kirche hell erleuchtet. Monsieur Hairons Villa auf der gegenüberliegenden Seite des Platzes brannte lichterloh.

Renaud öffnete die Tür. Im vollen Glanz seines blankpolierten, bis auf die Schultern hinabreichenden Messinghelms stand der Leiter der städtischen Feuerwehr vor ihm. »Muß wohl eine verirrte Brandbombe aus einem der Flugzeuge draufgefallen sein«, sagte der Mann ohne jede Vorrede und zeigte auf das brennende Haus. »Das Feuer breitet sich rasch aus. Können Sie den Kommandanten bitten, das Ausgangsverbot aufzuheben? Wir brauchen dringend Hilfe für die Eimerkette.«

Der Bürgermeister rannte zu der nahe gelegenen deutschen Ortskommandantur. Schnell schilderte er dem wachhabenden Feldwebel die Lage, und der Feldwebel gab auf eigene Verantwortung die Erlaubnis. Gleichzeitig ließ er die Wache heraustreten, damit sie die Ansammlung der freiwilligen Löscher im Auge behalte. Dann lief Renaud zum Pfarrhaus und benachrichtigte Pfarrer Louis Roulland. Der Curé schickte seinen Küster zum Läuten in die Kirche, und er selber, Renaud und noch andere liefen von Haus zu Haus, klopften an die Türen und riefen die Bewohner zur Hilfe auf. Über ihnen begann die Glocke zu läuten und über die Stadt hinwegzudröhnen. Die ersten Leute tauchten auf, manche im Nachtzeug, andere halb angezogen, und bald reichten über einhundert Männer und Frauen in zwei langen Ketten Löscheimer von Hand zu Hand. Um sie herum standen etwa dreißig deutsche Wachposten mit Karabinern und Maschinenpistolen.

Renaud erinnert sich, daß Pfarrer Roulland ihn inmitten der allgemeinen Aufregung beiseite nahm. »Ich muß mit Ihnen sprechen, es ist sehr wichtig«, sagte der Priester. Er führte Renaud in die Küche des Pfarrhauses. Dort wartete Madame Angèle, die alte Lehrerin. Sie war völlig durcheinander. »Ein Mann ist in meinem Erbsenbeet gelandet«, verkündete sie mit unsicherer Stimme. Renaud hatte mehr Sorgen, als er brauchen konnte, aber er versuchte dennoch, die alte Dame zu beruhigen. »Das hat nichts zu bedeuten«, sagte er. »Gehen Sie jetzt bitte nach Hause und bleiben Sie im Haus.« Dann lief er zu dem Feuer zurück.

Der Lärm und das Durcheinander hatten während seiner Abwesenheit noch zugenommen. Die Flammen schlugen nun höher. Sprühende Funken waren auf die Nebengebäude heruntergeprasselt, und sie begannen bereits zu brennen. Für Renaud hatte die Szene etwas Alptraumhaftes. Wie festgewurzelt stand er da und betrachtete die geröteten, erregten Gesichter der Löschenden und die wichtigtuerischen Wachposten mit ihren Gewehren und Maschinenpistolen. Und hoch über dem Platz dröhnte immer noch die Glocke und mischte ihr hartnäckiges Läuten in das Getöse. In diesem Augenblick hörten alle auf dem Platz das Donnern von Flugzeugen.

Es kam von Westen heran – ein beständig anschwellendes Dröhnen, und mit ihm näherte sich der Lärm des Flakfeuers, denn quer über die Halbinsel schoß sich Batterie auf Batterie auf die Verbände ein. Auf dem Kirchplatz von Ste.-Mère-Eglise starrte alles gebannt nach oben. Das brennende Haus war vergessen. Und dann eröffneten auch die Flakgeschütze in der Stadt das Feuer, und das Motorengeräusch war genau über ihnen. Durch das von der Erde hochhämmernde, sich wieder und wieder kreuzende Flakfeuer fegten die Maschinen heran, Tragflächenspitze fast an Tragflächenspitze. Die Flugzeuge waren beleuchtet. Sie flogen so niedrig, daß die Menschen auf dem Platz sich unwillkürlich duckten, und Renaud erinnert sich, daß die Maschinen »große Schatten auf die Erde warfen und rotes Licht in ihrem Innern zu brennen schien«.

Welle um Welle überflog die Stadt – die ersten Flugzeuge der größten Luftlandeoffensive, die jemals gestartet worden war: 882 Maschinen mit insgesamt 13 000 Mann. Die Männer der beiden amerikanischen Luftlandedivisionen, der 101. und der kampferprobten 82., waren nach sechs Absprungzonen unterwegs, die alle in einem Umkreis von wenigen Kilometern um Ste.-Mère-Eglise lagen. Ein Trupp nach dem anderen sprang aus den Maschinen, und Dutzende von Fallschirmjägern, die für die Zone unmittelbar vor der Stadt bestimmt waren, hörten im Absprung einen Laut, der schlecht zum Lärm des Kampfgetümmels zu passen schien: das nächtliche Läuten einer Kirchenglocke. Für viele war es der letzte Laut, den sie vernahmen. Von einem heftigen Wind gepackt, trieb ein Trupp Fallschirmjäger auf das Inferno des Kirchplatzes zu – und auf die Maschinenpistolen und Karabiner der deutschen Wachposten, die eine Laune des Schicksals gerade jetzt dort aufgebaut hatte. Oberleutnant Charles Santarsiero vom Regiment 506 der 101. Division stand in der Tür seines Transportflugzeuges, als die Maschine Ste.-Mère-Eglise überflog. »Wir waren etwa 120 Meter hoch«, erinnert er sich, »und ich konnte ein Feuer brennen und Deutsche herumlaufen sehen. Auf der Erde schien alles in Aufruhr. Die Hölle war los. Flak- und Gewehrfeuer schlugen hoch, und die armen Kerle hingen mitten darin!«

Kaum war Fallschirmjäger John Steele vom 505. Regiment der 82. Luftlandedivision aus seiner Maschine abgesprungen, da mußte er feststellen, daß er, statt in einer mit Lichtern markierten Absprungzone zu landen, auf das Zentrum einer Stadt zuschwebte, das in Flammen zu stehen schien. Deutsche Soldaten und französische Zivilisten sah er wie besessen hin und her rennen. Die meisten von ihnen, schien es Steele, blickten zu ihm hinauf. Im nächsten Augenblick spürte er etwas »wie einen Stich mit einem scharfen Messer«, eine Kugel hatte seinen Fuß getroffen. Aber etwas noch Erschreckenderes bemerkte er: In seinen Gurten schwingend, nicht in der Lage, von der Stadt wegzukommen, hing er hilflos an seinem Fallschirm, der ihn genau auf die Kirchturmspitze am Rande des Platzes zutrug.

Über Steele schwebend, hörte Gefreiter Ernest Blanchard das Glockenläuten und sah die Flammen um sich herum hochlodern. Im nächsten Moment mußte er voller Entsetzen mit ansehen, wie einer seiner Kameraden, der fast unmittelbar neben ihm abwärts schwebte, »vor meinen Augen explodierte und völlig in Stücke flog« – vermutlich ein Opfer der Sprengladungen in seinem Gepäck.

Verzweifelt schaukelte Blanchard in seinen Gurten. Er versuchte, sich von der Menge auf dem Platz unter ihm wegzulavieren. Aber es war zu spät. Krachend landete er in einem der Bäume. Um ihn herum wurden die Männer von Maschinengewehrgarben niedergemäht. Blanchard hörte Rufe, gellende Schreie und Stöhnen – Laute, die er niemals vergessen würde. Wie irre säbelte er an seinen Gurten herum, während das Maschinengewehrfeuer immer näher kam. Endlich fiel er aus dem Baum auf die Erde und rannte in kopfloser Hast los. Er merkte nicht, daß er sich in der Eile die Daumenkuppe mitabgeschnitten hatte.

Die Deutschen müssen geglaubt haben, Ste.-Mère-Eglise solle durch einen Fallschirmjägerangriff genommen werden, und die Einwohner auf dem Platz dachten bestimmt, sie befänden sich im Mittelpunkt eines Großkampfes. In Wirklichkeit landeten nur sehr wenige Amerikaner – vielleicht dreißig – in der Stadt, und nicht mehr als zwanzig davon kamen auf dem Platz oder in seiner Nähe herunter. Aber sie genügten, um der deutschen Besatzung von knapp hundert Mann einen panischen Schrecken einzujagen. Verstärkungen eilten zum Kirchplatz, wo man den Brennpunkt des Angriffs vermutete, und hier schien es Renaud, daß einige der Deutschen völlig die Beherrschung verloren, als sie mit einemmal den blutigen Tumult um das rasende Feuer vor sich sahen.

Etwa fünf Meter von dem Bürgermeister entfernt landete ein Fallschirmjäger in einem Baum. Schon im nächsten Augenblick, während er sich in fiebernder Eile aus seinen Gurten zu befreien suchte, wurde er entdeckt. Renaud sah zu, »wie fünf, sechs Deutsche das Magazin ihrer Maschinenpistole auf ihn leerschossen; und der Junge hing da mit offenen Augen, als betrachte er die Einschüsse in seinem Körper«.

Bei diesem Gemetzel merkten die Leute auf dem Platz nun nichts mehr von der machtvollen Luftflotte, die immer noch ununterbrochen über ihre Köpfe hinwegdröhnte. Tausende von Männern wurden über den Absprungzonen der 82. Division im Nordwesten der Stadt und über denen der 101. Division im Osten und etwas weiter westlich, zwischen Ste.-Mère-Eglise und dem Landeabschnitt »Utah«, abgesetzt. Aber da die Absprünge sich weit auseinanderzogen, gerieten immer wieder versprengte Fallschirmjäger von fast jedem Regiment in den Hexenkessel der kleinen Stadt. Ein oder zwei dieser Männer fielen, mit Munition, Handgranaten und Sprengstoff beladen, in das brennende Haus selber hinein. Man hörte einen kurzen Aufschrei und dann ein Knattern von Schüssen und Detonationen, wenn die Munition krepierte.

In all diesem entsetzlichen Tumult klammerte sich ein Mann in mißlicher Lage zäh an sein Leben. Der Fallschirm des Soldaten Steele drapierte die Kirchturmspitze, und er selber baumelte knapp unter der Dachrinne. Er hörte Rufe und Schreie. Auf dem Platz und in den Straßen sah er Deutsche und Amerikaner aufeinander schießen, und, fast gelähmt vor Angst, starrte er auf das rote Aufblitzen von Maschinengewehrmündungen, aus denen ganze Garben verirrter Geschosse über ihn hinweg- und an ihm vorbeiflitzten. Steele hatte versucht, sich loszuschneiden, aber das Messer war ihm aus der Hand gerutscht und auf den Platz hinuntergefallen. Daraufhin war er zu dem Schluß gekommen, daß es nur eine Rettung für ihn gab: Er mußte sich totstellen. Nur ein paar Meter von ihm entfernt schossen vom Dach der Kirche deutsche Maschinengewehrschützen auf alles, was ihnen vors Korn kam – nur nicht auf Steele. Er hing so wirklichkeitsgetreu »tot« in seinen Gurten, daß Oberleutnant Willard Young von der 82. Division, der auf dem Höhepunkt des Gefechts an der Stelle vorbeikam, sich heute noch an »den Toten an der Kirchturmspitze« erinnert. Alles in allem baumelte Steele über zwei Stunden dort oben, dann wurde er von den Deutschen abgeschnitten und gefangengenommen. Er war so verwirrt, und der zerschmetterte Fuß schmerzte ihm so sehr, daß er sich nicht erinnern kann, auch nur den geringsten Ton von dem Geläut der Glocke gehört zu haben, die keinen Meter von seinem Kopf entfernt hing.

Das Gefecht von Ste.-Mère-Eglise war der Auftakt zum Großangriff der amerikanischen Luftlandeverbände. Aber dieses blutige Eröffnungsgeplänkel[1] ergab sich gänzlich zufällig. Zwar war die Stadt eins der Hauptangriffsziele der 82. Luftlandedivision, der eigentliche

1 Es ist nicht genau zu ermitteln, wie viele Fallschirmjäger auf den Kirchplatz fielen oder verwundet wurden, denn überall in der Stadt flackerte immer wieder Gefechtstätigkeit auf bis zu dem eigentlichen Angriff, der zu ihrer Einnahme führte. Aber die Verluste werden auf zwölf Tote, Verwundete und Vermißte geschätzt. Die meisten dieser Männer gehörten zur 5. Kompanie im 2. Bataillon des Regiments 505. Eine ergreifende kleine Eintragung im offiziellen Kampfbericht des Regiments lautet: »Oberleutnant Cadish und die folgenden Soldaten landeten in der Stadt und fielen fast sofort: Shearer, Blankenship, Bryant, van Holsbeck, Tlapa.« Fallschirmjäger John Steele sah zwei Männer in das brennende Haus hineinfallen, und er glaubt, daß einer von ihnen Fallschirmjäger White von seinem eigenen Granatwerfertrupp war, der gleich hinter ihm sprang.

Oberstleutnant William E. Ekman, der Kommandeur des 505. Regiments, berichtet, daß »einer der Feldgeistlichen des Regiments ... der über Ste.-Mère-Eglise absprang, innerhalb weniger Minuten aufgespürt wurde und sein Leben ließ.«

Kampf um Ste.-Mère-Eglise sollte jedoch erst noch kommen. Noch manches war bis dahin zu tun, denn, wie die Engländer, liefen auch die 101. und 82. Division ein Rennen gegen die Zeit.

Die Amerikaner hatten die Aufgabe, die rechte Flanke des Invasionsgebietes zu halten, so wie ihre britischen Waffengefährten die linke hielten. Aber noch sehr viel mehr war den amerikanischen Fallschirmjägern aufgeladen worden: Von ihnen hing der Erfolg der gesamten Operation im Abschnitt »Utah« ab.

Das größte Hindernis für eine erfolgreiche Landung im Abschnitt »Utah« war ein Fluß mit dem Namen Douve. Im Rahmen der Landeabwehrmaßnahmen hatten sich Rommels Pioniere die Douve und ihren größten Nebenfluß, den Merderet, auf glänzende Weise zunutze gemacht. Diese Wasserwege, die den unteren Teil der daumenförmigen Halbinsel Cotentin durchziehen, fließen nach Süden und Südosten durch tiefliegendes Land, treffen an der Basis der Halbinsel mit dem Carentan-Kanal zusammen und ergießen sich fast parallel zur Vire in den Ärmelkanal. Mit Hilfe der jahrhundertealten Schleuse von La Barquette (ein paar Kilometer oberhalb Carentan) hatten die Deutschen so viel Land unter Wasser gesetzt, daß die ohnehin sumpfige Halbinsel von der restlichen Normandie fast gänzlich abgeschnitten war. Die Deutschen brauchten also nur die paar Straßen, Brücken und Dämme, die durch die Niederungen führten, zu besetzen, um die Invasionsverbände kurzerhand einkesseln und schließlich vernichten zu können. Sollte eine Landung an der Ostküste erfolgen, könnten von Norden und Westen angreifende deutsche Truppen die Falle zuschnappen lassen und die Landestreitkräfte ins Meer zurückwerfen.

Zumindest war das die allgemeine Strategie. Aber die Deutschen hatten nicht die Absicht, es mit einer Invasion überhaupt so weit kommen zu lassen; als zusätzliche Verteidigungsmaßnahme hatten sie dreißig Quadratkilometer tiefliegendes Land hinter der Ostküste unter Wasser gesetzt. Der Strandabschnitt »Utah« lag fast genau in der Mitte dieser künstlichen Seen. Es gab nur eine Möglichkeit für die Männer der 4. Infanteriedivision, mit ihren Panzern, Geschützen, Fahrzeugen und dem Nachschub landeinwärts vorzustoßen: über fünf Dämme, die durch das überflutete Gelände führten. Und diese Dämme lagen im Feuerbereich deutscher Geschütze.

Drei deutsche Divisionen hielten die Halbinsel mit ihren natürlichen Verteidigungsanlagen besetzt: die 709. im Norden und an der Ostküste, die 243. an der Westküste und die frisch eingetroffene 91. in der Mitte und an der Basis. Außerdem lag südlich von Carentan, nahe genug für den sofortigen Einsatz, eine der besten und härtesten Einheiten in der Normandie, Baron von der Heydtes Fallschirmjägerregiment 6. Die Marinebesatzungen der Küstenbatterien, verschiedene Flakeinheiten und sonstige Truppen in der Umgebung Cherbourgs nicht eingerechnet, konnten die Deutschen einem alliierten Angriff irgendeiner Art rund vierzigtausend Mann fast augenblicklich entgegenwerfen. In diesem stark besetzten Gebiet hatten Generalmajor Maxwell D. Taylors 101. und General Mathew B. Ridgways 82. Luftlandedivision die ungeheure Aufgabe, einen »Luftlandekopf« zu schaffen und zu halten – eine Igelstellung, die vom Landabschnitt »Utah« quer über den Ansatz der Halbinsel zu einem Punkt weit im Westen führte. Die Luftlandeverbände sollten der 4. Division den Vormarschweg öffnen und die Stellungen so lange halten, bis sie abgelöst wurden. Auf der Halbinsel und in ihrer Umgebung standen die amerikanischen Fallschirmjäger einer mehr als dreifachen Übermacht gegenüber.

Auf der Karte sah der Luftlandekopf dem Abdruck

eines kurzen breiten Fußes ähnlich, mit den kleinen Zehen entlang der Küste, dem großen Zeh an der Schleuse von La Barquette oberhalb Carentan und der Ferse quer über die Sümpfe der Douve und des Merderet hinweg. Er war etwa zwanzig Kilometer lang, an den Zehen elf und an der Ferse sieben Kilometer breit. Dieser gewaltige Abschnitt mußte von nur dreizehntausend Mann gehalten – und in weniger als fünf Stunden eingenommen werden.

Taylors Leute sollten eine Batterie mit sechs Geschützen in St.-Martin-de-Varreville, fast unmittelbar hinter »Utah«, stürmen und dann sofort vier von den fünf Dämmen zwischen St.-Martin-de-Varreville und dem Küstendörfchen Pouppeville in Besitz nehmen. Gleichzeitig mußten zahlreiche Brücken und Übergänge über die Douve und den Carentan-Kanal eingenommen oder zerstört werden, insbesondere die Schleuse von La Barquette. Während die »Schreienden Adler« der 101. Luftlandedivision diese Ziele angriffen, sollten Ridgways Leute die Ferse und die rechte Seite des Fußes halten. Sie hatten den Auftrag, die Übergänge über Douve und Merderet zu verteidigen, Ste.-Mère-Eglise einzunehmen und nördlich der Stadt Stellung zu beziehen, um einen Gegenangriff gegen die Flanke des Landekopfes zu verhindern.

Und noch eine weitere überaus wichtige Aufgabe hatten die Männer der Luftlandeverbände: Der Gegner mußte aus den Lastensegler-Landezonen hinausgeworfen werden; denn wie für die Engländer sollten auch für die Amerikaner große Lastenseglerzüge kurz vor dem Hellwerden und dann noch einmal am Abend Verstärkung und Nachschub heranbringen. Der erste Einflug von über einhundert Segelflugzeugen war auf vier Uhr morgens angesetzt worden.

Schon gleich zu Anfang hatten die Amerikaner gegen gewaltige Schwierigkeiten anzukämpfen. Ihre Divisionen wurden beim Absprung nicht weniger bedenklich als die britischen auseinandergerissen. Nur ein Regiment, das 505. der 82. Division, landete an der vorgesehenen Stelle. Sechzig Prozent der Ausrüstung ging verloren, darunter die meisten Funkgeräte, Granatwerfer und Munitionskästen. Schlimmer noch: Die meisten Männer gingen ebenfalls verloren. Sie kamen, allein und verwirrt, viele Kilometer von erkennbaren Orientierungspunkten entfernt, herunter. Die Einflugroute verlief von Osten nach Westen, und die Maschinen brauchten zur Überquerung der Halbinsel genau zwölf Minuten. Ein zu später Absprung bedeutete einen Sprung ins Meer, ein zu früher die Landung irgendwo zwischen der Westküste und dem überfluteten Gebiet. Einige Trupps wurden so ungenau abgesetzt, daß sie tatsächlich näher zur Westküste der Halbinsel als zu ihren Absprungzonen im Osten landeten. Hunderte von Männern fielen, schwer mit Ausrüstung bepackt, in die tückischen Sümpfe des Merderet und der Douve. Viele ertranken, manche in kaum sechzig Zentimeter tiefem Wasser. Andere sprangen zu spät, schwebten in der Dunkelheit über einem Stück Erdoberfläche, das sie für die Normandie hielten, und versanken im Ärmelkanal.

Ein ganzer Fallschirmjägertrupp der 101. Division – fünfzehn oder sogar achtzehn Soldaten – fand so den Tod. Aus dem nachfolgenden Flugzeug fiel Unteroffizier Louis Merlano auf einen weichen Sandstrand und landete genau vor einem Schild mit der Aufschrift: »Achtung, Minen!« Er war als zweiter seines Trupps gesprungen. Aus dem Dunkeln konnte er in einiger Entfernung das gemächliche Schwappen der Wellen hören. Er lag mitten in Rommels Vorstrandhindernissen, ein paar Meter oberhalb des Strandabschnitts »Utah« in den Dünen. Und während er dort lag und nach Atem rang, hörte er in einiger Entfernung Schreie. Merlano erfuhr erst sehr viel später, daß die Schreie vom Wasser herkamen, wo in diesem Augenblick die restlichen elf Mann aus seinem Flugzeug ertranken.

Ohne Rücksicht auf Minen verschwand Merlano schleunigst vom Strand. Er kletterte über einen Stacheldrahtzaun und rannte dann auf eine Hecke zu. Aber da hockte schon jemand; Merlano hastete weiter. Er überquerte eine Straße und wollte gerade an einer Steinmauer hochklettern, da hörte er einen wilden Aufschrei hinter sich. Rasch drehte er sich um. Ein Flammenwerfer zischte in die Hecke, an der er gerade vorbeigekommen war, und in den Flammen sah Merlano die Umrisse eines Fallschirmjägerkameraden. Wie betäubt kauerte sich der Unteroffizier dicht an der Mauer hin. Auf der anderen Seite hörte er deutsche Stimmen und Maschinengewehrfeuer. Merlano war in einen schwer befestigten Abschnitt geraten und nach allen Seiten von Deutschen umgeben. Er wußte, daß er um sein Leben kämpfen mußte. Eines jedoch war noch vorher zu erledigen: Merlano, der einer Nachrichteneinheit angehörte, holte ein handtellergroßes Codebuch mit Schlüsseln und Kennworten für drei Tage aus der Tasche. Sorgfältig zerriß er das Heft und aß es Blatt für Blatt restlos auf.

Auf der anderen Seite des Luftlandekopfes arbeiteten sich Männer mühsam durch die nächtlichen Sümpfe. Merderet und Douve waren mit Fallschirmen aller Farben gesprenkelt, und die kleinen Lichter an den Ausrüstungsbündeln blinkten geisterhaft aus Wasser und Marschen. Männer schwebten vom Himmel herab und platschten, oft ganz dicht beieinander, tief ins Wasser. Manche kamen nie wieder hoch. Andere tauchten japsend auf, rangen nach Luft und säbelten wie wild an ihren Fallschirmgurten und an dem Gepäck, damit sie nicht erneut unter Wasser gezogen wurden.

Wie Pfarrer John Gwinnett von der britischen Luftlandedivision in dem achtzig Kilometer entfernten Abschnitt, landete auch der Divisionsgeistliche der 101.,

Hauptmann Francis Sampson, im Sumpf. Das Wasser schlug ihm über dem Kopf zusammen, das schwere Gepäck zog ihn abwärts, und sein Fallschirm, in dem sich ein heftiger Wind gefangen hatte, blieb über ihm geöffnet. Hastig schnitt Sampson sämtliches Gepäck ab, darunter auch den Kasten mit dem Kelch und den anderen Meßgeräten. Dann zerrte ihn der Fallschirm wie ein großes Segel rund hundert Meter bis zu einer flachen Stelle im Wasser mit sich fort. Erschöpft blieb Sampson etwa zwanzig Minuten liegen. Dann kehrte er, ohne sich um das näher kommende Maschinengewehr- und Granatwerferfeuer zu kümmern, zu der Stelle zurück, an der er zuerst untergegangen war, und tauchte verbissen nach seinen Meßgeräten. Beim fünften Versuch brachte er den Kasten hoch.

Erst sehr viel später, als Pfarrer Sampson noch einmal über den Zwischenfall nachdachte, fiel ihm ein, daß es gar kein Bußgebet war, was er in aller Eile hersagte, als er im Wasser um sein Leben kämpfte, sondern ein Tischsegen.

Auf zahllosen kleinen Wiesen und Feldern zwischen dem Meer und den überfluteten Landstrichen trafen sich in dieser Nacht Amerikaner. Nicht Jagdhörner riefen sie zusammen, sondern das Gezirpe von Spielzeuggrillen. Ihr Leben hing an einem kleinen Stück Blech in der Form eines für wenige Pfennige überall erhältlichen Schnappers. Ein Zirpen der »Grille« mußte mit einem doppelten Zirpen und bei der 82. Division außerdem noch mit einem Kennwort beantwortet werden. Auf diese Signale hin kamen die Männer aus ihrem Versteck in Bäumen und Gräben und hinter Häuserecken hervor. Generalmajor Maxwell D. Taylor und ein unbekannter Schütze begegneten sich im Knick einer Hecke und umarmten sich herzlich. Einige der Fallschirmjäger fanden ihre Einheit auf Anhieb. Einige stießen auf fremde Gesichter und dann auf den vertrauten, tröstlichen Anblick der kleinen amerikanischen Flagge über dem Ärmelabzeichen.

So verwirrt die Lage auch war, die Männer paßten sich rasch an. Die kampferfahrenen Fallschirmjäger der 82. Division, die bei den Luftlandeoffensiven auf Sizilien und bei Salerno dabeigewesen waren, wußten, was sie zu erwarten hatten. Die 101., die zum erstenmal zum Feindeinsatz kam, war wild entschlossen, sich von ihrer ruhmvolleren Schwesterdivision nicht übertreffen zu lassen. Die Männer verschwendeten so wenig Zeit wie möglich, denn Zeit war knapp. Wer Glück hatte und wußte, wo er sich befand, war schnell an seinem Sammelpunkt und bald nach dem Kampfziel unterwegs. Wer sich verirrte, schloß sich kleinen Gruppen von Leuten der verschiedensten Kompanien, Bataillone und Regimenter an. Fallschirmjäger der 82. Division wurden zeitweilig von Offizieren der 101. angeführt, und umgekehrt. Männer beider Divisionen kämpften Seite an Seite und oft um Kampfziele, von denen sie nie zuvor gehört hatten.

Hunderte gerieten in kleine Felder, die hohe Hecken nach allen Seiten einschlossen. Die Felder waren wie stille kleine Welten, abgeschieden und beängstigend. In ihnen wurde jeder Schatten, jedes Rascheln, jeder knakkende Zweig zum Feind. Fallschirmjäger Dutch Schultz landete in solch einem Schattenreich und konnte einfach nicht wieder herausfinden. Er beschloß, sein Glück mit der Grille zu versuchen. Schon auf das erste Schnippen erhielt er eine Antwort, an der ihm wenig gelegen war: Maschinengewehrfeuer. Er warf sich hin, zielte mit seinem Schnellfeuergewehr in Richtung des Maschinengewehrnestes und drückte ab. Nichts passierte. Er hatte vergessen zu laden. Das Maschinengewehr ratterte von neuem los, und Dutch suchte schleunigst unter der nächsten Hecke Deckung.

Sorgfältig erkundete er das Feld noch einmal. Plötzlich hörte er einen Zweig knacken. Einen Augenblick lang bekam Dutch es mit der Angst zu tun, faßte sich aber sofort wieder: Sein Kompanieführer, Oberleutnant Jack Tallerday, kroch durch die Hecke auf ihn zu. »Bist du's, Dutch?« sagte Tallerday leise. Schultz kroch rasch zu ihm hin. Gemeinsam verließen sie das Feld und stießen zu einer Gruppe, die Tallerday bereits gesammelt hatte. Es waren Männer der 101. Division und von allen drei Regimentern der 82. Zum erstenmal seit seinem Absprung fühlte Dutch sich wieder wohl: Er war nicht mehr allein.

Tallerday ging neben einer Hecke vor, den kleinen Trupp ausgeschwärmt hinter sich. Wenig später hörten sie Geräusche, dann sahen sie eine Gruppe von Männern auf sich zukommen. Tallerday ließ seine Grille schnippen und glaubte, ein antwortgebendes Zirpen zu hören. »Als unsere zwei Trupps sich näherten«, berichtet Tallerday, »erkannten wir an der Form der Helme klipp und klar, daß die anderen Deutsche waren.« Und dann kam es zu einem dieser merkwürdigen Zwischenfälle, wie sie sich in Kriegen zuweilen ereignen. Die beiden Gruppen zogen lautlos, wie eingefroren vor Schreck, aneinander vorbei, ohne einen einzigen Schuß abzufeuern. Als der Abstand zwischen ihnen wuchs, verschluckte die Dunkelheit die Gestalten, und sie verschwanden, als ob sie niemals existiert hätten.

Überall in der Normandie trafen in dieser Nacht alliierte Fallschirmjäger und deutsche Soldaten unerwartet aufeinander. Bei diesen Begegnungen hing das Leben der Männer oft an ihren Nerven und an dem Bruchteil der Sekunde, den man zum Abdrücken brauchte. Fünf Kilometer von Ste.-Mère-Eglise entfernt stolperte Oberleutnant John Walas von der 82. Division fast über einen deutschen Wachposten vor einem Maschinengewehrnest. Einen schrecklichen Augenblick lang starrten sich die beiden Männer an. Dann reagierte der Deutsche. Aus allernächster Nähe feuerte er einen Schuß auf Walas ab. Die Kugel schlug gegen das Schloß am Gewehr des Oberleutnants, das sich genau vor seinem Magen befand, und streifte im Abprallen seine Hand. Beide Männer machten augenblicklich kehrt und rissen voreinander aus.

Major Lawrence Legere geriet in eine üble Situation und redete sich im wahrsten Sinne des Wortes heraus. Auf einem Feld zwischen Ste.-Mère-Eglise und dem Strandabschnitt »Utah« sammelte Legere eine kleine Gruppe und marschierte mit ihr zum Treffpunkt. Plötzlich rief ihn jemand auf deutsch an. Legere konnte kein Deutsch, aber er sprach fließend Französisch. Da die anderen Männer ein gutes Stück hinter ihm marschierten und nicht gesehen worden waren, gab sich Legere auf dem stockdunklen Feld als junger Bauer aus und erklärte in atemlosem Französisch, er habe sein Mädchen besucht und befinde sich nun auf dem Heimweg. Er bat um Verzeihung für die Übertretung des Ausgangsverbots. Während er redete, entfernte er in aller Eile die Verschlußkappe von einer Handgranate, die ein unbeabsichtigtes Abziehen verhindern sollte, und, immer noch parlierend, riß er den Knopf ab, schleuderte die Handgranate und warf sich hin, bevor sie krepierte. Er stellte fest, daß er drei Deutsche getötet hatte. »Als ich den Weg zurückging, um meinen wackeren kleinen Trupp abzuholen«, erzählte Legere, »war er spurlos verschwunden.«

Komische Momente waren nicht selten. Stabsarzt Lyle Putnam von der 82. Division landete ganz allein in einem finsteren Obstgarten, etwa zwei Kilometer von Ste.-Mère-Eglise entfernt. Er raffte sein Gepäck mit den Instrumenten zusammen und suchte nach dem Ausgang. In der Nähe einer Hecke erblickte er eine Gestalt, die vorsichtig auf ihn zukam. Putnam erstarrte, beugte sich vor und flüsterte vernehmlich das Kennwort der

82. Division: »Blitz«. Einen Augenblick lang herrschte Stille, während Putnam gespannt auf die Antwort »Donner« wartete. Statt dessen, erinnert er sich, schrie der Mann zu seinem Erstaunen »Jesus Maria!«, drehte sich um und riß aus wie ein Besessener.

Der Arzt war so wütend, daß er nicht daran dachte, sich zu fürchten. Knapp einen Kilometer von ihm entfernt tappte sein Freund Hauptmann George Wood, der Feldgeistliche der 82. Division, ebenfalls allein in einem Feld umher und betätigte fleißig seine Blechgrille. Niemand gab ihm Antwort. Plötzlich fuhr er entsetzt herum, denn eine Stimme hinter ihm knurrte: »Mein Gott noch mal, Herr Pfarrer, hören Sie doch endlich mit dem verdammten Spektakel auf!« Der also gezüchtigte Mann Gottes folgte dem Fallschirmjäger und verließ mit ihm zusammen das Feld.

Am Nachmittag sollten der Arzt und der Geistliche in Madame Angèle Levraults Schule in Ste.-Mère-Eglise ihren eigenen Krieg führen – einen Krieg, in dem Uniformen keine Rolle spielten. Sie würden sich um die Verwundeten und Sterbenden beider Seiten kümmern.

Gegen zwei Uhr morgens näherten sich – obgleich noch über eine Stunde vergehen sollte, bis alle Fallschirmjäger gelandet waren – zahlreiche kleine Trupps entschlossener Männer ihren Einsatzpunkten. Eine der Gruppen ging um diese Zeit bereits gegen ihr Angriffsziel vor: ein feindliches Widerstandsnest mit Unterständen und Pakstellungen in dem Dorf Foucarville oberhalb des Strandabschnitts »Utah«. Die Befestigung war von außerordentlicher Bedeutung, denn mit ihrer Hilfe ließ sich der gesamte Verkehr auf der hinter »Utah« verlaufenden Hauptverkehrsstraße kontrollieren – auf der Straße, die von den feindlichen Panzern benutzt werden mußte, wenn sie den Landekopf erreichen wollten. Für den Sturm auf Foucarville benötigte man eine ganze Kompanie, aber erst elf Mann waren zu Hauptmann

Cleveland Fitzgerald gestoßen. So entschlossen waren Fitzgerald und sein kleiner Trupp, daß sie die Stellung angriffen, ohne auf den Rest der Kompanie zu warten. In diesem Gefecht, dem ersten der 101. Division, das sich am Tage der Landung nachweisen läßt, stießen Fitzgerald und seine Leute bis zu dem feindlichen Gefechtsstand vor. Dort entbrannte ein kurzer, blutiger Kampf. Ein Wachposten schoß auf Fitzgerald und traf ihn in die Lunge, aber noch im Fallen streckte der Hauptmann den Deutschen nieder. Schließlich mußten sich die Amerikaner jedoch vor der deutschen Übermacht an den Rand des Dorfes zurückziehen und auf den Anbruch des Tages und auf Verstärkung warten. Sie wußten nicht, daß neun Fallschirmjäger Foucarville bereits etwa vierzig Minuten vor ihnen erreicht hatten. Die neun waren mitten in den Befestigungen gelandet. Nun saßen sie in einem Unterstand, bewacht von den Soldaten, von denen sie gefangengenommen worden waren, und merkten nichts von dem Gefecht. Sie hörten einem Deutschen zu, der auf einer Mundharmonika spielte.

Verrückt war manche Situation – besonders für die Generale. Sie hatten keinen Stab, keine Nachrichtenverbindungen und keine Männer, die sie befehligen konnten. Generalmajor Maxwell Taylor war mit einer ganzen Reihe Offiziere, aber nur zwei oder drei Soldaten unterwegs. »Niemals«, sagte er zu ihnen, »sind so wenige von so vielen kommandiert worden.«

Generalmajor Mathew B. Ridgway stand mit der Pistole in der Hand allein mitten auf einem Feld und pries sich glücklich. »Freunde zeigten sich zwar keine«, erinnerte er sich später, »aber wenigstens doch auch keine Feinde.« Sein Stellvertreter, Brigadegeneral James M. Gavin, der zu diesem Zeitpunkt den gesamten Fallschirmjägerangriff der 82. Division befehligte, saß viele Kilometer entfernt in den Sümpfen des Merderet fest.

Gavin und mehrere Fallschirmjäger versuchten, Bündel mit Ausrüstung aus dem Morast zu bergen. In den Bündeln befanden sich Funkgeräte, Raketenwerfer, Granatwerfer und Munition, die Gavin so überaus dringend brauchte. Er wußte, daß die Ferse des Luftlandekopfes, die seine Leute halten sollten, gegen Morgen heftigen Angriffen ausgesetzt sein würde. Als er nun mit seinen Fallschirmjägern in dem knietiefen kalten Wasser stand, plagten ihn noch allerhand andere Sorgen. Er wußte nicht genau, wo er war, und er überlegte, was mit den Verwundeten geschehen sollte, die sich zu der Gruppe durchgeschlagen hatten und nun am Rande des Sumpfes lagen.

Vor etwa einer Stunde hatte Gavin auf der anderen Seite des Wassers rote und grüne Lichter gesehen und seinen Adjutanten Oberleutnant Hugo Olson ausgeschickt, um zu erkunden, was sie bedeuteten. Er hoffte, daß es sich um die Sammelsignale für zwei Bataillone der 82. handele. Olson war nicht zurückgekehrt, und Gavin begann sich Sorgen zu machen. Einer seiner Offiziere, Oberleutnant John Devine, tauchte mitten im Fluß nach Ausrüstungsbündeln. »Jedesmal, wenn er auftauchte, stand er da wie ein weißes Denkmal«, erinnert sich Gavin, »und ich mußte denken: Wenn ihn jetzt die Deutschen sehen, ist es aus mit ihm!«

Plötzlich stapfte eine vereinzelte Gestalt mühselig durch den Morast auf Gavin zu. Der Mann war mit Schlamm und Schlick bedeckt und völlig durchnäßt. Es war Olson. Er kam mit der Meldung zurück, daß sich Gavin und seinen Leuten genau gegenüber auf einem hohen Damm eine Eisenbahnlinie durch das Marschland schlängele. Das war die erste erfreuliche Nachricht in dieser Nacht. Gavin wußte, daß es in der Gegend nur eine Eisenbahnlinie gab – die Strecke Cherbourg–Carentan, die durch das Tal des Merderet führte. Der General atmete auf. Nun wußte er endlich, wo er war.

In einer Apfelplantage bei Ste.-Mère-Eglise litt der

Mann, der die nördlichen Zugänge zu der Stadt halten sollte – die Flanke des Landekopfes »Utah« –, unter rasenden Schmerzen und versuchte, sich nichts anmerken zu lassen. Oberstleutnant Benjamin Vandervoort von der 82. Luftlandedivision hatte sich beim Sprung einen Knöchel gebrochen, aber er war entschlossen, unter allen Umständen weiterzukämpfen.

Vandervoort war vom Pech verfolgt. Er hatte seine Aufgabe stets ernst, manchmal zu ernst genommen. Im Gegensatz zu vielen anderen höheren Offizieren trug er keinen allgemein akzeptierten Spitznamen, und er hatte sich im Umgang mit seinen Leuten auch niemals den vertraulichen, ungezwungenen Ton gestattet, dessen andere Offiziere sich gern bedienten. All das sollte in der Normandie anders werden. Die Invasionsschlacht machte aus ihm, wie General Mathew B. Ridgway sich später erinnerte, »einen der tapfersten, härtesten Frontkommandeure, die ich jemals kennengelernt habe«. Vandervoort sollte vierzig Tage lang mit gebrochenem Fußgelenk kämpfen – Seite an Seite mit seinen Männern, an deren Anerkennung ihm am meisten lag.

Vandervoorts Bataillonsarzt, Stabsarzt Putnam, traf – immer noch wütend über die Begegnung mit dem Fallschirmjäger in der Hecke – den Oberstleutnant und ein paar seiner Leute in dem Obstgarten. Putnam erinnert sich noch lebhaft an den Augenblick, als er Vandervoort vor sich sah: »Er saß unter einem Regenumhang und studierte beim Schein einer Taschenlampe die Karte. Als er mich erkannte, rief er mich heran und bat mich leise, möglichst unauffällig seinen Knöchel zu untersuchen. Der Knöchel war ohne Frage gebrochen. Vandervoort bestand jedoch darauf, daß ich ihm seinen Fallschirmjägerstiefel wieder anzog, und wir verschnürten ihn stramm.« Dann sah Putnam zu, wie Vandervoort nach seinem Karabiner griff und, ihn als Krücke benutzend, einen Schritt vorwärts ging. Der Oberstleutnant blickte die Männer um sich herum an. »Gehen wir!« sagte er und humpelte ihnen quer über das Feld voran.

Wie die britischen Fallschirmjäger im Osten, gingen nun auch die Amerikaner – leichten oder schweren Herzens, in Furcht und Ängsten – an das Werk, um dessentwillen sie in die Normandie gekommen waren.

Der Anfang war gemacht. Die erste Invasionstruppe am Tage der Landung, fast achtzehntausend Amerikaner, Engländer und Kanadier, stand an den Flanken des Schlachtfeldes in der Normandie. Zwischen ihnen lagen die fünf Strandabschnitte für die Invasion von See her, und dahinter, jenseits des Horizonts, näherte sich unaufhaltsam die mächtige Invasionsflotte der fünftausend Schiffe. Das erste Schiff, die USS *Bayfield* mit Konteradmiral D. P. Moon, dem Befehlshaber der zur Einsatztruppe »U« gehörenden Marineeinheiten, an Bord, machte sich nun zwölf Seemeilen vor »Utah« zum Ankern klar.

Langsam begann sich der gewaltige Invasionsplan zu entfalten; die Deutschen aber blieben auch weiterhin blind. Dafür gab es verschiedene Gründe. Das Wetter, mangelnde Aufklärertätigkeit (nur ein paar Flugzeuge hatte man in den letzten Wochen nach den Einschiffräumen geschickt, und diese paar waren abgeschossen worden), die verbohrte Ansicht, daß die Invasion am Pas de Calais stattfinden *müsse,* die leichtsinnige Mißachtung der richtig entschlüsselten Nachrichten an die Untergrundbewegung – alles das spielte eine Rolle. Selbst die Radarstationen ließen die Deutschen in dieser Nacht im Stich. Sie waren entweder zerbombt oder aber von alliierten Flugzeugen, die an der Küste entlangflogen und bündelweise Stanniolstreifen abwarfen, unbrauchbar gemacht worden. Nur eine Funkmeßstation schickte einen Bericht hinaus. Sie hatte »normalen Verkehr« im Kanal beobachtet.

Über zwei Stunden waren seit der Landung der ersten Fallschirmjäger verstrichen. Nun erst merkten die deutschen Befehlsstellen in der Normandie allmählich, daß sich möglicherweise etwas Bedeutsames tat. Die ersten vereinzelten Meldungen trafen ein, und langsam, wie ein Patient in Narkose, wachten die Deutschen auf.

V

General Erich Marcks stand, von seinem Stab umgeben, vor einem langen Tisch und betrachtete die vor ihm ausgebreiteten Lagekarten. Seit der Geburtstagsfeier waren die Offiziere bei ihm. Sie berieten den Kommandeur des 84. Armeekorps für das Kriegsspiel in Rennes. Von Zeit zu Zeit bat der General um eine neue Karte. Sein Ic, Major Friedrich Hayn, hatte den Eindruck, daß Marcks sich für das Kriegsspiel vorbereite, als handele es sich um eine wirkliche Schlacht und nicht um eine nur theoretische Invasion in der Normandie.

Mitten in der Besprechung klingelte das Telefon. Die Unterhaltung verstummte, als Marcks den Hörer abnahm. Hayn erinnert sich, »daß der General zu erstarren schien, während er zuhörte«. Mit einer Kopfbewegung forderte Marcks den Chef des Stabes auf, den Nebenanschluß abzuheben. Der Anrufende war Generalleutnant Wilhelm Richter, Kommandeur der 716. Division, die nördlich von Caën an der Küste lag. »Fallschirmjäger sind ostwärts der Orne gelandet«, meldete Richter an Marcks. »Allem Anschein nach in der Gegend um Bréville und Ranville; am Nordrand des Waldes von Bavent ...«

Das war die erste offizielle Nachricht über den Angriff der Alliierten, die zu einer höheren deutschen Befehlsstelle durchdrang. »Sie schlug ein wie der Blitz«, berichtet Hayn. Die Uhr zeigte elf Minuten nach zwei Uhr (britische doppelte Sommerzeit).

Sofort rief Marcks Generalmajor Max Pemsel, den Chef des Stabes beim Armeeoberkommando 7, an. Um 2 Uhr 15 befahl Pemsel Alarmstufe 1, den höchsten Grad der Alarmbereitschaft, für die 7. Armee. Vier Stunden waren vergangen, seit man die zweite Verlaine-Meldung abgefangen hatte. Nun endlich war die 7. Armee, in deren Abschnitt die Invasion bereits begonnen hatte, alarmiert.

Pemsel zauderte nicht lange. Er weckte den Oberbefehlshaber der 7. Armee, Generaloberst Friedrich Dollmann. »Herr Generaloberst«, sagte Pemsel, »ich glaube, wir haben die Invasion. Würden Sie bitte sofort herüberkommen?«

Als Pemsel den Hörer auflegte, erinnerte er sich plötzlich an etwas. In einem Stoß Nachrichtenmaterial, der nachmittags eingegangen war, hatte sich auch der Bericht eines Agenten aus Casablanca befunden. Der Agent wies nachdrücklich darauf hin, daß die Invasion am 6. Juni in der Normandie beginnen werde.

Während Pemsel auf Dollmann wartete, meldete sich das 84. Armeekorps erneut: »Fallschirmjäger bei Montebourg und St.-Marcouf (auf der Halbinsel Cotentin) abgesprungen ... Truppen zum Teil bereits in Kampfhandlungen verwickelt[1].« Sofort rief Pemsel Rommels

1 Es hat beträchtliche Meinungsverschiedenheiten in bezug auf den Zeitpunkt der ersten deutschen Reaktion auf die Invasion und die von einem Kommando zum anderen weitergeleiteten Meldungen gegeben. Als ich mit meinen Nachforschungen begann, riet mir Generaloberst Franz Halder, der ehemalige Chef des deutschen Generalstabes (heute bei der historischen Abteilung der US-Armee in Deutschland), »nichts zu glauben, was unsere Seite betrifft, wenn es nicht mit den offiziellen Kriegstagebüchern der jeweiligen Befehlsstelle übereinstimmt«. Ich habe seinen Rat befolgt. Alle Zeitangaben (auf britische doppelte Sommerzeit übertragen), Meldungen und Telefongespräche, die Vorgänge auf deutscher Seite betreffen, entstammen diesen Quellen.

Chef des Stabes, Generalleutnant Dr. Hans Speidel, bei der Heeresgruppe B an. Es war nun 2 Uhr 35.

Etwa um dieselbe Zeit versuchte Generaloberst Hans von Salmuth, im Armeeoberkommando der 15. Armee an der belgischen Grenze, sich aus erster Hand zu orientieren. Das Gros seiner Armee stand zwar von den Luftlandeangriffen weit entfernt, aber eine Division, Generalleutnant Josef Reicherts 711., lag in Stellungen ostwärts der Orne, an der Nahtstelle zwischen der 7. und der 15. Armee. Von der 711. waren bereits mehrere Meldungen eingegangen. In einer hieß es, daß Fallschirmjäger gerade dabei seien, in der Nähe des Divisionsgefechtsstandes bei Cabourg zu landen; eine zweite berichtete, daß rund um den Gefechtsstand gekämpft werde.

Von Salmuth beschloß, sich selber ein Bild zu machen. Er rief bei Reichert an. »Was, zum Teufel, ist denn nun da unten los?« wollte er wissen. »Herr Generaloberst«, kam Reicherts Stimme gequält vom anderen Ende der Leitung, »wenn Sie erlauben, lasse ich Sie mal selber hören!« Es entstand eine kleine Pause, und dann vernahm von Salmuth deutlich das Rattern von Maschinengewehren.

»Danke«, sagte von Salmuth und legte auf. Sofort rief er Heeresgruppe B an und meldete, daß im Gefechtsstand der 711. Division »Gefechtslärm zu hören« sei.

Aus Pemsels und von Salmuths Anrufen, die fast gleichzeitig eintrafen, erfuhr Rommels Hauptquartier zum erstenmal von dem alliierten Angriff. Hatte die lang erwartete Invasion begonnen? Niemand bei der Heeresgruppe B wollte sich zu diesem Zeitpunkt festlegen. Vizeadmiral Friedrich Ruge, Rommels Marinesachverständiger, erinnert sich noch sehr deutlich, daß in einigen der nun immer zahlreicher eintreffenden Meldungen über Luftlandungen davon die Rede war, daß es sich lediglich um »als Fallschirmjäger verkleidete Puppen« handele.

Der diese Beobachtung machte, hatte so unrecht nicht. Um die Deutschen noch mehr zu verwirren, hatten die Alliierten südlich des Invasionsgebietes in der Normandie Hunderte von sehr echt wirkenden Gummipuppen in Fallschirmjägeruniform abgeworfen. Jede Puppe war mit Feuerwerkskörpern behängt, die bei der Landung krepierten und ein Handfeuergefecht vortäuschten. Mehr als drei Stunden glaubte General Marcks daher, Fallschirmjäger seien bei Lessay, einige vierzig Kilometer südwestlich von seinem Hauptquartier, gelandet.

Es waren denkwürdige, verwirrende Minuten für von Rundstedts Stab in Paris und für Rommels Offiziere in La Roche Guyon. Von überall liefen Meldungen ein – Meldungen, die oft ungenau, manchmal unverständlich waren und meist einander widersprachen.

Das Hauptquartier der Luftwaffe in Paris meldete, daß sich über der Halbinsel Cotentin »fünfzig bis sechzig zweimotorige Flugzeuge« im Anflug befänden und daß Fallschirmjäger »bei Caën« gelandet seien. Admiral Theodor Kranckes Hauptquartier, das Marinegruppenkommando West, bestätigte britische Fallschirmjägerlandungen, vermerkte nervös, daß der Gegner in der Nähe einer Marineküstenbatterie abgesprungen sei, und fügte dann hinzu, daß es sich bei »dem Fallschirmjägerabsprung zum Teil um Strohpuppen« handele. In keiner Meldung wurden die Amerikaner auf der Halbinsel erwähnt – und doch hatte um diese Zeit eine Marineküstenbatterie bei St.-Marcouf, unmittelbar oberhalb von »Utah«, das Marinehauptquartier in Cherbourg bereits davon in Kenntnis gesetzt, daß man ein Dutzend Amerikaner gefangengenommen habe. Wenige Minuten nach ihrem ersten Lagebericht gab die Luftwaffe telefonisch eine ergänzende Meldung durch. Fallschirmjäger, hieß es, seien bei Bayeux abgesprungen. Nicht ein einziger Mann war in Wirklichkeit dort gelandet.

In La Roche Guyon und beim OB West bemühte man sich verzweifelt, die roten Flecken auszuwerten, die sich wie ein Ausschlag über die Karte ausbreiteten. Die Stabsoffiziere der Heeresgruppe B telefonierten mit ihren Kollegen beim OB West, berieten sich hin und her und gelangten zu Schlüssen, die im Hinblick auf das, was sich um diese Zeit tatsächlich ereignete, zum Teil unglaublich klingen. Als zum Beispiel der stellvertretende Ic beim OB West, Major Doertenbach, bei der Heeresgruppe B anrief und um einen Lagebericht bat, bekam er zu hören, daß »der Chef des Stabes die Lage mit Gleichmut betrachtet« und die Möglichkeit bestehe, »daß es sich bei den gemeldeten Fallschirmjägern nur um abgesprungene Bomberbesatzungen handelt«.

Bei der 7. Armee war man anderer Ansicht. Um drei Uhr glaubte Pemsel fest, daß der Hauptstoß des Angriffs gegen die Normandie zielte. Seine Lagekarte verzeichnete Fallschirmjäger auf beiden Flanken der 7. Armee – auf der Halbinsel Cotentin und ostwärts der Orne. Nun trafen weitere alarmierende Nachrichten von Marinestationen aus Cherbourg ein. Mit Horch- und Funkmeßgeräten orteten diese Stationen in der Seinebucht manövrierende Schiffe.

Nun hegte Pemsel nicht mehr den geringsten Zweifel: Die Invasion war da. Er rief Speidel an. »Die Luftlandungen«, sagte er, »bilden die erste Phase einer feindlichen Großoffensive.« Dann setzte er hinzu: »Von See her sind Motorengeräusche zu hören!« Aber Pemsel konnte Rommels Chef des Stabes nicht überzeugen. Laut Fernsprechtagebuch der 7. Armee erwiderte Speidel, daß »die Angelegenheit immer noch örtlich begrenzt« sei. Die Lagebeurteilung, die er Pemsel zu diesem Zeitpunkt vortrug, steht im Kriegstagebuch wie folgt zusammengefaßt verzeichnet: »Chef des Stabes Heeresgruppe B der Ansicht, daß von größerem Unternehmen vorerst keine Rede sein kann.«

Während Pemsel und Speidel miteinander telefonierten, sprangen die letzten der achtzehntausend für die Luftlandeoffensive angesetzten Fallschirmjäger über der Halbinsel Cotentin ab. Neunundsechzig Lastensegler mit Truppen, Geschützen und schwerer Ausrüstung überflogen in diesem Augenblick die französische Küste in Richtung des britischen Luftlandekopfes bei Ranville. Und die *Ancon*, das Befehlsschiff der Einsatztruppe »O« unter Konteradmiral John L. Hall, warf zwölf Meilen vor den fünf Invasionsabschnitten in der Normandie Anker. Hinter der *Ancon* stellten sich die Truppentransporter mit den Soldaten bereit, die in der ersten Welle auf dem Abschnitt »Omaha« landen würden.

Aber in La Roche Guyon wies immer noch nichts auf das gewaltige Ausmaß des alliierten Angriffs hin, und OB West in Paris schloß sich Speidels erster Lagebeurteilung an. Von Rundstedts tüchtiger Ia, Generalleutnant Bodo Zimmermann, wurde von Speidels Ferngespräch mit Pemsel informiert und zeigte sich in seiner Antwortnachricht mit Speidel einer Meinung: »Ia OB West hält dafür, daß es sich nicht um ein großangelegtes Luftlandeunternehmen handelt, zumal Admiral Kanalküste meldet, daß der Feind Strohpuppen abgeworfen hat.«

Man kann diesen Offizieren das völlige Verkennen der Situation kaum zum Vorwurf machen. Sie standen weitab von den Kampfhandlungen und mußten sich ganz und gar auf die eingehenden Meldungen verlassen. Diese waren so lückenhaft und irreführend, daß selbst die erfahrensten Truppenführer den Umfang der Luftlandeoffensive unmöglich abschätzen oder auch nur einen Gesamtplan in den verschiedenen alliierten Angriffen entdecken konnten. Falls dies die Invasion war, zielte sie dann wirklich auf die Normandie? Nur bei der 7. Armee schien man daran zu glauben. Vielleicht waren die Luftlandungen nur ein Täuschungsunternehmen, das die Aufmerksamkeit von der eigentlichen Invasion ablenken sollte – dem Angriff gegen Generaloberst Hans von Salmuths kampfstarke 15. Armee am Pas de Calais, wo fast jeder den alliierten Angriff erwartete. Der Chef des Stabes beim Armeeoberkommando 15, Generalmajor Rudolf Hofmann, war so sicher, daß der Hauptstoß im Bereich der 15. Armee erfolgen werde, daß er Pemsel anrief und mit ihm um ein Abendessen darum wettete. »*Die* Wette verlieren Sie«, erwiderte Pemsel. Aber um diese Zeit hatte weder die Heeresgruppe B noch der OB West genügend Anhaltspunkte für irgendwelche stichhaltigen Schlüsse. Man alarmierte die Invasionsküste und befahl Maßnahmen gegen die Fallschirmjägerangriffe. Dann wartete alles auf weitere Nachrichten. Viel mehr konnte man nicht tun.

Mittlerweile ergoß sich eine Flut von Meldungen in Gefechtsstände überall in der Normandie. Bei einigen Divisionen bestand das dringlichste Problem darin, den Divisionskommandeur zu erreichen – falls er nämlich zu den Generalen gehörte, die bereits zum Planspiel nach Rennes aufgebrochen waren. Die meisten hatte man rasch gefunden, zwei jedoch – Generalleutnant Karl von Schlieben und Generalleutnant Wilhelm Falley – waren nicht zu erreichen. Von Schlieben schlief in einem Hotel in Rennes, und Falley war noch mit dem Wagen dorthin unterwegs.

Admiral Krancke, der Marinegruppenbefehlshaber West, befand sich auf einer Besichtigungsfahrt nach Bordeaux. Sein Chef des Stabes ging in sein Hotelzimmer und weckte ihn. »Fallschirmjäger landen bei Caën«, erfuhr Krancke. »OB West ist fest überzeugt, daß es sich nur um einen Ablenkungsangriff handelt und nicht um die eigentliche Invasion, aber die Marine hat Schiffe geortet. Wir glauben, daß es richtig losgeht.« Krancke befahl sofort höchste Alarmbereitschaft für die wenigen

Marineeinheiten, die ihm zur Verfügung standen, und brach dann rasch nach seinem Hauptquartier in Paris auf.

Einer der Männer, die Kranckes Befehle in Le Havre entgegennahmen, war in der deutschen Kriegsmarine bereits zu einer legendären Gestalt geworden. Korvettenkapitän Heinrich Hoffmann hatte sich als Torpedoboot-Führer einen Namen gemacht. Schon fast seit Beginn des Krieges patrouillierten seine schlagkräftigen Flottillen von flinken, torpedobestückten Booten im Ärmelkanal und griffen alles an feindlichen Schiffen an, was sie aufspüren konnten. Auch bei dem Überfall auf Dieppe war Hoffmann im Einsatz gewesen; ferner hatte er tollkühn Geleitschutz gefahren für die Schlachtschiffe *Scharnhorst, Gneisenau* und *Prinz Eugen* bei ihrem dramatischen Durchbruch durch den Kanal im Jahre 1942.

Als die Alarmmeldung vom Marinegruppenkommando eintraf, befand sich Hoffmann gerade an Bord von T-28, dem Führerboot seiner 5. Flottille, und traf Vorbereitungen zum Auslaufen zu einer Minenlegaktion. Sofort ließ er die Kommandanten der anderen Boote zu sich rufen. Es waren lauter junge Männer, und es überraschte sie nicht, als Hoffmann ihnen eröffnete, daß »dies die Invasion sein müsse«. Sie hatten damit gerechnet. Nur drei von Hoffmanns sechs Booten waren klar zum Auslaufen, aber er konnte nicht warten, bis die anderen ihre Torpedos an Bord genommen hatten. Wenige Minuten später verließen die drei kleinen Boote Le Havre. Auf der Kommandobrücke von T-28 spähte der vierunddreißig Jahre alte Hoffmann in die Nacht hinaus, die weiße Seemannsmütze wie üblich in den Nakken geschoben. Jedes Manöver des Führerbootes wiederholend, sprangen die beiden anderen Boote hinter ihm her. Mit über dreiundzwanzig Knoten preschten sie durch die Dunkelheit – ungestüm und geradewegs der mächtigsten Flotte entgegen, die jemals aufmarschiert war.

Sie waren jetzt wenigstens im Einsatz. Keiner jedoch konnte in dieser Nacht verblüffter sein als die 1642 kriegserfahrenen Männer der harten 21. Panzerdivision, die einmal zu Rommels berühmtem Afrikakorps gehört hatte. Die Einheiten dieser Division verstopften jedes Dorf, jeden Weiler und jedes Wäldchen in einem Abschnitt knapp vierzig Kilometer südöstlich von Caën, also fast im Kampfraum selber. Die 21. war die einzige Panzerdivision, die unverzüglich gegen den britischen Luftlandeangriff hätte eingesetzt werden können, und sie war außerdem der einzige kampferprobte Truppenverband in dem ganzen Gebiet.

Seit der Alarmierung standen Offiziere und Mannschaften bei ihren Panzern und Fahrzeugen; die Motoren liefen, und alles wartete auf den Befehl zum Ausrücken. Oberst Hermann von Oppeln-Bronikowski, der das Panzerregiment der Division befehligte, begriff die Verzögerung nicht. Kurz nach zwei Uhr war er vom Kommandeur der 21., Generalleutnant Edgar Feuchtinger, geweckt worden. »Oppeln«, hatte Feuchtinger atemlos ins Telefon gerufen, »stellen Sie sich das vor: Die sind gelandet!« Er hatte von Oppeln-Bronikowski über die Lage orientiert und ihm gesagt, daß die Division nach Eintreffen des Einsatzbefehls »den Raum zwischen Caën und der Küste sofort säubern« werde. Aber keine neue Nachricht war seitdem eingetroffen. In wachsender Wut und Ungeduld wartete Bronikowski weiter.

Die rätselhaftesten Befehle empfing viele Kilometer entfernt der Oberstleutnant der Luftwaffe, Priller. Er und sein Rottenkamerad Feldwebel Wodarczyk, waren gegen ein Uhr auf dem nun verlassen daliegenden Flugplatz des 26. Jagdgeschwaders bei Lille in ihre Betten gestolpert. Ihren Zorn auf das Oberkommando der Luftwaffe hatten sie mit Erfolg in ein paar Flaschen vorzüglichen Kognaks ersäuft. Nun hörte Priller in seinem trunkenen Schlaf wie aus weiter Ferne das Telefon klingeln. Langsam kam er zu sich, und seine linke Hand tastete nach dem Fernsprecher auf dem Nachttisch.

Jagdkommando II war an der Leitung. »Priller«, sagte der Ia, »es sieht danach aus, als ob so etwas wie eine Invasion in Gang wäre. Ich schlage vor, Sie machen Ihr Geschwader startklar.«

Pips Priller schlief noch halb, was ihn nicht daran hinderte, prompt in einen neuen Wutanfall auszubrechen. Die seinem Kommando unterstehenden 124 Maschinen waren am vorhergehenden Nachmittag aus dem Raum um Lille abgezogen worden, und nun geschah genau das, was Priller befürchtet hatte. Was er im einzelnen am Telefon vorbrachte, läßt sich, wie er sich selber erinnert, nicht gut drucken, aber nachdem er dem Anrufer seine Meinung über das Jagdkommando und das gesamte Oberkommando der Luftwaffe dargelegt hatte, brüllte er: »Wen, verdammt noch eins, soll ich denn wohl startklar machen? *Ich* bin startklar! Wodarczyk ist startklar! Und ihr Klotzköpfe wißt genau, daß ich nur noch lumpige zwei Maschinen habe!« Damit knallte er den Hörer auf die Gabel.

Ein paar Minuten später klingelte das Telefon schon wieder. »Sonst noch was?« schrie Priller. Derselbe Offizier war am Apparat. »Mein lieber Priller«, sagte er, »es tut mir außerordentlich leid, aber es war alles ein Irrtum. Man hat uns falsch informiert. Alles ist in Ordnung – von Invasion keine Spur!« Priller brachte vor Wut kein Wort heraus. Was ihn noch mehr ärgerte: Er konnte nicht wieder einschlafen.

Trotz Verwirrung, Zaudern und Unentschlossenheit bei den höheren Kommandostellen reagierten die deutschen Soldaten, die tatsächlich Feindberührung hatten, sehr rasch. Tausende von Männern befanden sich bereits im Einsatz, und im Gegensatz zu den Generälen der Heeresgruppe B und des OB West hegten sie nicht die geringsten Zweifel, daß sie es allen Ernstes mit der Invasion zu tun hatten. Seit dem Absprung der ersten Briten und Amerikaner hatten viele von ihnen sich in örtlichen Nahkämpfen geschlagen. Weitere Tausende von Soldaten warteten in höchster Alarmbereitschaft hinter den drohenden Küstenbefestigungen, entschlossen, und auch ein wenig furchtsam, eine Invasion zurückzuschlagen, wo immer sie ansetzen mochte. Im Hauptquartier der 7. Armee rief der einzige höhere Truppenführer, der sich nichts weismachen ließ, seinen Stab zusammen. In dem hellerleuchteten Lagezimmer stand Generalmajor Pemsel vor seinen Offizieren. Seine Stimme war so ruhig und gesammelt wie immer. Nur seine Worte verrieten die tiefe Besorgnis, die ihn bewegte. »Meine Herren«, sagte er, »ich bin überzeugt, daß im Morgengrauen bei uns die Invasion beginnt. Unsere Zukunft hängt davon ab, wie wir heute kämpfen. Ich erwarte von Ihnen, daß Sie sich voll und ganz einsetzen.«

Der Mann, der vielleicht Pemsels Meinung geteilt hätte – denn er hatte als Armeeführer manch eine Schlacht gewonnen dank seiner fast übernatürlichen Fähigkeit, auch die verworrenste Lage zu durchschauen –, war in Deutschland, achthundert Kilometer entfernt, und schlief. Bei der Heeresgruppe B hielt man die Situation noch nicht für ernst genug, um Generalfeldmarschall Erwin Rommel zu benachrichtigen.

VI

Die ersten Verstärkungen hatten die Luftlandeverbände bereits erreicht. Im Abschnitt der britischen 6. Luftlandedivision waren neunundsechzig Lastensegler gelandet, davon neunundvierzig genau auf der vorgesehenen Landebahn bei Ranville. Kleinere Lastenseglereinheiten waren schon vorher eingeflogen, unter anderem Major Howards Stoßtrupp an den Brücken und ein Verband mit schweren Waffen für die Division, aber dies war der größte Lastenseglerzug. Die Pioniere hatten gute Arbeit geleistet. Die Zeit reichte nicht, um die Gleitbahn in ihrer gesamten Länge und Breite von sämtlichen Hindernissen freizuräumen, aber genug davon waren weggesprengt worden, um eine Landung der Nachschubeinheiten zu ermöglichen. Nach der Ankunft der Lastensegler bot das Landegebiet einen fantastischen Anblick. Im Mondlicht sah es aus wie ein von Dali gemalter Friedhof. Überall lagen zertrümmerte Maschinen mit zerknüllten Tragflächen, zusammengequetschten Kabinen und grotesk verbogenen Leitwerken. Unmöglich schien es, daß irgend jemand die krachenden und splitternden Bruchlandungen überlebt haben sollte, aber die Verluste waren niedrig. Mehr Männer waren durch Flakfeuer verwundet worden als bei der Landung.

Mit dem Lastenseglerzug waren der Kommandeur der 6. Luftlandedivision, Generalmajor Richard Gale, und sein Stab eingetroffen und dazu neue Truppen, schwere Ausrüstung und die über alles wichtigen Pakgeschütze. Die Männer, die in Scharen aus den Maschinen kletterten, hatten damit gerechnet, daß die Landebahn unter dauerndem feindlichem Beschuß liegen würde, statt dessen gerieten sie in eine seltsame ländliche Stille. Feldwebel John Hutley, der eine »Horsa« steuerte, hatte einen heißen Empfang erwartet und seinem zweiten Flugzeugführer geraten: »Sobald wir aufsetzen – raus und schleunigst Deckung suchen!« Aber von Kampfhandlungen war nichts zu merken; nur in der Ferne konnte Hutley das bunte Aufblitzen der Leuchtspurgeschosse sehen, und aus der Nähe von Ranville klang Maschinengewehrknattern herüber. Um ihn herum auf dem Landeplatz herrschte emsige Geschäftigkeit. Die Männer bargen Waffen und Geräte aus den zertrümmerten Lastenseglern und kuppelten die Pakgeschütze hinter Jeeps. Nun, da der Flug glücklich vorbei war, herrschte eine fast fröhliche Stimmung. Hutley und die Männer, die er hereingeflogen hatte, machten es sich in der eingedrückten Kabine ihres Lastenseglers bei einer Tasse Tee bequem, bevor sie sich nach Ranville in Marsch setzten.

Am anderen Rand des Kampfraumes in der Normandie, auf der Halbinsel Cotentin, flogen nun die ersten amerikanischen Lastenseglerzüge ein. Auf dem Sitz des zweiten Flugzeugführers in der Führungsmaschine der 101. Division saß der stellvertretende Divisionskommandeur, Brigadegeneral Don Pratt – der Offizier, der in England solch einen heillosen Schrecken bekommen hatte, als jemand eine Mütze neben ihm aufs Bett warf. Pratt freute sich dem Vernehmen nach »wie ein Schuljunge« über seinen ersten Flug in einem Segler. Hinter seiner Maschine flogen in Viererstaffeln insgesamt zweiundfünfzig Segler, jeder von einer Dakota geschleppt. Der Lastenseglerzug beförderte Jeeps, Pakgeschütze, eine komplette Luftlande-Sanitätseinheit und sogar einen kleinen Bulldozer. Oben auf die Nase von Pratts Segler war eine große »1« gemalt. Ein riesiger »Schreiender Adler«, das Abzeichen der 101., und eine amerikanische Flagge schmückten die Segeltuchbespannung zu beiden Seiten der Flugzeugführerkanzel. In derselben Staffel blickte Sanitätsfeldwebel Emile Natalle auf krepierende Granaten und brennende Fahrzeuge hinunter und sah »eine Feuerwand zur Begrüßung auf uns zukommen«. Immer noch an ihre Schleppmaschinen gekuppelt, ruckten die Segler hin und her, als sie durch Flakbeschuß jagten, der »so dicht war, daß man darauf hätte landen können«.

Im Gegensatz zu den Transportmaschinen der Fallschirmjäger flogen die Lastensegler vom Kanal her ein und näherten sich der Halbinsel von Osten. Wenige Sekunden nach Überfliegen der Küste erblickten sie die Kennlichter des Landeplatzes Hiesville, etwa sechs Kilometer von Ste.-Mère-Eglise entfernt. Nacheinander klinkten die fast dreihundert Meter langen Nylon-Schleppseile aus, und die Segler sausten pfeifend abwärts. Natalles Segler schoß über den Landeraum hinaus und kam in einem mit »Rommel-Spargeln« gespickten Feld zu Bruch – zwischen Reihen von dicken Pfählen, die zur Abwehr von Lastenseglerlandungen in den Boden getrieben worden waren. In seinem Jeep im Innern des Lastenseglers sitzend, spähte Natalle zu einem der kleinen Fenster hinaus und sah entsetzt und fasziniert zu, wie die Tragflächen abrasiert wurden und die Pfähle vorbeiflitzten. Dann gab es einen Ruck, und der Segler zerbrach in zwei Teile – unmittelbar hinter dem Jeep, in dem Natalle saß. »Das Ausladen wurde dadurch sehr einfach«, erzählte er.

Ganz in der Nähe lag das Wrack des Lastenseglers mit der Nummer 1. Seine Bremsen hatten die Schußfahrt im 160-km-Tempo, mit dem er eine abschüssige Wiese hinunterrutschte, nicht aufhalten können, und er war kopfüber in eine Hecke gekracht. Natalie fand den Flugzeugführer, der aus seiner Kanzel geschleudert worden war, in der Hecke. Er hatte beide Beine gebrochen. Brigadegeneral Pratt war von dem zerknickten Gerippe zermalmt und sofort getötet worden. Er war von beiden Seiten der erste Offizier im Generalsrang, der am Tage der Landung fiel.

Pratt gehörte zu den wenigen Opfern, die die Landung der 101. Division kostete. Fast alle Segler der Division kamen auf ihrem Landefeld bei Hiesville oder doch in seiner Nähe herunter. Zwar wurden die meisten zertrümmert, aber Waffen und Geräte kamen zum größten Teil unversehrt an. Es war eine beachtliche Leistung.

Nur wenige der Flugzeugführer hatten mehr als drei oder vier Übungslandungen hinter sich, und diese waren außerdem sämtlich bei Tageslicht geflogen worden.[1]

Die 82. Division hatte nicht das Glück der 101. Die Unerfahrenheit der Piloten führte bei der Landung des aus fünfzig Seglern bestehenden Zuges der 82. beinahe zu einer Katastrophe. Weniger als die Hälfte der Staffeln fand die richtige Landezone nordwestlich von Ste.-Mère-Eglise; der Rest raste in Hecken und Häuser, tauchte in Flüsse ein oder landete in den Sümpfen des Merderet. Ausrüstung und Fahrzeuge, die man so dringend benötigte, lagen überall verstreut herum, und die Verluste waren hoch. Allein achtzehn Flugzeugführer kamen in den ersten paar Minuten um. Ein mit Soldaten vollbeladener Lastensegler sauste unmittelbar über Hauptmann Robert Piper, den Adjutanten des Regiments 505 hinweg, und zu seinem Entsetzen »riß er im Abtrudeln den Schornstein eines Hauses weg, stürzte in den Hinterhof, überschlug sich dort und krachte in eine Mauer. Nicht einmal ein Stöhnen hörte man noch aus dem Wrack.«

Für die hart bedrängte 82. Division war es ein großes Unglück, daß der Lastenseglerzug so weit verstreut zur Erde kam. Stunden würde man brauchen, um die wenigen Geschütze und Nachschubgüter, die heil eingetrof-

1 Segelflieger waren knapp. »Anfangs glaubten wir nicht, daß wir genug zur Verfügung haben würden«, erinnert sich General Gavin. »Bei der Invasion saß in jedem Segler auf dem Sitz des zweiten Flugzeugführers ein Luftlandesoldat. Es klingt unglaublich, aber diese Soldaten waren weder im Fliegen noch im Landen von Lastenseglern ausgebildet. Einige von ihnen saßen plötzlich da mit einem verwundeten Flugzeugführer und einem vollgeladenen Segler, als sie am 6. Juni durch schwerstes Flakfeuer abwärts sausten. Zum Glück war der Segelflugzeugtyp, den wir einsetzten, nicht allzu schwer zu fliegen und aufzusetzen. Aber zum erstenmal unter Beschuß dazu gezwungen zu sein – das war das reinste Strafgericht; da konnte man das Beten lernen.«

fen waren, zu bergen. In der Zwischenzeit mußten die Männer mit den Waffen weiterkämpfen, die sie bei sich trugen. Aber das war schließlich die den Fallschirmjägern vertraute Taktik: Sie kämpften mit dem, was zur Hand war, bis sie abgelöst wurden.

Die Männer der 82. Division, die den landeinwärts gelegenen Teil des Luftlandekopfes hielten – die Brükken über die Douve und den Merderet –, waren nun in Stellung gegangen und bereits in Kampfhandlungen mit deutschen Einheiten verwickelt. Diese Fallschirmjäger besaßen keine Fahrzeuge, keine Pakgeschütze, nur wenige Raketenwerfer, Maschinengewehre und Granatwerfer. Was noch schlimmer war: Sie hatten keine Nachrichtenverbindung. Sie wußten nicht, was sich um sie herum tat, welche Stellungen gehalten und welche Kampfziele genommen wurden. Den Männern der 101. Division erging es nicht anders, nur hatte das Kriegsglück ihnen den größten Teil ihrer Ausrüstung erhalten. Die Soldaten beider Divisionen waren immer noch weit verstreut und voneinander getrennt, aber kleine Gruppen kämpften sich nun in Richtung auf die Hauptangriffspunkte vor, und die ersten Widerstandsnester fielen.

In Ste.-Mère-Eglise sahen die völlig verblüfften Einwohner durch die Ritzen ihrer geschlossenen Fensterläden zu, wie Fallschirmjäger vom 505. Regiment der 82. Division vorsichtig durch die leeren Straßen schlichen. Die Glocke der Kirche schwieg nun. An der Kirchturmspitze hing John Steeles Fallschirm, und dann und wann züngelten Flammen aus der glühenden Asche in Monsieur Hairons Villa und ließen für einen Augenblick die Bäume auf dem Platz aus der Dunkelheit heraustreten. Von Zeit zu Zeit flog mit einem bösen Pfeifen die Kugel eines Scharfschützen durch die Nacht, aber das war der einzige Laut; überall herrschte eine unbehagliche Stille.

Oberstleutnant Edward Krause, der den Angriff leitete, hatte mit einem harten Kampf um Ste.-Mère-Eglise gerechnet, aber es stellte sich heraus, daß die deutsche Besatzung – von ein paar Scharfschützen abgesehen – abgerückt war. Krauses Leute machten sich die Lage sofort zunutze: Sie besetzten mehrere Gebäude, errichteten Straßensperren, buddelten Maschinengewehrlöcher und zerschnitten Telefonkabel und -drähte. Andere Gruppen durchkämmten langsam die restliche Stadt. Wie Schatten drangen sie von Hecke zu Hecke, von Haustür zu Haustür vor und trafen schließlich alle im Mittelpunkt der Stadt, auf der Place de l'Eglise, zusammen.

Hinten um die Kirche herum erreichte Gefreiter William Tucker den Platz, und er baute sein Maschinengewehr hinter einem Baum auf. Als er dann den mondbeschienenen Platz mit den Augen absuchte, erblickte er einen Fallschirm und daneben einen toten Deutschen. Auf der gegenüberliegenden Seite lagen, zusammengekrümmt oder lang hingestreckt, weitere Leichen. Tukker saß da im Halbdunkel und versuchte herauszufinden, was hier geschehen sein konnte. Mehr und mehr beschlich ihn das Gefühl, daß er nicht allein war – daß jemand hinter ihm stand. Er packte das lästige Maschinengewehr und drehte sich rasch herum. Genau vor seinen Augen pendelte ein Paar Schuhe langsam hin und her. Hastig ging Tucker einen Schritt zurück. Ein toter Fallschirmjäger hing in dem Baum und blickte auf ihn herab.

Nun erschienen noch weitere Fallschirmjäger auf dem Platz, und plötzlich sahen auch sie die in den Bäumen hängenden Leichen. Leutnant Gus Sanders erinnert sich, daß »die Männer wie angewurzelt dastanden, von unbändigem Zorn gepackt«. Oberstleutnant Krause traf auf dem Platz ein. Er blieb stehen und blickte zu den toten Fallschirmjägern hinauf und sagte nur drei Worte: »O mein Gott!«

Dann zog Krause eine amerikanische Flagge aus der Tasche. Sie war alt und verschlissen – die Flagge, die das Regiment 505 in Neapel gehißt hatte. Krause hatte seinen Männern versprochen, daß »diese Fahne vor Morgengrauen am Tage der Landung über Ste.-Mère-Eglise flattern wird«. Er ging zum Rathaus hinüber und zog die Flagge an dem Fahnenmast neben dem Eingang hoch. Feierlichkeiten gab es nicht. Auf dem Platz der toten Fallschirmjäger war der Kampf zu Ende. Die amerikanischen Farben wehten über der ersten Stadt, die von den Amerikanern in Frankreich befreit wurde.

Im Hauptquartier der deutschen 7. Armee in Le Mans ging eine Meldung vom 84. Armeekorps des General Marcks ein. Sie lautete: »Verbindung mit Ste.-Mère-Eglise abgeschnitten ...« Es war 4 Uhr 30.

Die St.-Marcouf-Inseln sind zwei kahle Felsen etwa drei Seemeilen vor dem Strandabschnitt »Utah«. In dem gewaltigen, verwickelten Invasionsplan waren die Inseln bis etwa drei Wochen vor dem Tag der Landung übersehen worden. Dann jedoch war im Hauptquartier des Oberbefehlshabers der Verdacht aufgetaucht, daß auf ihnen schwere Artillerie in Stellung gegangen sein könnte. Die Inseln nun noch zu ignorieren, bedeutete ein Risiko, das niemand auf sich nehmen wollte. In aller Eile wurden 132 Männer von der amerikanischen 4. und 24. Kavallerieschwadron für einen Sturm vor der Stunde X ausgebildet. Diese Männer landeten gegen 4 Uhr 30 auf den beiden Inseln. Sie fanden keine Geschütze, keine Truppen – nur einen plötzlichen Tod. Denn sobald Oberstleutnant Edward C. Dunns Leute vom Ufer ins Innere vordrangen, gerieten sie in ein abscheuliches Labyrinth von Minenfeldern. Schützenminen – die beim Betreten in die Luft springen und dem Angreifer einen ganzen Kugelregen in den Leib jagen – waren wie Grassamen gesät worden. Schon nach wenigen Minuten zerrissen die Blitze der Detonationen und die Schreie der zerfetzten Männer die Nacht. Drei Leutnants wurden fast unmittelbar nach der Landung verwundet, zwei Soldaten getötet, und Oberleutnant Alfred Rubin, der ebenfalls eine Verwundung erlitt, sollte niemals den Anblick eines Mannes vergessen, der »auf der Erde lag und Kugeln auskotzte«. Am Ende des Tages würden ihre Verluste neunzehn Tote und Verwundete betragen. Von Toten und Sterbenden umgeben, ließ Oberstleutnant Dunn das Erfolgssignal funken: »Auftrag ausgeführt«. Dunns Leute waren die ersten alliierten Soldaten, die von See her zum Sturm auf Hitlers Europa ansetzten. Aber im großen Gang der Ereignisse stellte ihr Unternehmen lediglich eine Fußnote zum Tag der Landung dar, einen bitteren, nutzlosen Sieg.

Im britischen Abschnitt, fast an der Küste und etwa fünf Kilometer östlich des Strandabschnitts »Sword«, lagen Oberstleutnant Terence Otway und seine Leute unter schwerem Maschinengewehrfeuer am Rande des Stacheldrahtverhaus und der Minenfelder, die die schwere Batterie von Merville beschützten. Otway befand sich in einer verzweifelten Lage. In all den Monaten der Ausbildung hatte er niemals damit gerechnet, daß alle Phasen seines bis ins kleinste verzahnten Sturmangriffs auf der Erde und aus der Luft genau nach Plan verlaufen würden. Aber daß der Plan völlig zusammenbrechen würde, hatte er ebenfalls nicht erwartet. Genau das jedoch war passiert.

Der Bombenangriff hatte keinen Erfolg gehabt. Der Lastenseglerzug war verlorengegangen und mit ihm Artillerie, Flammenwerfer, Granatwerfer, Minensuchgeräte und Sturmleitern. Von seinem siebenhundert Mann starken Bataillon hatte Otway nur hundertfünfzig Soldaten gefunden, und diese Soldaten besaßen für den Angriff auf die mit zweihundert Mann besetzte Batterie nichts als ihre Karabiner, Maschinenpistolen,

Handgranaten, ein paar »Bangalore«-Torpedos und ein schweres Maschinengewehr. Dank ihrer Improvisationsgabe waren Otways Leute trotz all dieser Hindernisse mit jedem Problem fertig geworden.

Mit Drahtscheren hatten sie bereits Schneisen in den äußeren Stacheldrahtverhau geschnitten und ihre paar »Bangalore«-Torpedos zur Sprengung des restlichen Stückes in Stellung gebracht. Ein Trupp hatte einen minenfreien Pfad durch die Minenfelder gebahnt. Das war eine kitzlige Sache gewesen. Die Männer waren auf Händen und Knien über die im hellen Mondlicht liegenden Zugänge zu der Batterie gekrochen und hatten dabei das Gelände nach Stolperdrähten abgetastet und mit dem Bajonett vor sich in die Erde gestochen. Nun kauerten Otways hundertfünfzig Männer in Gräben und Bombentrichtern und hinter Hecken und warteten auf den Befehl zum Sturm. Der Kommandeur der 6. Luftlandedivision, Generalmajor Gale, hatte Otway aufgetragen: »Ihre Einstellung muß sein, daß an einen Fehlschlag des Sturmangriffs einfach nicht zu denken ist …« Als Otway sich nun nach seinen Männern umsah, wußte er, daß die Verluste groß sein würden. Aber die Geschütze der Batterie mußten unter allen Umständen zum Schweigen gebracht werden – sie konnten ein Gemetzel unter den auf dem Strandabschnitt »Sword« landenden Truppen anrichten. Otway hielt die Situation für außerordentlich kritisch, aber es gab keinen anderen Ausweg. Er mußte angreifen, soviel stand fest. Und ebenso stand fest, daß der letzte Teil seines sorgfältig durchdachten Planes ebenfalls zum Scheitern verurteilt war. Die drei Lastensegler, die beim Einsetzen des Sturmangriffs auf der Batterie bruchlanden sollten, würden nur anfliegen, wenn sie das Signal dazu erhielten – eine aus einem Granatwerfer abgefeuerte Granate mit Leuchtkugeln. Otway besaß weder die Granate noch den Werfer. Er hatte Patronen für eine Leuchtpistole, aber sie durften nur benutzt werden, um den Erfolg des Angriffs zu melden. Damit schwand die letzte Aussicht auf Hilfe.

Die Lastensegler tauchten pünktlich auf. Die Schleppflugzeuge blinkten mit ihren Landescheinwerfern und klinkten dann die Segler aus. Es waren nur zwei Segler, jeder mit etwa zwanzig Mann. Der dritte hatte sich über dem Kanal von seinem Schleppseil gelöst und war wohlbehalten nach England zurückgesegelt. Nun hörten die Fallschirmjäger das leise Rauschen der Segelflugzeuge, die über die Batterie hinwegflogen. Hilflos sah Otway zu, wie sie – als Silhouetten vor dem Mond – allmählich an Höhe verloren und hin und her kurvten, während ihre Piloten nach dem Signal suchten, daß er nicht abschießen konnte. Als die Segler tiefer kreisten, eröffneten die Deutschen das Feuer. Die Maschinengewehre, die bisher die Fallschirmjäger niedergehalten hatten, richteten sich nun auf die Segelflugzeuge. Garben von 2-cm-Leuchtspurgeschossen durchlöcherten die ungeschützten Segeltuchwände. Die Flugzeuge kreisten weiter, wie der Plan es vorsah, und hielten verbissen nach dem Signal Ausschau. Und Otway, dem in seiner Qual die Tränen nahe waren, konnte nichts unternehmen.

Schließlich gaben die Segelflugzeuge es auf. Eins drehte ab und landete etwa sechs Kilometer entfernt. Das andere flog so niedrig über die in banger Sorge wartenden Fallschirmjäger hinweg, daß die Soldaten Alan Mower und Pat Hawkins glaubten, es müsse in die Batterie hineinsausen. Aber im letzten Augenblick zog es hoch und krachte statt dessen in einen Wald in der Nähe. Unwillkürlich sprangen ein paar der Männer aus der Deckung hoch, um den Überlebenden zu Hilfe zu eilen. Aber sie wurden sofort zurückgerufen. »Keiner rührt sich! Keiner verläßt seinen Posten!« flüsterten die besorgten Offiziere. Jetzt brauchte man auf nichts mehr zu warten. Otway gab das Zeichen zum Sturm. Fallschirmjäger Mower hörte ihn brüllen: »Alles ran! Wir knacken diese verdammte Batterie!«

Und sie gingen ran.

Mit ohrenbetäubendem Krachen rissen die »Bangalore«-Torpedos große Löcher in den Stacheldraht. Leutnant Mike Dowling schrie: »Los, vorwärts! Vorwärts!« Noch einmal schmetterte ein Jagdhorn durch die Nacht. Brüllend und schießend sprangen Otways Fallschirmjäger in den Qualm der Explosionen und preschten durch die Drahtlücken. Vor ihnen, jenseits des Niemandslandes aus Minenfeldern, bemannten Gräben und Maschinengewehrnestern, stieg drohend die Batterie auf. Plötzlich krepierten rote Leuchtgranaten über den vorstürmenden Fallschirmjägern, und im selben Augenblick schlug ihnen heftiges Feuer aus Maschinengewehren, Maschinenpistolen und Karabinern entgegen. Durch den tödlichen Kugelregen krochen und robbten die Fallschirmjäger, rannten, warfen sich lang hin, sprangen auf und stürmten weiter. Sie stolperten in Granattrichter hinein, rappelten sich hoch und gingen von neuem vor. Minen explodierten. Soldat Mower hörte einen Aufschrei, und dann brüllte jemand: »Halt, halt! Hier ist alles voller Minen!« Zu seiner Rechten sah Mower einen schwerverwundeten Feldwebel auf der Erde sitzen und andere Männer von sich weg winken. »Nicht zu mir kommen!« rief er. »Nicht zu mir kommen!«

Durch Schießen, Minenexplosionen und das Gebrüll der Männer klang unverdrossen das Jagdhorn, das Oberleutnant Alan Jefferson ganz vorn an der Spitze blies. Plötzlich sah Fallschirmjäger Sid Capon eine Mine hochgehen und Jefferson zusammenbrechen. Er lief zu dem Oberleutnant hin, aber Jefferson rief ihm zu: »Vorwärts, Mann, vorwärts!« Dann setzte er, auf dem Boden liegend, das Horn wieder an die Lippen und blies weiter. Unter Brüllen und Schreien und dem Aufblitzen von Handgranaten sprangen die Fallschirmjäger nun in die Gräben und kämpften von Mann zu Mann mit dem Gegner. Als Soldat Capon einen der Gräben erreichte, sah er sich plötzlich zwei Deutschen gegenüber. Zum Zeichen, daß er sich ergeben wollte, hielt einer der beiden schnell einen Sanitätskasten mit Rotem Kreuz hoch und sagte: »Russki, Russki!« Die beiden waren russische »Freiwillige«. Einen Augenblick lang wußte Capon nicht, was er machen sollte. Dann sah er, daß auch andere Deutsche sich ergaben und von Fallschirmjägern durch den Graben abgeführt wurden. Er lieferte seine beiden Gefangenen ab und nahm wieder Richtung auf die Batterie.

Hier kämpften Otway, Oberleutnant Dowling und etwa vierzig Mann bereits erbittert. Fallschirmjäger, die Gräben aufgerollt und Maschinengewehrnester ausgeräumt hatten, liefen nun um die mit Erde angeschütteten Betonbefestigungen herum, leerten ihre Maschinenpistolen in die Schlitze und warfen Handgranaten hinein. Es war ein wilder, blutiger Kampf. Mower, Hawkins und ein Maschinengewehrschütze rasten durch einen Hagel von Granatwerfer- und Maschinengewehrfeuer, erreichten eine Seite der Geschützstellungen, entdeckten eine offene Tür und stürmten ins Innere. Ein toter deutscher Kanonier lag im Gang; sonst schien niemand dazusein. Mower ließ die anderen beiden an der Tür zurück und ging weiter den Gang hinunter. Er gelangte in einen großen Raum, in dem auf einer Plattform ein schweres Feldgeschütz stand. Neben ihm türmte sich ein großer Stapel von Granaten. Mower rannte zu seinen Kameraden zurück und entwikkelte ihnen aufgeregt seinen Plan: »Handgranaten zwischen die Granaten werfen und den ganzen Laden in die Luft jagen!« Aber sie kamen nicht dazu. Während die drei Männer noch miteinander sprachen, erfolgte eine heftige Explosion. Der Maschinengewehrschütze war auf der Stelle tot. Hawkins erhielt einen Treffer im Magen. Mower glaubte, sein Rücken sei »von tausend weißglühenden Nadeln aufgerissen« worden. Er verlor die Macht über seine Beine. Sie zuckten unwillkürlich – so wie er Tote hatte zucken sehen. Mower war überzeugt, daß er sterben mußte, und er wollte so nicht enden und fing an, um Hilfe zu rufen. Er rief nach seiner Mutter.

An einer anderen Stelle innerhalb der Batterie ergaben sich die Deutschen. Fallschirmjäger Capon stieß gerade rechtzeitig zu Dowlings Leuten, um mit anzusehen, wie »die Deutschen sich gegenseitig zur Tür hinausschubsten und geradezu darum bettelten, sich ergeben zu dürfen«. Dowling und seine Männer sprengten die Rohre von zwei Geschützen, indem sie durch jedes Rohr zwei Granaten gleichzeitig abfeuerten, und die beiden anderen setzten sie fürs erste außer Gefecht. Dann fand Dowling Otway. Er stand vor dem Oberstleutnant, die rechte Hand gegen die linke Brustseite gepreßt. »Batterie wie befohlen genommen!« meldete er. Der Kampf war vorbei; nicht länger als eine Viertelstunde hatte er gedauert. Mit der Leuchtpistole feuerte Otway eine gelbe Rakete ab – das Erfolgssignal. Es wurde von einem Artillerieflieger der RAF gesehen und an den vor der Küste liegenden Kreuzer HMS *Arethusa* gefunkt. Der Kreuzer erhielt die Nachricht genau eine Viertelstunde, bevor er mit dem Beschuß der Batterie beginnen sollte. Gleichzeitig schickte Otways Nachrichtenoffizier eine Bestätigung der Meldung mit einer Brieftaube ab. Er hatte den Vogel während des ganzen Gefechtes bei sich getragen. In einer Plastikkapsel an seinem Bein steckte ein Papierstreifen mit dem Codewort »Hammer«. Wenige Augenblicke später stieß Otway auf den leblosen Körper Oberleutnant Dowlings. Er war im Sterben gewesen, als er Meldung machte.

Otway zog sein schwer angeschlagenes Bataillon aus der blutigen Batterie von Merville zurück. Er hatte keinen Auftrag, die Stellung zu halten, nachdem die Geschütze unschädlich gemacht worden waren. Seine Männer hatten noch andere Aufgaben am Tag der Landung zu erfüllen. Sie machten nur zweiundzwanzig Gefangene. Von den zweihundert Deutschen waren nicht weniger als hundertachtundsiebzig tot oder tödlich verwundet, und Otway hatte fast die Hälfte seiner Männer verloren – siebzig Tote und Verwundete. Die Ironie des Schicksals wollte es, daß die vier Geschütze nur halb so schwer waren wie berichtet. Und in weniger als achtundvierzig Stunden sollten die Deutschen wieder in der Batterie zurück sein und mit zwei Geschützen den Strand unter Feuer nehmen. Aber in den unmittelbar bevorstehenden kritischen Stunden würde die Batterie verlassen und stumm daliegen.

Die meisten Schwerverwundeten mußten zurückgelassen werden, denn Otways Leute hatten weder genügend Verbandszeug noch irgendwelche Sanitätsfahrzeuge. Mower wurde auf einem Brett aus der Batterie getragen. Hawkins hatte es so böse erwischt, daß er nicht transportiert werden konnte. Beide Männer sollten mit dem Leben davonkommen – selbst Mower mit siebenundfünfzig Splittern im Leib. Mower erinnert sich, daß er beim Rückzug aus der Batterie als letztes Hawkins schreien hörte: »Laßt mich um Gottes willen nicht hier liegen, Kameraden!« Dann wurde die Stimme schwächer und schwächer, und Mower dämmerte in barmherzige Bewußtlosigkeit hinüber.

Es war nun fast hell – die Morgendämmerung begann, als die achtzehntausend Fallschirmjäger ihre Ziele erreichten. In weniger als fünf Stunden hatten sie die Erwartungen General Eisenhowers und seiner Kommandeure mehr als erfüllt. Die Luftlandetruppen hatten den Gegner verwirrt, sein Nachrichtennetz zerstört, und nun hielten sie die beiden Flanken des Invasionsgebietes in der Normandie und vereitelten so in hohem Maße das Vorziehen feindlicher Verstärkungen.

Im britischen Abschnitt hatte sich Major Howards Luftlande-Stoßtrupp zu beiden Seiten der entscheidend wichtigen Brücken über die Orne und den Caën-Kanal festgesetzt. Bis zum Morgengrauen würden die fünf Übergänge über den Dives zerstört sein. Oberstleutnant Otway und sein zusammengeschrumpftes Bataillon hatten die Batterie von Merville außer Gefecht gesetzt, und Fallschirmjäger lagen nun in Stellungen auf den Höhen um Caën. Die Briten hatten also ihre wichtigsten Aufträge erledigt, und solange sich die verschiedenen Hauptverkehrswege halten ließen, würden deutsche Gegenangriffe verzögert oder sogar ganz aufgehalten werden können.

Am anderen Ende der fünf Landeabschnitte in der Normandie waren die Amerikaner trotz des schwierigen Geländes und der größeren Vielfalt ihrer Aufträge nicht weniger erfolgreich gewesen. Oberstleutnant Krauses Leute hielten den Hauptverkehrsknotenpunkt Ste.-Mère-Eglise. Nördlich der Stadt sperrte Oberstleutnant Vandervoorts Bataillon die Straße, die von Cherbourg zur Basis der Halbinsel führte, und hielt sich bereit, Angriffe aus dieser Richtung zurückzuschlagen. Brigadegeneral Gavin und seine Truppen hatten sich um die strategisch wichtigen Merderet- und Douveübergänge herum eingegraben und hielten den landeinwärts gelegenen Rand des Landekopfes »Utah«. General Maxwell Taylors 101. Division war immer noch weit verstreut; im Morgengrauen betrug die Stärke der Division statt 6600 nur 1100 Mann. Trotzdem waren Fallschirmjäger zu der Batterie bei St.-Martin-de-Varreville durchgestoßen. Sie mußten jedoch feststellen, daß die Geschütze ausgebaut worden waren. Andere Einheiten konnten die entscheidend wichtige Schleuse von

La Barquette, den Schlüssel zur Überflutung des gesamten unteren Endes der Halbinsel, vor sich sehen. Und wenn auch noch niemand einen der vom Landeabschnitt »Utah« landeinwärts führenden Dämme erreicht hatte, so rückten doch Gruppen von Soldaten gegen sie vor und hielten bereits den Westrand des überfluteten Gebietes unmittelbar hinter der Küste besetzt.

Die Männer der alliierten Luftlandetruppen waren aus der Luft ins europäische Festland eingefallen und hatten den vorläufigen Landekopf für die Invasion von See her sichergestellt. Nun warteten sie auf die Ankunft der auf dem Wasserwege herangebrachten Verbände, um mit ihnen zusammen in Hitlers Europa hinein vorzustoßen. Die amerikanischen Einheiten lagen bereits zwölf Seemeilen vor den Landeabschnitten »Utah« und »Omaha«. Für sie waren es bis zur Stunde X – 6 Uhr 30 – noch genau eine Stunde und fünfundvierzig Minuten.

VII

Um 4 Uhr 45 tauchte eine Seemeile vor der normannischen Küste Kapitänleutnant George Honours Kleinst-U-Boot X 23 aus einer bewegten See auf. Zwanzig Seemeilen entfernt kam sein Schwesterschiff X 20 ebenfalls an die Oberfläche. Die beiden 17,4 Meter langen Boote lagen nun genau auf Position; jedes markierte die Grenze des britisch-kanadischen Invasionsabschnittes – der Landezonen »Sword«, »Juno« und »Gold«. Nun mußten beide Besatzungen einen Mast mit einem Blinklicht aufrichten, all die anderen Funk- und Signalgeräte aufbauen und auf die ersten britischen Schiffe warten, die mit Hilfe ihrer Peilsignale die Küste anlaufen würden.

Auf X 23 stieß Honour die Luke auf und kletterte mit steifen Gliedern auf den schmalen Laufgang hinaus.

Wellen rollten über das kleine Deck, und er mußte sich festhalten, um nicht über Bord geschwemmt zu werden. Seine müde Besatzung folgte ihm ins Freie. Sie klammerten sich an die Leitseile, die Beine vom Wasser umspült, und sogen gierig die kühle Nachtluft ein. Seit den frühen Morgenstunden des 4. Juni lagen sie vor dem Strandabschnitt »Sword«; über einundzwanzig Stunden eines jeden der beiden Tage hatten sie unter Wasser zugebracht. Seit dem Auslaufen aus Portsmouth am 2. Juni waren sie insgesamt vierundsechzig Stunden unter Wasser gewesen.

Und auch jetzt war ihre schwere Aufgabe alles andere als zu Ende. Auf den britischen Landeabschnitten lag der Angriffsbeginn zwischen 7 Uhr und 7 Uhr 30. Die Zwerg-U-Boote würden also weitere zwei Stunden lang, bis die erste Welle der Landungsboote zum Sturm ansetzte, auf Position bleiben müssen. Bis dahin würden X 23 und X 20 offen an der Oberfläche liegen – kleine feste Ziele für die deutschen Küstenbatterien. Und bald würde es hell werden.

VIII

Überall warteten die Männer auf den Anbruch des Tages – niemand jedoch mit solch ängstlicher Spannung wie die Deutschen. Denn mittlerweile hatte sich ein neuer, unheildrohender Ton in den Wust von Nachrichten geschlichen, die in Rommels und von Rundstedts Hauptquartier eingingen. An der ganzen Invasionsküste nahmen Admiral Kranckes Funkmeßstationen Zeichen von Schiffen wahr – nicht nur von einigen wenigen, sondern von Hunderten. Seit über einer Stunde häuften sich die Meldungen. Kurz vor fünf Uhr rief der unermüdliche Generalmajor Pemsel von der 7. Armee schließlich

Rommels Chef des Stabes, Generalleutnant Speidel, an und erklärte unumwunden: »Schiffe sammeln sich zwischen Orne- und Viremündung. Sie lassen den Schluß zu, daß eine feindliche Landung und ein Großangriff auf die Normandie unmittelbar bevorstehen!«

In seinem Hauptquartier bei Paris war der OB West, Generalfeldmarschall von Rundstedt, mittlerweile zu einer ähnlichen Überzeugung gelangt. Zwar sah ihm der bevorstehende Angriff auf die Normandie immer noch nach einem »Ablenkungsmanöver« aus und nicht nach der eigentlichen Invasion. Trotzdem hatte von Rundstedt rasch gehandelt. Er hatte bereits zwei kampfstarken Panzerdivisionen – der 12. SS-Panzerdivision und der Panzer-Lehrdivision, die beide in der Nähe von Paris in Reserve lagen – den Befehl erteilt, sich unverzüglich zur Küste in Marsch zu setzen. Theoretisch unterstanden diese Divisionen beide Hitlers Hauptquartier, dem OKW, und niemand konnte ohne ausdrückliche Zustimmung des Führers über sie verfügen. Aber Rundstedt hatte es riskiert; er konnte sich nicht vorstellen, daß Hitler Einwände haben oder einen Gegenbefehl erteilen würde. Nun, da er überzeugt war, daß alle Anzeichen auf die Normandie als den für einen »Ablenkungsangriff« der Alliierten vorgesehenen Raum hindeuteten, schickte von Rundstedt ein offizielles Gesuch um Freigabe der Panzerreserven an das OKW. »OB West«, erklärte sein Fernschreiben, »ist sich im klaren darüber, daß einem etwaigen Großangriff des Gegners nur durch sofortige Gegenmaßnahmen erfolgreich begegnet werden kann. Dazu ist eine Unterstellung aller verfügbaren strategischen Reserven erforderlich ... Es sind dies die 12. SS-Pz.-Div. und die Pz.-Lehr-Div. Falls sie umgehend bereitgestellt und möglichst früh in Marsch gesetzt werden, können sie noch im Laufe des Tages in den Kampf an der Küste eingreifen. Unter diesen Umständen bittet OB West das OKW um Freigabe der Reserven ...« Es war eine reine Formsache, eine Nachricht, die nur für die Akten bestimmt war.

In Hitlers Berchtesgadener Hauptquartier, in dem unwahrscheinlich milden Klima Südbayerns, wurde das Fernschreiben der Dienststelle Generaloberst Alfred Jodls, des Chefs des Wehrmachtführungsstabes, zugeleitet. Jodl schlief, und sein Stab hielt die Lage nicht für so bedrohlich, daß man seinen Schlaf hätte stören müssen. Die Nachricht konnte warten.

Knapp fünf Kilometer entfernt, in Hitlers »Berghof«, schliefen der Führer und seine Geliebte, Eva Braun, ebenfalls. Hitler hatte sich wie üblich um vier Uhr morgens zurückgezogen, und sein Leibarzt, Dr. Morell, hatte ihm ein Schlafmittel verabreicht, ohne das er nun nicht mehr schlafen konnte. Gegen fünf Uhr wurde Hitlers Marinesachverständiger, Admiral Karl Jesko von Puttkamer, durch einen Anruf aus Jodls Hauptquartier geweckt. Der Anrufende – von Puttkamer kann sich nicht mehr erinnern, wer es war – meldete, daß »irgendwelche Landungen in Frankreich stattgefunden hätten«. Genaues wisse man noch nicht, die ersten Meldungen, erfuhr von Puttkamer, seien »reichlich vage«. Ob von Puttkamer meine, daß man den Führer informieren solle? Die beiden Männer überlegten hin und her und beschlossen dann, Hitler nicht zu wecken. Von Puttkamer erinnert sich, daß »es ohnehin nicht viel zu berichten gab, und wir befürchteten beide, daß er, falls ich ihn um diese Zeit weckte, einen seiner endlosen hysterischen Anfälle bekommen könnte, die oft zu den wildesten Entschlüssen führten«. Von Puttkamer hielt eine Benachrichtigung des Führers am kommenden Morgen für früh genug. Er knipste das Licht aus und schlief wieder ein.

In Frankreich konnten die Generale beim OB West und bei der Heeresgruppe B nichts anderes tun als warten. Sie hatten ihre Streitkräfte alarmiert und die Panzerreserven in Marsch gesetzt; der nächste Schritt lag nun bei den Alliierten. Niemand konnte das Ausmaß des bevorstehenden Angriffs abschätzen. Niemand kannte die Größe der alliierten Flotte oder konnte sie auch nur erraten. Und obwohl alle Anzeichen auf die Normandie hindeuteten, wußte niemand genau, wo der Hauptstoß ansetzen würde. Die deutschen Generale hatten getan, was sie konnten. Nun hing alles von den Männern der Wehrmacht ab, die die Küstenstellungen verteidigten. Plötzlich waren sie bedeutend geworden. Aus den Befestigungen an der Küste blickten die Soldaten des Reiches auf die See hinaus und fragten sich vergebens, ob es sich wohl wieder einmal um eine Alarmübung oder endlich um die Invasion selber handelte.

Major Werner Pluskat hatte in seinem Bunker über dem Strandabschnitt »Omaha« seit ein Uhr nichts von seinem vorgesetzten Kommandostab gehört. Ihn fror, er war müde und aufgebracht. Er fühlte sich abgeschnitten. Er verstand einfach nicht, wieso weder aus dem Regimentsgefechtsstand noch aus dem Hauptquartier der Division Meldungen bei ihm eingegangen waren. Gewiß, die Tatsache, daß sein Telefon die ganze Nacht geschwiegen hatte, war an sich ein gutes Zeichen; es mußte bedeuten, daß sich nichts Ernsthaftes tat. Aber was hatte es mit den Fallschirmjägern auf sich, was mit den massierten Einflügen von Kampfverbänden? Pluskat wurde sein nagendes Unbehagen nicht los. Noch einmal schwenkte er das Scherenfernrohr nach links, visierte den dunklen Landstreifen der Halbinsel Cotentin an und suchte von neuem langsam den Horizont ab. Dieselben tiefliegenden Nebelbänke kamen in Sicht, dieselben Flecken schimmernden Mondlichts, dieselbe ruhlose, weißschäumende See. Nichts hatte sich geändert. Alles schien friedlich.

Im Bunker hinter Pluskat lag sein Hund Harras lang

ausgestreckt und schlief. Dicht daneben unterhielten sich Hauptmann Lutz Wilkening und Leutnant Fritz Theen leise. Pluskat setzte sich zu ihnen. »Immer noch nichts zu sehen da draußen«, sagte er. »Jetzt geb' ich's bald auf!«

Aber er ging zum Sehschlitz zurück, blickte hinaus und sah die ersten Lichtstreifen den Himmel aufhellen. Noch einmal trat er vor das Scherenfernrohr.

Müde schwenkte er das Glas wieder nach links. Langsam ging er den Horizont ab. Nun hatte er die Bucht genau vor sich. Das Scherenfernrohr drehte sich plötzlich nicht weiter. Pluskat straffte sich, spähte angestrengt durch die Linsen.

Hinter dem verflatternden, dünner werdenden Dunst füllte sich der Horizont wie durch Zauberhand mit Schiffen – mit Schiffen jeder Größe und jeder Art, mit Schiffen, die in aller Gemütsruhe hin und her manövrierten, als ob sie schon seit Stunden dort gelegen hätten. Es sah aus, als ob es Tausende wären. Eine Geisterflotte, die aus dem Nichts aufgetaucht zu sein schien. Pluskat starrte, reglos vor ungläubigem Staunen, sprachlos und bewegt wie nie zuvor in seinem Leben. In diesem Augenblick begann die Welt des braven Soldaten Pluskat in Stücke zu brechen. Er erinnert sich, daß er gleich in diesem Augenblick mit ruhiger Bestimmtheit wußte, daß es »mit Deutschland zu Ende war«.

Zu Wilkening und Theen gewandt, sagte er mit seltsamer Gelassenheit: »Das ist die Invasion. Überzeugt euch selber!« Dann griff er nach dem Telefon und rief Major Block im Hauptquartier der 352. Division an.

»Block«, sagte Pluskat, »die Invasion kommt. Da draußen liegen mindestens zehntausend Schiffe!« Während er das sagte, merkte er selber, daß seine Worte unglaublich klingen mußten.

»Reißen Sie sich zusammen, Pluskat!« fuhr Block ihn an. »So viele Schiffe besitzen die Amerikaner und

Engländer zusammen nicht. Niemand besitzt so viele Schiffe!«

Blocks Zweifel rüttelten Pluskat aus seiner Benommenheit auf. »Wenn Sie mir nicht glauben«, schrie er plötzlich, »dann kommen Sie doch hier herauf und sehen Sie es sich selber an. Es ist fantastisch! Unglaublich!«

Block schwieg einen Atemzug lang, dann fragte er: »In welcher Richtung bewegen sich die Schiffe?«

Mit dem Telefonhörer in der Hand blickte Pluskat zur Bunkeröffnung hinaus und antwortete: »Genau auf mich zu!«

DRITTER TEIL
Der Tag

I

Solch eine Morgendämmerung hatte es noch niemals gegeben. In dem grauen, düsteren Licht lag die machtvolle alliierte Flotte in majestätischer, furchtbarer Großartigkeit vor den fünf Invasionsabschnitten in der Normandie. Auf dem Meer wimmelte es von Schiffen. Über den ganzen Horizont, vom Rand des Raumes »Utah« auf der Halbinsel Cotentin bis nach »Sword« in der Nähe der Ornemündung, schlugen ihre Flaggen im Wind. Die schweren Schlachtschiffe, die drohenden Kreuzer, die windhundgleichen Zerstörer zeichneten sich gegen den Himmel ab. Hinter ihnen lagen die gedrungenen Befehlsschiffe mit ihren Wäldern von Antennen, und dahinter schlossen die Geleitzüge der truppenschweren Transporter und der tief und träge im Wasser liegenden Landungsschiffe auf. Schwärme tanzender Landungsboote umkreisten, vollbepackt mit den Männern, die für die ersten Angriffswellen vorgesehen waren, die Truppentransporter an der Spitze und warteten auf das Zeichen zum Sturm auf die Küste.

Lärmende Geschäftigkeit hatte von der weit ausgebreiteten Ansammlung der Schiffe Besitz ergriffen. Mit pochenden, heulenden Motoren flitzten Patrouillenboote zwischen den kreisenden Sturmfahrzeugen hin und her. Schwirrende Spille luden mit schwenkendem Ladebaum Amphibienwagen aus. Die Ketten rasselten in den Davits, wo Sturmboote heruntergelassen wurden. Mit blaßgesichtigen Männern beladene Landungsboote schlugen zitternd gegen die stählernen Bordwände der Truppentransporter. Aus Lautsprechern dröhnte es: »Hintereinander bleiben! Hintereinander bleiben!« Männer des Küstenschutzes stellten die schaukelnden Landungsfahrzeuge zu Verbänden zusammen. Auf den Transportern drängten sich die Soldaten an der Reling und warteten, bis sie an der Reihe waren, um dann über schlüpfrige Leitern oder großmaschige Netze in die auf- und niedersteigenden, gischtüberspülten Landungsboote zu klettern. Und alles übertönend, klang aus den Lautsprecheranlagen der Schiffe ein steter Strom von Durchsagen und Ermahnungen: »Kämpft, um eure Leute an Land zu bringen, kämpft um eure Boote, und wenn ihr dann noch die Kraft dazu habt, kämpft um euer eigenes Leben!« – »ran, 4. Division, und macht ihnen die Hölle heiß!« – »Denkt daran: der Große Rote führt euch.« – »*Rangers*, fertigmachen!« – »Denkt an Dünkirchen! Denkt an Coventry! Gott schütze euch!« – »Nous mourrons sur le sable de notre France chérie, mais nous ne retournerons pas.« (»Wir werden auf dem Strand unseres geliebten Frankreichs sterben, aber wir werden nicht umkehren.«) – »Es ist soweit, Leute; nehmt euren Kram. Ihr habt nur Hinfahrt gelöst, und hier ist die Endstation. Los geht's, Neunundzwanziger!« Und dann die beiden Durchsagen, an die sich die meisten der Männer noch heute erinnern: »Alle Boote loswerfen!« und »Vater unser, der du bist im Himmel, geheiligt werde dein Name …«

An den dichtbesetzten Relings verließen viele Männer ihren Platz, um sich von Kameraden zu verabschieden, die mit anderen Booten angelandet wurden. Soldaten und Matrosen, die nach den vielen gemeinsam an Bord verbrachten Stunden gute Freunde geworden waren, wünschten sich gegenseitig Glück. Und Hunderte von Männern tauschten noch schnell ihre Heimatanschrift aus – »auf alle Fälle«. Unterfeldwebel Roy Stevens von der 29. Division bahnte sich seinen Weg über das vollbesetzte Deck auf der Suche nach seinem Zwillingsbruder. »Schließlich fand ich ihn«, berichtete er.

»Er lachte und streckte seine Hand aus. Ich sagte: ›Nein, wir geben uns erst die Hand, wenn wir uns in Frankreich begegnen, wie wir es ausgemacht haben.‹ Wir verabschiedeten uns voneinander, und ich habe ihn nie wiedergesehen.« Auf HMS *Prince Leopold* ging Oberleutnant Joseph Lacy, der Feldgeistliche des 5. und 2. *Ranger*-Bataillons, zwischen den wartenden Männern umher, und Gefreiter Max Coleman hörte ihn sagen: »Von jetzt an bete ich für euch. Aber was ihr heute tut, wird selber ein Gebet sein.«

Überall auf den Schiffen beschlossen die Offiziere ihre anfeuernden Ansprachen mit ein paar farbigen oder denkwürdigen Worten, die ihnen in diesem Augenblick die passendsten schienen – manchmal mit unerwartetem Ergebnis. Oberstleutnant John O'Neill, dessen Spezialtrupps von Sturmpionieren in der ersten Welle auf den Strandabschnitten »Omaha« und »Utah« landen und die Minenhindernisse beseitigen sollten, glaubte, den idealen Schluß für seine Ausschiffungsrede gefunden zu haben, als er donnerte: »Und wenn die Welt untergeht – reißt mir die verdammten Hindernisse raus!« Eine Stimme in der Nähe bemerkte: »Ich glaube, der Scheißkerl hat auch Angst!« Hauptmann Sherman Burroughs von der 29. Division erzählte Hauptmann Charles Cawthon, daß er die Absicht habe, auf dem Weg zum Strand die »Erschießung des Dan McGrew« zu rezitieren. Oberstleutnant Elzie Moore, der eine für »Utah« bestimmte Pionierbrigade anführte, hatte keine Rede vorbereitet. Statt dessen wollte er eine außerordentlich passende Stelle aus der Darstellung einer anderen Invasion in Frankreich deklamieren – eine Schlachtszene aus Shakespeares »Heinrich V.«; aber ihm fiel nur noch die erste Zeile ein. »Und wieder, liebe Freunde, in die Bresche …« Er hielt es für besser, sein Vorhaben fallenzulassen. Major C. K. King von der britischen 3. Division, der in der ersten Welle auf dem Abschnitt »Sword« landen sollte, beabsichtigte, aus demselben Schauspiel vorzulesen. Er hatte sich die Mühe gemacht, die von ihm ausgewählten Verse aufzuschreiben. Sie endeten mit den Worten: »Wer heute überlebt und heil zurückkehrt, / Steht auf den Zehen, spricht man von diesem Tag ...«

Das Tempo nahm zu. Vor den amerikanischen Strandabschnitten stießen mehr und mehr mit Truppen beladene Boote zu den Schaum werfenden Sturmfahrzeugen, die eine Runde nach der anderen um die Mutterschiffe drehten. Durchnäßt, seekrank und elend, sollten die Männer in diesen Booten über »Omaha« und »Utah« den Weg in die Normandie bahnen. Im Bereitstellungsraum war die Ausbootung nun im vollsten Schwung. Sie war ein verwickeltes, gefährliches Unternehmen. Die Soldaten schleppten so viel Gepäck, daß sie sich kaum bewegen konnten. Jeder trug einen Rettungsring und, außer Waffen, Munitionskästen, Schanzzeug, Gasmaske, Verbandzeug, Kochgeschirr, Messer und Verpflegung, noch zusätzliche Handgranaten, Sprengladungen und Munition – oft bis zu zweihundertfünfzig Schuß. Darüber hinaus waren viele Männer mit Spezialgeräten für Sonderaufträge bepackt. Einige schätzen, daß sie mindestens drei Zentner wogen, als sie über die Decks watschelten und sich zum Abstieg in die Boote fertigmachten. All der Zubehör war notwendig, aber es schien Major Gerden Johnson von der 4. Infanteriedivision, daß seine Leute »nur noch im Schildkrötentempo« vorwärts kamen. Oberleutnant Bill Williams von der 29. hielt seine Männer für so überladen, daß sie »kaum noch würden kämpfen können«, und Soldat Rudolph Mozgo blickte über die Reling seines Truppentransporters auf die Landungsboote hinunter, die gegen die Bordwand krachten und sich mit den Wellen hoben und senkten, daß einem schlecht werden konnte, und kam zu dem

Schluß, daß »die Schlacht schon halb gewonnen sei«, wenn er mit seinem Gepäck nur erst einmal in einem der Boote verstaut wäre.

Viele Männer, die mühsam ihr Gleichgewicht zu wahren versuchten, während sie die spinnwebartigen Kletternetze hinunterstiegen, fielen aus, bevor noch der erste Schuß auf sie abgefeuert wurde. Unteroffizier Harold Janzen von einem Granatwerfertrupp, der mit zwei Kabeltrommeln und mehreren Feldfernsprechern bepackt war, versuchte, den richtigen Augenblick für den Einstieg in das unter ihm auf und ab tanzende Landungsboot abzupassen. Er sprang, als er den Augenblick für gekommen hielt, verschätzte sich, fiel vier Meter tief auf den Boden des Bootes und schlug sich mit seinem eigenen Karabiner bewußtlos. Aber es gab auch schlimmere Unfälle. Feldwebel Romeo Pompei hörte jemand unter sich schreien, blickte hinunter und sah einen Mann im Netz hängen, der irrsinnige Schmerzen ausstehen mußte, denn das Sturmboot zerquetschte seinen Fuß an der Bordwand des Truppentransporters. Pompei selber stürzte aus dem Netz kopfüber in das Boot und schlug sich die Schneidezähne aus.

Den Soldaten, die an Deck in Boote verladen und dann an Davits heruntergelassen wurden, erging es nicht besser. Major Thomas Dallas, Bataillonskommandeur in der 29., und sein Gefechtsstab hingen in der Mitte zwischen Reling und Wasser, da klemmten die Davits. Fast zwanzig Minuten blieben sie dort hängen – kaum mehr als einen Meter unter dem Abflußrohr aus den Latrinen. »Die Latrinen wurden ununterbrochen benutzt«, erinnert er sich, »und während dieser zwanzig Minuten ergoß sich der ganze Abfluß über uns.«

So hoch gingen die Wellen, daß viele Landungsboote wie riesige Jojos an den Davitstrossen auf und ab tanzten. Ein Boot voll *Rangers* befand sich gerade auf halber Höhe an der Bordwand von HMS *Prince Charles*, als es von einer gewaltigen Dünungswelle gepackt und beinahe an Deck zurückbefördert wurde. Die Dünung lief ab, und das Boot sauste von neuem zum Übelwerden an seinen Trossen wasserwärts und schüttelte seine seekranken Insassen wie Puppen durcheinander.

Beim Einstieg in die kleinen Boote erzählten die alten Hasen den Neulingen, womit sie zu rechnen hatten. An Bord der HMS *Empire Anvil* versammelte Unteroffizier Michael Kurtz von der 1. Division seine Gruppe um sich. »Daß ihr mir ja hinter der Bordkante in Deckung bleibt«, riet er seinen Leuten. »Sobald man uns ankommen sieht, wird auf uns geschossen. Wenn ihr durchkommt – gut. Kommt ihr nicht durch, dann ist das hier eine verdammt gute Ecke zum Sterben. Und nun voran!« Als Kurtz und seine Männer in ihr in den Davits hängendes Boot kletterten, hörten sie unter sich Schreie. Ein anderes Boot war umgeschlagen und hatte seine Männer in die See geschüttet. Kurtz' Boot wurde glatt zu Wasser gelassen. Nun sahen sie alle die dicht an der Bordwand des Truppentransporters schwimmenden Männer. Als Kurtz' Boot losfuhr, brüllte einer der Gekenterten: »Macht's gut, ihr Heinis!« Kurtz sah die Männer in seinem Boot an. Alle zeigten das gleiche wächserne, ausdruckslose Gesicht.

Es war 5 Uhr 30. Die Truppen der ersten Welle waren zu ihren Landeabschnitten unterwegs. Nur etwa dreitausend Mann eröffneten den Angriff bei diesem großen Sturm von See her, an dessen Zustandekommen die freie Welt so hart gearbeitet hatte. Es waren die Stoßtrupps der 1., 29. und 4. Division und ihnen angeschlossene Einheiten – Unterwasserräumtrupps des Heeres und der Marine, Panzerjäger und *Rangers*. Jeder Einsatztrupp hatte seinen eigenen Landestreifen. Zum Beispiel sollte das 16. Regiment von Generalmajor Clarence R. Huebners 1. Division eine Hälfte von »Omaha« stürmen, das 116. von Generalmajor Charles H. Gerhardts

29. Division die andere[1]. Diese Landestreifen waren wieder in Unterabschnitte geteilt, von denen jeder einen Decknamen trug. Die Männer der 1. Division würden auf »Leicht Rot«, »Fuchsgrün« und »Fuchsrot« landen, die der 29. auf »Charlie«, »Hundegrün«, »Hundeweiß«, »Hunderot« und »Leicht Grün«.

Für die Landungen auf den Abschnitten »Omaha« und »Utah« gab es einen auf die Minute genau festgelegten Zeitplan. In der Hälfte der 29. Division auf »Omaha« sollten um x Uhr minus fünf Minuten – 6 Uhr 25 – zweiunddreißig Amphibienpanzer in den Abschnitten »Hundeweiß« und »Hundegrün« an Land schwimmen und hart am Strand Feuerstellung beziehen, um die erste Phase des Angriffs zu decken. Um x Uhr – 6 Uhr 30 – würden acht Panzer landende Sturmboote weitere Panzer heranbringen und unmittelbar vom Wasser auf »Leichtgrün« und »Hunderot« ausladen. Eine Minute später – um 6 Uhr 31 – würden die Sturmtruppen in allen Abschnitten über den Strand ausschwärmen. Wiederum zwei Minuten später – um 6 Uhr 33 – sollten die Unterwasserräumpioniere eintreffen; sie hatten den schwierigen Auftrag, sechzehn fünfzig Meter breite Angriffsschneisen von Minen und anderen Hindernissen freizuräumen. Nicht mehr als siebenundzwanzig Minuten standen ihnen für ihre heikle Arbeit zur Verfügung. Von sieben Uhr an würden in Abständen von sechs Minuten fünf Angriffswellen, das Gros der Sturmtruppen, landen.

Das war der grundsätzliche Landungsplan für beide Strandabschnitte. Die Entfaltung des Angriffs war zeitlich so sorgfältig abgestimmt, daß schon nach andert-

1 Obwohl der Angriff von Einsatztruppen der 1. und 29. Division gemeinsam durchgeführt wurde, unterstanden die eigentlichen Landungen in dieser Anfangsphase dem Kommando der 1. Division.

halb Stunden schwere Waffen, wie Panzer und Artillerie, auf »Omaha« landen sollten, und für 10 Uhr 30 waren sogar schon Krane, Halbkettenfahrzeuge und Panzerbergungsschlepper vorgesehen. Es war ein verwikkelter, bis ins einzelne durchdachter Zeitplan, der so aussah, als ob man ihn unmöglich würde einhalten können und aller Wahrscheinlichkeit nach hatten seine Urheber auch das in Betracht gezogen.

Noch konnten die Sturmtruppen der ersten Welle die dunstige Küste der Normandie nicht sehen. Sie waren noch neun Seemeilen davon entfernt. Einige Kriegsschiffe fochten bereits Duelle mit deutschen Marineküstenbatterien aus, aber für die Soldaten in den Booten waren die Kampfhandlungen noch weit weg und unpersönlich – keiner nahm sie unter direkten Beschuß. Immer noch war die Seekrankheit der schlimmste Feind. Nur wenige waren immun dagegen. Die Sturmboote, die mit dreißig Mann und ihrem gesamten Gepäck beladen waren, lagen so tief im Wasser, daß die Wellen zu einer Seite herein- und zur anderen wieder hinausrollten. Mit jeder Welle stampften und warfen sich die Boote, und Oberst Eugene Caffey von der 1. Pionier-Sonderbrigade erinnert sich, daß einige Männer in seinem Boot »einfach dalagen und das Wasser über sich hinwegspülen ließen, als ob es ihnen gleichgültig sei, ob sie lebten oder stürben«. Für alle die jedoch, die von der Seekrankheit verschont geblieben waren, bot die überall im Umkreis auftauchende großartige Invasionsflotte einen imposanten, wunderbaren Anblick. In Unteroffizier Gerald Burts Boot meinte einer der Räumpioniere bedauernd, er wünsche, er hätte seinen Fotoapparat mitgebracht.

Dreißig Seemeilen entfernt sah Korvettenkapitän Heinrich Hoffmann im Führerboot seiner 5. Torpedobootflottille einen merkwürdigen, unwirklichen Nebelstreifen voraus über dem Meer liegen. Während Hoffmann ihn sich genauer ansah, kam ein einzelnes Flugzeug aus dem Weiß herausgeflogen. Das bestätigte seinen Verdacht: Es mußte eine künstliche Nebelwand sein. Um der Sache auf den Grund zu gehen, preschte Hoffmann mit den beiden anderen Booten hinter sich mitten in den Dunst hinein – und er erlebte die Überraschung seines Lebens. Auf der anderen Seite sah er sich einem überwältigenden Aufgebot an Kriegsschiffen gegenüber – fast der gesamten britischen Hochseeflotte. Wohin er auch blickte, ragten Schlachtschiffe, Kreuzer und Zerstörer vor ihm auf. »Ich kam mir vor, als säße ich in einem Paddelboot«, berichtet Hoffmann. Schon im nächsten Augenblick begannen Granaten um die in Zickzackmanövern ausweichenden Boote einzuschlagen. Ohne auch nur eine Sekunde zu zögern, befahl Hoffmann trotz der unglaublichen Übermacht kühn den Angriff. Sekunden später hatte das einzige Unternehmen der deutschen Kriegsmarine am Tage der Landung begonnen: Achtzehn Torpedos spurten durch das Wasser auf die alliierte Flotte zu.

Auf der Brücke des norwegischen Zerstörers *Swenner* sah Kapitänleutnant Desmond Lloyd von der britischen Marine sie kommen, desgleichen Offiziere auf den Kommandobrücken der *Warspite, Ramillies* und *Largs*. Die *Largs* warf ihre Maschinen sofort auf volle Kraft zurück. Zwei Torpedos zischten zwischen der *Warspite* und der *Ramillies* hindurch. Die *Swenner* konnte ihnen nicht mehr rechtzeitig ausweichen. Ihr Kommandant schrie: »Hart Backbord! Voll voraus an Steuerbord! Voll zurück an Backbord!« Vergeblich versuchte er durch dieses Manöver, den Zerstörer zu wenden, so daß die Torpedos parallel zum Schiff vorbeilaufen würden. Kapitänleutnant Lloyd, der die Torpedos mit seinem Glas beobachtete, sah, daß sie den Zerstörer unmittelbar unterhalb der Brücke treffen mußten. »Wie hoch werde ich wohl fliegen?« war das einzige, woran er denken konnte. Nervenzerreißend langsam drehte die *Swenner* nach Backbord, und einen Augenblick lang glaubte Lloyd, sie würden den Torpedos entgehen. Aber das Manöver schlug fehl. Ein Torpedo bohrte sich in den Kesselraum. Die *Swenner* schien sich vom Wasser zu heben, bebte und zerbrach in zwei Teile. Auf dem in der Nähe liegenden Minenräumboot HMS *Dunbar* sah Oberheizer Robert Dowie mit Erstaunen, wie der Zerstörer untertauchte – »mit hochgestrecktem Bug und Heck, so daß er ein vollkommenes ›V‹ bildete.« Dreißig Mann verloren ihr Leben oder wurden verwundet. Unverletzt schwamm Kapitänleutnant Lloyd fast zwanzig Minuten umher und hielt einen Matrosen, der sich ein Bein gebrochen hatte, über Wasser. Schließlich wurden sie beide vom Zerstörer *Swift* aufgefischt.

Für Hoffmann, der wohlbehalten auf die andere Seite der Nebelwand zurückgelangte, war das Dringlichste nun, seinen Stützpunkt zu alarmieren. In heiterer Ahnungslosigkeit funkte er die Nachricht nach Le Havre: Er übersah, daß sein Funkgerät in dem gerade beendeten kurzen Gefecht außer Betrieb gesetzt worden war.

An Bord des vor den amerikanischen Landeabschnitten liegenden Flaggschiffes *Augusta* stopfte sich Generalleutnant Omar N. Bradley Watte in die Ohren und stellte dann seinen Feldstecher auf die küstenwärts rasenden Landungsboote ein. Seine Truppen, die Männer der amerikanischen 1. Armee, näherten sich ihrem Angriffsziel. Bradley war zutiefst beunruhigt. Bis vor ein paar Stunden hatte er geglaubt, daß das Küstengebiet etwa vom Abschnitt »Omaha« bis zum britischen Angriffsgebiet ganz im Osten von einer zweitrangigen, weit auseinandergezogenen deutschen »bodenständigen« Division, der 716., gehalten werde. Kurz bevor er jedoch

England verließ, hatte ihn die alliierte Abwehr informiert, daß eine zusätzliche deutsche Division in den Invasionsraum verlegt worden sei. Die Nachricht war so spät eingetroffen, daß Bradley sie nicht mehr an seine über den Zweck des Einsatzes bereits unterrichteten Truppen hatte weitergeben können. Die Einsatzbefehle waren schon ausgegeben. Nun waren die Männer der 1. und 29. Division nach »Omaha« unterwegs und ahnten nicht, daß die harte, kampferprobte 352. Division in den Küstenstellungen lag[1].

Das Trommelfeuer der Schiffsgeschütze, das – so hoffte Bradley inständig – den Männern ihren Auftrag erleichtern würde, mußte nun jeden Augenblick beginnen. Wenige Seemeilen entfernt sprach an Bord des französischen Leichten Kreuzers *Montcalm* Konteradmiral Jaujard zu seinen Offizieren und Männern. »C'est une chose terrible et monstrueuse que d'être obligé de tirer sur notre propre patrie«, sagte er mit tiefbewegter Stimme, »mais je vous demande de le faire aujourd'hui.« (»Es ist schrecklich und abscheulich, auf unser Vaterland schießen zu müssen, aber heute erwarte ich es von euch.«) Und vier Seemeilen vor »Omaha« drückte an Bord des amerikanischen Zerstörers *Carmick* Fregattenkapitän Robert O. Beer auf den Knopf am Mikrofon der Lautsprecheranlage und sagte: »Alles herhören! Dies wird vermutlich das größte Fest, an dem ihr Jungs jemals teilnehmt – also alles aufs Parkett und getanzt!«

1 Die alliierte Abwehr glaubte, daß die 352. Division ihre neuen Stellungen erst kürzlich bezogen habe und nur zu einer »Verteidigungsübung«. In Wirklichkeit lagen verschiedene Einheiten bereits seit zwei Monaten im Küstenraum und unmittelbar über dem Strandabschnitt »Omaha« – und manche sogar noch länger. Pluskat und seine Geschütze waren zum Beispiel bereits im März hierher verlegt worden. Aber bis zum 4. Juni hatte die alliierte Abwehr die 352. in über dreißig Kilometer entfernten Stellungen um St.-Lô vermutet.

Es war 5 Uhr 50. Die vor ihren Ausbootungsstellen liegenden britischen Kriegsschiffe schossen seit über zwanzig Minuten. Nun begann auch der Beschuß im amerikanischen Angriffsraum. Ein Feuersturm ging auf das gesamte Invasionsgebiet nieder. Granate um Granate jagten die schweren Schiffe in ihre vorher festgelegten Ziele, und die normannische Küste hallte wider vom Donnergetöse der Abschüsse und Einschläge. Der graue Himmel leuchtete auf im heißen Aufblitzen der Geschütze, und überall über dem Landestrand stiegen große schwarze Rauchwolken hoch.

Vor »Sword«, »Juno« und »Gold« schickten die Schlachtschiffe *Warspite* und *Ramillies* Tonnen von Stahl aus ihren 45-cm-Geschützen zu den feuerstarken deutschen Batterien in Le Havre und an der Ornemündung hinüber. Auf und ab fahrende Kreuzer und Zerstörer überschütteten Unterstände, Betonbunker und Verteidigungsstellungen mit einem Hagel von Granaten. Mit unglaublicher Präzision setzte die vom Rio de la Plata her berühmte genau schießende HMS *Ajax* aus sechs Seemeilen Entfernung eine Batterie von vier 15-cm-Geschützen außer Gefecht. Vor »Omaha« deckten die schweren Schlachtschiffe *Texas* und *Arkansas*, die insgesamt über zehn 21-cm-, zwölf 18-cm- und zwölf 12-cm-Geschütze verfügten, mit sechshundert Granaten die Küstenbatteriestellungen oben auf der Pointe du Hoc ein. Ihr massiertes Feuer sollte dem *Ranger*-Bataillon den Weg bahnen, das in diesem Augenblick zu den dreißig Meter hohen nackten Felsenklippen unterwegs war. Vor »Utah« schienen sich das Schlachtschiff *Nevada* und die Kreuzer *Tuscaloosa, Quincy* und *Black Prince* nach hinten zu neigen, als sie Salve auf Salve gegen die Küstenbatterien schleuderten. Während die großen Schiffe aus einer Entfernung von fünf bis sechs Seemeilen feuerten, stießen die kleineren Zerstörer bis auf ein oder zwei Meilen an die Küste vor und legten achteraus

Ziele überall im Küstenverteidigungsnetz unter konzentrierten Beschuß.

Die fürchterlichen Salven der Schiffsgeschütze hinterließen einen tiefen Eindruck bei den Männern, die sie sahen und hörten. Oberleutnant zur See Richard Ryland von der britischen Marine war ungeheuer stolz auf die »majestätische Erscheinung der Schlachtschiffe« und fragte sich, »ob es wohl das letztemal sei, daß sich solch ein Anblick bieten würde«. An Bord der *USS Nevada* erschrak Bootsmannsmaat Charles Langley geradezu vor der massiven Feuerkraft der Flotte. Er hielt es für unmöglich, daß »irgendeine Truppe den Beschuß überstehen könnte«, und glaubte, daß »die Flotte sich in zwei bis drei Stunden zurückziehen könne«. Und in den daherjagenden Sturmbooten blickten die durchnäßten, elenden, seekranken Männer, die mit ihren Helmen das Wasser ausschöpften, zu dem über ihre Köpfe hinwegdonnernden und blitzenden Stahlbaldachin auf und erhoben ein Jubelgeschrei.

Und nun kam ein neues Geräusch auf die Flotte zu. Langsam sich nähernd, klang es zunächst wie das Summen einer riesigen Biene, wuchs zu einem lärmenden Crescendo, und dann erschienen die Bomber und Jäger. Genau über die gewaltige Flotte hinweg flogen sie ein, Tragflächenspitze an Tragflächenspitze, Verband hinter Verband – neuntausend Flugzeuge. *Spitfires, Thunderbolts* und *Mustangs* jagten über die Köpfe der Männer hinweg. Den Geschoßhagel der Flotte offensichtlich mißachtend, griffen sie den Invasionsstrand und die Steilhänge dahinter an, zogen hoch, wendeten und flogen von neuem an. Über ihnen zogen in jeder Höhe die mittelschweren Bomber der 9. amerikanischen Luftflotte vom Typ B-26, und noch höher dröhnten – wegen der dichten Wolkendecke unsichtbar – die schweren Brokken: die *Lancasters* der RAF und der 8. amerikanischen Luftflotte, die *Fliegenden Festungen* und die *Liberators*. Es sah aus, als sei der Himmel zu klein für sie alle. Die Männer hoben den Kopf und starrten nach oben. Die Augen wurden feucht, und in den Gesichtern zuckte es von plötzlich aufwallender Bewegung, die kaum zu meistern war. Jetzt ist alles gut, dachten sie. Nun hatten sie Deckung aus der Luft – der Gegner würde niedergehalten werden, die Geschütze zerbombt und der Strand mit Schutz gewährenden Trichtern übersät sein. Aber da sie durch die Wolkendecke nichts sehen konnten und eine Bombardierung der eigenen Truppen nicht riskieren wollten, luden 329 für »Omaha« bestimmte Bomber ihre dreizehntausend Bomben bereits bis zu fünf Kilometern landeinwärts von ihren Zielen, den todbringenden Geschützen[1] des »Omaha«-Strandes, ab.

Der letzte Einschlag lag sehr nahe. Major Werner Pluskat glaubte, der Bunker wolle bersten. Eine andere Granate traf die Felswand unmittelbar am Fuß der getarnten Stellung. Die Erschütterung warf Pluskat herum und schleuderte ihn nach hinten. Er fiel schwer zu Boden. Staub, Dreck und Betonsplitter regneten auf ihn herab. Sehen konnte er nichts durch die Wolken aus weißem Staub, aber er hörte seine Männer rufen. Granate auf Granate krachte in die Klippen. Pluskat war von dem Beben so benommen, daß er kaum sprechen konnte.

Das Telefon klingelte. Der Divisionsgefechtsstand der 352. war an der Leitung. »Wie ist die Lage?« fragte eine Stimme. »Wir werden beschossen«, brachte Pluskat mühsam heraus, »schwer beschossen!«

1 Hier befanden sich acht Betonbunker mit 7,5-cm-Geschützen und schwereren; fünfunddreißig Verschartungen mit Artillerie verschiedenen Kalibers und automatischen Waffen; vier Artillerie-Batterien; achtzehn Flakgeschütze; sechs Granatwerferstellungen; fünfunddreißig Raketenwerferstellungen, jede mit vier 3,8-cm-Werferrohren, und nicht weniger als fünfundachtzig Maschinengewehrnester.

Irgendwo weit im Rücken seiner Stellung hörte er nun Bomben einschlagen. Noch eine Salve von Granaten krepierte oben auf dem Felsen, und eine Lawine von Erde und Steinen stürzte zu den Bunkeröffnungen herein. Wieder klingelte das Telefon. Diesmal konnte Pluskat es nicht finden. Er ließ es klingeln. Er stellte fest, daß er von Kopf bis Fuß mit feinem weißem Staub bedeckt war und daß seine Uniform in Fetzen hing.

Einen Augenblick lang setzte der Beschuß aus, und durch den dichten Staubschleier sah Pluskat Theen und Wilkening auf dem Betonboden hocken. Er brüllte zu Wilkening hinüber: »Am besten machst du dich nach deiner Stellung auf, solange es noch geht!« Wilkening blickte Pluskat verdrießlich an – sein Beobachtungsposten war in einem anderen Bunker, ein gutes Stück entfernt. Pluskat benutzte die vorübergehende Feuerstille, um seine Batterien anzurufen. Zu seiner Überraschung erfuhr er, daß nicht ein einziges von den zwanzig Geschützen – lauter neue Kruppkanonen verschiedener Kaliber – getroffen worden war. Er begriff einfach nicht, wie die nur wenige hundert Meter hinter der Küste liegenden Batterien unversehrt bleiben konnten; nicht einmal unter den Bedienungsmannschaften hatte es Verluste gegeben. Pluskat war fast überzeugt, daß der Feind seine Beobachtungsstelle an der Küste für die Geschützstellungen hielt. Die Einschläge um ihn herum schienen darauf hinzudeuten.

Gerade als der Beschuß wieder begann, klingelte das Telefon noch einmal. Dieselbe Stimme, die Pluskat schon vorher gehört hatte, wollte nun wissen, »wo der Beschuß genau lag«.

»Mein Gott!« brüllte Pluskat. »Überall bumst es. Was verlangen Sie denn von mir? Soll ich rauslaufen und die Löcher mit dem Zollstock messen?« Er knallte den Hörer in die Gabel und blickte sich um. Keiner von den Leuten im Bunker schien etwas abbekommen zu haben.

Wilkening war bereits nach seinem eigenen Bunker aufgebrochen; Theen stand an einem der Sehschlitze. Da merkte Pluskat, daß Hartas verschwunden war. Aber er hatte jetzt keine Zeit, sich um den großen Hund zu kümmern. Er nahm den Hörer wieder ab, ging zum anderen Sehschlitz hinüber und spähte hinaus. Noch mehr Sturmboote als vorhin schienen nun von See heranzukommen, und sie waren jetzt näher. Bald würden sie in Schußweite sein.

Er rief Oberst Ocker im Regimentsgefechtsstand an. »Alle meine Geschütze sind heil«, meldete er.

»Gut«, erwiderte Ocker, »jetzt begeben Sie sich am besten schleunigst in ihren Befehlsstand zurück.«

Pluskat telefonierte mit seinen Schießoffizieren. »Ich fahre zurück«, sagte er. »Denkt daran: Kein Geschütz gibt einen Schuß ab, bevor der Gegner den Strand erreicht hat!«

Die Landungsboote mit den Truppen der amerikanischen 1. Division für ihren Sektor auf »Omaha« hatten es nun nicht mehr weit. Hinter dem Felsenufer über »Leicht Rot«, »Fuchsgrün« und »Fuchsrot« warteten die Bedienungsmannschaften von Pluskats vier Batterien. Noch ein ganz klein wenig näher mußten die Boote kommen.

»Hier ist London.

Wir bringen eine dringende Anweisung des Obersten Befehlshabers. Das Leben von vielen von euch wird davon abhängen, wie schnell und wie gründlich ihr dieser Anweisung Folge leistet. Sie richtet sich besonders an alle, die weniger als fünfunddreißig Kilometer von der Küste entfernt wohnen.«

Michael Hardelay stand am Fenster im Hause seiner Mutter in Vierville am Westrand von »Omaha« und verfolgte das Manövrieren der Invasionsflotte. Die Geschütze feuerten immer noch, und Hardelay konnte die

Erschütterungen durch seine Schuhsohlen hindurch spüren. Die ganze Familie – Hardelays Mutter, sein Bruder, seine Nichte und das Dienstmädchen – war im Wohnzimmer versammelt. Für sie alle bestand nun kein Zweifel mehr: Die Invasion würde genau in Vierville stattfinden. Hardelay nahm das Schicksal seiner Villa am Strand mit philosophischer Gelassenheit hin; nun würde sie ganz bestimmt verschwinden. Im Hintergrund lief die Durchsage der BBC, die seit über einer Stunde ständig wiederholt wurde, weiter.

»Verlaßt sofort eure Städte und Dörfer und sagt beim Aufbruch euren Nachbarn Bescheid, die diese Warnung vielleicht nicht gehört haben ... Haltet euch abseits von viel benutzten Straßen ... Geht zu Fuß und nehmt nicht mehr mit, als ihr bequem tragen könnt ... Begebt euch so schnell wie möglich auf freies Feld ... Sammelt euch nicht in großen Gruppen, die für Truppenansammlungen gehalten werden könnten ...«

Hardelay überlegte, ob der Deutsche auf seinem Pferd wohl den gewohnten Rundritt mit dem Morgenkaffee für die Geschützbedienungen machen würde. Er blickte auf seine Uhr; falls der Deutsche kommen wollte, war es fast an der Zeit. Und da sah Hardelay ihn auf demselben vierschrötigen Gaul heranreiten, und dieselben Kochgeschirre, die er immer brachte, baumelten an seiner Seite. Der Mann ritt seelenruhig die Straße hinunter, bog um die Kurve – und erblickte die Flotte. Zwei, drei Sekunden lang saß er regungslos im Sattel. Dann sprang er vom Pferd, stolperte und schlug hin, rappelte sich wieder auf und rannte in Deckung. Das Pferd trottete langsam weiter die Straße hinunter auf das Dorf zu. Es war 6 Uhr 15.

II

Mittlerweile waren die langen Ketten hüpfender Sturmboote weniger als eine Seemeile von »Omaha« und »Utah« entfernt. Für die dreitausend Amerikaner der ersten Welle waren es noch genau fünfzehn Minuten bis zur Stunde X.

Unter ohrenbetäubendem Lärm und mit langen weißen Streifen Kielwasser hinter sich pflügten sich die Boote näher und näher ans Ufer heran. In den tanzenden, vollgeschlagenen Landungsfahrzeugen mußten die Männer schreien, wenn sie sich beim Dröhnen der Dieselmotoren verständlich machen wollten. Über ihnen rauschten immer noch die Granaten der Kriegsschiffe – wie ein großer Schirm aus Stahl waren sie. Und von der Küste her rollten die krachenden Detonationen der alliierten Bombenteppiche zu ihnen herüber. Merkwürdigerweise schwiegen die Geschütze des Atlantikwalls. Die Truppen sahen den Küstensaum vor sich liegen und wunderten sich über das Ausbleiben des feindlichen Artilleriefeuers. Vielleicht, dachten viele, würde die Landung doch leicht sein.

Die großen quadratischen Ausladerampen der Sturmboote tauchten in jede Welle ein, und eiskaltes, schäumendes, grünes Wasser ergoß sich über alle. In diesen Booten hockten keine Helden – nur frierende, elende, furchtsame Männer, die sich so eng aneinanderquetschen mußten, daß sie sich nur noch über ihren Nebenmann erbrechen konnten. Kenneth Crawford vom Nachrichtenmagazin *Newsweek,* der in der ersten Welle auf »Utah« landete, sah, wie ein junger, von seinem eigenen Auswurf über und über besudelter Soldat der 4. Division vor lauter Elend und Ekel langsam den Kopf schüttelte. »Dieser alte Higgins«, lamentierte er, »braucht sich verdammt nichts einzubilden auf die Konstruktion dieser gottverfluchten Kähne!«

Manche Männer hatten keine Zeit, sich viel Gedanken um ihr Elend zu machen – sie schöpften Wasser um ihr Leben. Schon bald nach Verlassen der Mutterschiffe waren viele der Sturmboote voll Wasser geschlagen. Anfangs hatten die Männer sich nicht sonderlich darum gekümmert, daß das Wasser ihre Beine umspülte; es war eben ein weiteres Elend, das man auch noch ertragen mußte. Oberleutnant George Kerchner von den *Rangers* sah das Wasser in seinem Boot langsam steigen und überlegte, ob es wohl gefährlich werden könnte. Man hatte ihm gesagt, daß die Sturmboote unsinkbar seien. Dann jedoch hörten Kerchners Soldaten über ihr Funkgerät einen Hilferuf: »Hier ist LCA 860! LCA 860! Wir sinken! Wir sinken!« Schließlich ein letzter Aufschrei: »Mein Gott, wir sind gesunken!« Sofort machten sich Kerchner und seine Leute ans Wasserschöpfen.

Unmittelbar hinter Kerchners Boot hatte Feldwebel Regis McCloskey, ebenfalls von den *Rangers*, nicht weniger Sorgen. Seit über einer Stunde schöpften McCloskey und seine Männer Wasser aus ihrem Boot. Das Boot beförderte Munition für den Sturm auf die Pointe du Hoc und das gesamte Gepäck der *Rangers*. Es hatte so viel Wasser übergenommen, daß McCloskey fest mit seinem Sinken rechnete. Es gab nur eine Rettung: Das sich schwer hin und her wälzende Sturmboot mußte leichter gemacht werden. McCloskey befahl seinen Männern, alle unnötige Ladung über Bord zu werfen. Verpflegungsrationen, zusätzliche Kleidung und Sturmgepäck flogen ins Wasser. McCloskey beförderte alles in die Dünung. In einem Tornister befanden sich zwölfhundert Dollar, die Soldat Chuck Vella beim Würfeln gewonnen hatte, in einem anderen war Oberfeldwebel Charles Fredericks Gebiß.

Vor »Omaha« und »Utah« sanken die ersten Landungsboote – zehn vor »Omaha« und sieben vor »Utah«. Einige der Männer wurden von nachfolgenden

Rettungsbooten aufgefischt, andere mußten stundenlang im Wasser schwimmen, bis schließlich Rettung kam. Und ein paar Soldaten, deren Rufen und Schreien niemand hörte, wurden von ihrer Ausrüstung und ihrer Munition unter Wasser gezogen. Sie ertranken, ohne einen Schuß abgegeben zu haben, als sie die Küste schon vor sich sahen.

Mit einemmal war der Krieg persönlich geworden. Nach »Utah« anlaufende Truppen sahen, wie ein Steuerboot, das eine der Wellen anführte, sich plötzlich aus dem Wasser aufbäumte und explodierte. Sekunden später tauchten Köpfe auf; die Überlebenden klammerten sich an das Wrack und suchten sich so zu retten. Fast sofort erfolgte eine zweite Explosion. Die Mannschaft einer Landebarkasse, die versuchte, vier von den zweiunddreißig für »Utah« bestimmten Schwimmpanzern zu Wasser zu lassen, hatte die Laderampe genau auf eine unter der Oberfläche liegende Seemine fallen lassen. Das Vorderteil der Barkasse ging hoch, und auf einem Panzerlandungsboot in der Nähe sah Feldwebel Orris Johnson schreckensstarr zu, wie ein Panzer »über dreißig Meter hoch in die Luft flog, sich langsam überschlug, ins Wasser tauchte und verschwand«. Unter den vielen Toten war, wie Johnson später erfuhr, auch sein Freund, der Panzersoldat Don Neill.

Hunderte von den Männern, die nach »Utah« unterwegs waren, sahen die Toten und hörten die gellenden Schreie der Ertrinkenden. Oberleutnant Francis X. Riley vom amerikanischen Küstenschutz erinnert sich lebhaft an die Szene. Der vierundzwanzigjährige Offizier, dessen Kommando ein Infanterie-Landungsboot unterstand, mußte mit anhören, wie »die verwundeten und entsetzten Soldaten und Matrosen in ihrer Qual um Hilfe schrien und uns anflehten, sie aus dem Wasser zu ziehen«. Aber Rileys Befehl lautete, die Truppen »zeitgerecht anzulanden, ohne sich um Verwundete zu kümmern«. Er versuchte, sich gegen die Schreie zu verschließen, und ließ sein Boot an den Ertrinkenden vorbei strandwärts steuern. Ihm blieb nichts anderes übrig. Die Sturmwellen fegten vorbei, und als ein Boot mit Oberstleutnant James Batte und Truppen vom 8. Infanterieregiment der 4. Division an Bord sich seinen Weg zwischen den im Wasser treibenden Leichen bahnte, hörte Batte einen seiner fahl aussehenden Männer sagen: »Die haben's gut – die sind nicht mehr seekrank.«

Der Anblick der Toten im Wasser, die Anspannung während der langen Fahrt von den Transportschiffen zur Küste und nun die unheildrohende Nähe des flachen Strandes und der Dünen im Abschnitt »Utah« rüttelten die Männer aus ihrer Lethargie auf. Unteroffizier Lee Cason, der gerade zwanzig geworden war, raffte sich mit einemmal dazu auf, »aus tiefster Seele Hitler und Mussolini zu verfluchen, weil sie uns die ganze Sauerei eingebrockt hatten«. Casons Kameraden waren von seiner Heftigkeit überrascht – man hatte ihn noch niemals zuvor fluchen hören. In vielen Booten sahen die Soldaten nun nervös immer wieder ihre Waffen nach. So versessen waren die Männer auf ihre Munition, daß Oberst Eugene Caffey nicht einen einzigen in seinem Boot dazu bewegen konnte, ihm einen Rahmen Patronen für sein Gewehr zu geben. Caffey, der eigentlich nicht vor neun Uhr landen sollte, hatte sich an Bord eines Infanterie-Landungsbootes geschmuggelt, weil er seine kampferprobte 1. Pionierbrigade einholen wollte. Er hatte keine Ausrüstung bei sich, und obwohl alle Männer in dem Boot mit Munition vollgepackt waren, »hielten sie sie fest, als gelte es ihr Leben«. Es gelang Caffey schließlich, sein Gewehr zu laden, indem er von acht Leuten je eine Patrone einsammelte.

Im Wasser vor dem »Omaha«-Strand war es zu einer Katastrophe gekommen. Fast die Hälfte aller Schwimmpanzer, die die Sturmtruppen unterstützen sollten, waren gesunken. Es war beabsichtigt gewesen, vierundsechzig dieser Panzer etwa drei bis fünf Kilometer vom Ufer entfernt zu Wasser zu lassen. Von da aus sollten sie an Land schwimmen. Zweiunddreißig von ihnen waren für den Angriffsabschnitt der 1. Division angesetzt gewesen – für »Leicht Rot«, »Fuchsgrün« und »Fuchsrot«. Die Landungsboote, auf denen sie transportiert wurden, erreichten die Ausbootungsstelle, die Rampen fielen, und neunundzwanzig Panzer wurden in die hochgehende Dünung ausgeladen. Von großen ballonartigen Segeltuchröcken über Wasser gehalten, kämpften sich die absonderlich aussehenden Amphibienfahrzeuge gegen die Wellen auf das Ufer zu. Dann ereilte die Männer des 741. Panzerbataillons ihr tragisches Geschick. Unter dem Anprall der Wellen rissen die Planen der Tragflächen, die Stützen brachen, Wasser drang in die Motoren – und siebenundzwanzig Panzer schlugen einer nach dem anderen voll und sanken. Die Männer kamen aus den Luken geklettert, bliesen ihre Schwimmwesten auf und sprangen ins Meer. Einigen gelang es, Rettungsflöße zu Wasser zu bringen. Andere gingen in den Stahlsärgen unter.

Schwer angeschlagen und fast von der See überspült, bewegten sich zwei Panzer immer noch auf den Strand zu. Die Besatzungen von drei weiteren hatten Glück: Auf ihrem Landungsboot klemmte die Rampe. Sie wurden später an Land gesetzt. Die restlichen zweiunddreißig Panzer – die für die Abschnittshälfte der 29. Division – landeten wohlbehalten. Im Anblick dieser Katastrophe hielten die Offiziere, die das Kommando über die Boote mit diesen Panzern führten, es für klüger, Truppen und Fahrzeuge unmittelbar auf dem Strand auszuladen. Der Ausfall der Panzer der 1. Division jedoch sollte in den nächsten Minuten schwere Verluste zur Folge haben.

Etwa drei Kilometer vor dem Ufer sahen die Sturmtruppen die ersten Lebenden und Toten im Wasser. Die Toten trieben sanft dahin; mit der Flut bewegten sie sich auf den Strand zu, als seien sie entschlossen, sich ihren Kameraden anzuschließen. Die Lebenden tanzten auf der Dünung auf und ab und flehten die Männer in den Sturmbooten inständig um Hilfe an, aber niemand konnte ihnen zu Hilfe kommen. Feldwebel Regis McCloskey, dessen Munitionsboot wieder flott war, sah die schreienden Männer im Wasser, die »gellend um Hilfe riefen und uns baten, anzuhalten – und wir durften es nicht; für nichts und niemanden«. Mit zusammengebissenen Zähnen blickte McCloskey zur anderen Seite, als sein Boot rasch vorbeifuhr, und ein paar Sekunden später erbrach er sich über die Bordwand. Hauptmann Robert Cunningham und seine Leute sahen ebenfalls Überlebende, die sich verzweifelt abmühten. Unwillkürlich hielt die Marinebesatzung des Bootes auf die Männer im Wasser zu. Ein schnelles Motorboot schnitt ihnen den Weg ab. Aus seinem Lautsprecher klang es grimmig: »Ihr seid kein Rettungsboot! An Land mit euch!« In einem anderen Boot in der Nähe sprach Feldwebel Noel Dube von einem Pionierbataillon ein Gebet.

Die tödliche Kriegsmusik des Artilleriebeschusses schwoll an, als sich die dünnen Wellenlinien der Sturmboote nun bei »Omaha« dem Strand näherten. Etwa tausend Meter vor dem Strand eröffneten die Landungsschiffe ebenfalls das Feuer; und dann sausten Tausende von blitzenden Raketen über die Köpfe der Männer hinweg. Den Truppen schien es undenkbar, daß irgend jemand die massive Wucht des Trommelfeuers überleben könnte, das auf die deutschen Befestigungen einhieb. Über dem Strand lag ein dichter Dunstkranz, und von Grasfeuern auf den Steilhängen wehten träge Rauchfahnen herab. Immer noch schwiegen die deutschen Geschütze. Die Boote stürmten näher. In der hochschlagenden Brandung und auf dem Vorstrand konnten die

Männer nun den tödlichen Dschungel der Stahlbetonhindernisse sehen. Überall lagen sie, mit Stacheldraht umschlungen und mit Minen besetzt. Sie waren so grauenhaft und schrecklich, wie die Männer es erwartet hatten. Hinter den Hindernissen lag der Strand selber verlassen da; nichts regte sich. Näher und näher kamen die Boote – fünfhundert Meter – vierhundertfünfzig Meter. Noch kein feindliches Feuer. Durch ein bis eineinhalb Meter hohe Wellen schnellten die Boote vorwärts, und nun hob sich der Feuervorhang und sprang auf Ziele weiter landeinwärts über. Knapp vierhundert Meter waren die ersten Sturmboote vom Ufer entfernt, da eröffneten die deutschen Geschütze das Feuer – die Geschütze, die nach der wütenden alliierten Bombardierung von See her und aus der Luft fast jeder für erledigt gehalten hatte.

Ein Laut übertönte den tosenden Lärm; er war näher, tödlicher als all die anderen: das Scheppern von Maschinengewehrkugeln auf den Stahlschnauzen der Landungsboote. Artillerie brüllte. Werfergranaten regneten herab. Am ganzen sechseinhalb Kilometer langen »Omaha«-Strand hämmerten die deutschen Geschütze und Maschinengewehre auf die Sturmboote ein.

Die Stunde X war angebrochen.

Sie gingen an Land im Abschnitt »Omaha« – die schwer schleppenden, alles andere als schmucken Männer, die niemand beneidete. Keine Fahnen wehten ihnen voran, keine Hörner oder Fanfaren erklangen. Aber an ihrer Seite marschierte die Geschichte. Sie gehörten Regimentern an, die bei Valley Forge, Stoney Creek, Antietam und Gettysburg biwakiert und in den Argonnen gekämpft hatten. Sie hatten die Küsten Nordafrikas, Siziliens und Salernos gestürmt. Nun galt es einen weiteren Strand zu überqueren. Sie würden ihn »Blutiges Omaha« nennen.

Das intensivste Feuer kam von den Felsenklippen

und hohen Steilhängen an den Flanken des halbmondförmigen Strandes – im Unterabschnitt »Hundegrün« der 29. Division im Westen und im Sektor »Fuchsgrün« der 1. Division im Osten. Hier hatten die Deutschen ihre Befestigungen konzentriert, um zwei der Anmarschwege bei Vierville und in Richtung Colleville offenzuhalten. Überall am Strand schlug den Männern heftiges Feuer entgegen, als ihre Boote aufliefen, für die auf »Hundegrün« und »Fuchsgrün« landenden Truppen jedoch sah es hoffnungslos aus. Die deutschen Kanoniere auf den Klippen blickten fast geradewegs auf die tief im Wasser liegenden Sturmboote hinunter, die sich rollend und stampfend ihren Weg in Richtung dieser Strandzonen bahnten. Die schwerfälligen, langsamen Landungsboote kamen fast kaum vom Fleck und gaben bequeme Zielscheiben ab. Die Steuerleute an der Pinne, die verzweifelt versuchten, ihre ungefügen Boote durch den Wald von verminten Hindernissen zu manövrieren, mußten nun auch noch durch das Feuer von den Klippen Spießruten laufen.

Einige Boote, die keinen Weg durch das Gewirr der Hindernisse und den vernichtenden Beschuß von den Uferfelsen finden konnten, wurden abgetrieben und liefen auf der Suche nach einem weniger unter Feuer liegenden Landeplatz ziellos an der Küste entlang. Andere, die hartnäckig versuchten, in ihrem vorgesehenen Abschnitt zu landen, wurden so schwer beschossen, daß die Männer über die Bordkante in das tiefe Wasser sprangen, wo sie augenblicklich von Maschinengewehrgarben niedergemäht wurden. Einige Landungsboote flogen in die Luft, als sie den Strand anliefen. Leutnant Edward Gearings Sturmboot, in dem dreißig Mann von der 29. Division hockten, wurde dreihundert Meter vom Ausgang Vierville entfernt auf »Hundegrün« sekundenschnell in Stücke gerissen. Gearing und seine Leute wurden aus dem Boot hinausgeschleudert und über das

Wasser verstreut. Völlig benommen und halb ertrunken kam der neunzehnjährige Leutnant viele Meter von der Stelle entfernt, an der das Boot gesunken war, an die Oberfläche. Weitere Überlebende tauchten auf. Waffen, Helme und Gepäck waren verschwunden, desgleichen der Steuermann, und in Gearings Nähe wehrte sich einer seiner Männer verzweifelt unter dem Gewicht eines auf seinen Rücken geschnallten schweren Funkgerätes und schrie: »Mein Gott, ich ertrinke!« Der Funker versank, ehe ihm jemand zur Hilfe kommen konnte. Aber für Gearing und den Rest seiner Abteilung hatte die Feuerprobe erst begonnen. Drei Stunden sollte es dauern, bis sie den Strand erreichten, und dann mußte Gearing erfahren, daß er der einzige überlebende Offizier seiner Kompanie war. Die anderen waren tot oder schwer verwundet.

Überall im Abschnitt »Omaha« schien das Herunterklappen der Rampen das Signal für erneutes, noch konzentrierteres Maschinengewehrfeuer zu sein, und wieder lag der mörderischste Beschuß im Bereich von »Hundegrün« und »Fuchsgrün«. Boote der 29. Division, die »Hundegrün« ansteuerten, liefen auf die Sandbänke auf. Die Rampen fielen, und die Männer stürmten in 1 bis 1,80 Meter tiefes Wasser. Ein einziger Gedanke beherrschte sie: so schnell wie möglich das Wasser hinter sich zu bringen, zweihundert Meter hindernisbesäten Strand zu überqueren, das allmählich ansteigende Ufer hochzuklettern und dann im zweifelhaften Schutz einer Deichmauer in Deckung zu gehen. Aber von ihrem Gepäck niedergedrückt, nicht in der Lage, in dem tiefen Wasser schnell zu laufen, und ohne jede Deckung, gerieten die Männer in das Kreuzfeuer der Maschinengewehre und Handfeuerwaffen.

Die seekranken Männer, die schon erschöpft waren von den vielen auf Truppentransportern und Landungsbooten zugebrachten Stunden, mußten nun in dem Wasser, das ihnen häufig bis über den Kopf ging, um ihr Leben kämpfen. Soldat David Silva sah, wie die Männer vor ihm niedergemäht wurden, sobald sie die Rampe verließen. Als er an der Reihe war, sprang er in das brusttiefe Wasser und beobachtete, von seinem Gepäck in den Schlamm gedrückt, gebannt, wie überall um ihn herum Kugeln spritzend einschlugen. In Sekundenschnelle hatten Maschinengewehrgarben seinen Tornister, seine Uniform und sein Kochgeschirr durchsiebt. Silva kam sich »wie die Taube beim Tontaubenschießen« vor. Er glaubte den deutschen MG-Schützen zu sehen, der auf ihn schoß, aber er konnte nicht zurückschießen. Sein Gewehr war mit Sand verstopft. Silva watete weiter, entschlossen, den Strand vor sich zu erreichen. Endlich zog er sich auf den Sand, rannte auf die Deichmauer zu und ging in Deckung, ohne auch nur im geringsten zu merken, daß er zweimal getroffen worden war – einmal im Rücken und einmal im rechten Bein.

Überall am Rand des Wassers brachen Männer zusammen. Einige waren sofort tot, andere schrien zum Erbarmen nach Sanitätern, während die höhersteigende Flut sie langsam überspülte. Unter den Toten war Hauptmann Sherman Burroughs. Sein Freund, Hauptmann Charles Cawthon, sah Burroughs' Leiche in der Brandung vor- und zurückschwimmen. Er überlegte, ob Burroughs wohl, wie vorgesehen, beim Landen für seine Männer die »Erschießung des Dan McGrew« deklamiert habe. Und als Hauptmann Carroll Smith vorbeikam, konnte er sich nicht gegen den Gedanken wehren, daß Burroughs nun »nicht mehr unter seinen dauernden Migränekopfschmerzen zu leiden haben werde«. Burroughs hatte einen Kopfschuß erhalten.

Während der ersten paar Minuten des Gemetzels auf »Hundegrün« wurde eine Kompanie vollständig außer Gefecht gesetzt. Kaum ein Drittel der Männer überlebte den blutigen Gang aus den Booten bis zum Ufersaum. Ihre Offiziere fielen, waren schwer verwundet oder vermißt, und die Mannschaften hockten waffenlos und völlig benommen den ganzen Tag über am Fuße der Klippen. Eine andere Kompanie in demselben Unterabschnitt erlitt noch schwerere Verluste. Die 3. Kompanie des 2. *Ranger*-Bataillons hatte den Auftrag, feindliche Befestigungen bei Pointe de la Percée, ein kurzes Stück westlich von Vierville, zu stürmen. Die *Rangers* landeten in zwei Sturmbooten mit der ersten Welle auf »Hundegrün«. Sie wurden dezimiert. Das Führerboot wurde fast augenblicklich durch Artilleriebeschuß versenkt, und zwölf Soldaten waren sofort tot. Sobald die Rampe des zweiten Bootes sich öffnete, regnete es Maschinengewehrgarben auf die aussteigenden *Rangers*. Fünfzehn fielen oder wurden verwundet. Der Rest setzte sich nach den Uferklippen in Marsch. Einer nach dem anderen brach zusammen. Unter dem Gewicht eines Raketenwerfers vorwärts taumelnd, schaffte Gefreiter Nelson Noyes etwa hundert Meter, dann war er gezwungen, sich hinzuwerfen. Als er das ansteigende Ufer erreichte, traf eine Maschinengewehrgarbe sein Bein. Im Liegen sah Noyes die beiden Deutschen, die ihn beschossen hatten, oben von der Felsenklippe auf ihn herunterschauen. Er richtete sich auf den Ellenbogen auf, legte mit seiner Maschinenpistole an und holte sie beide herunter. Als Hauptmann Ralph E. Goranson, der Kompanieführer, schließlich den Fuß der Klippen erreichte, waren ihm von seinem siebzig Mann starken Stoßtrupp noch fünfunddreißig geblieben. Bei Anbruch der Nacht würden diese fünfunddreißig auf zwölf zusammengeschrumpft sein.

Ein Mißgeschick nach dem anderen traf die Männer auf »Omaha«. Einige der Soldaten waren im falschen Kampfabschnitt abgesetzt worden. Manche landeten fast drei Kilometer von ihrer vorgesehenen Ausbootungsstelle entfernt. Bootsmannschaften der 29. Division gerieten zwischen Einheiten der 1. Division. Zum Beispiel fanden sich Verbände, die auf »Leicht Grün« landen und sich in Richtung auf einen Ausgang bei Les Moulins vorkämpfen sollten, am westlichen Ende des Strandes in der Hölle von »Fuchsgrün« wieder. Fast alle Landungsboote landeten etwas östlich von ihren Auflaufpunkten. Ein von seiner Position abgetriebenes Führerboot, eine in östlicher Richtung den ganzen Strand entlanglaufende starke Strömung, der Rauch und der Qualm der Grasfeuer, der die Orientierungspunkte zum Teil verhüllte – alles dies führte zu Fehllandungen. Kompanien, die für die Erstürmung ganz bestimmter Kampfziele ausgebildet worden waren, gelangten niemals in ihre Nähe. Kleine Trupps lagen, von deutschem Beschuß niedergehalten, oft ohne Offiziere und Nachrichtenverbindung, versprengt in unbekanntem Gelände.

Die Spezial-Sprengkommandos der Heeres- und Marinepioniere, denen die Aufgabe zufiel, Schneisen durch die Strandhindernisse zu räumen, landeten nicht nur weit verstreut, sondern trafen auch um entscheidende Minuten verspätet ein. Verbissen machten die Männer sich an die Arbeit, wo sie sich gerade befanden. Aber sie kämpften einen verlorenen Kampf. In den wenigen Minuten, die ihnen noch bis zur Anlandung der nachfolgenden Truppenwellen blieben, räumten die Pioniere statt der vorgesehenen sechzehn Angriffsschneisen nur fünf und eine halbe frei. Die in verzweifelter Hast arbeitenden Sprengtrupps wurden dauernd behindert – Infanteristen wateten durch sie hindurch; andere Soldaten suchten Deckung hinter Hindernissen, die gerade gesprengt werden sollten, und von der Dünung hochgestoßene Landungsboote kamen in gefährlicher Nähe nieder. Feldwebel Barton A. Davis vom 299. Pionier-Sturmbataillon sah ein Sturmboot genau auf sich zukommen. Es war mit Männern der 1. Division besetzt und lief mitten in die Vorstrandhindernisse hinein. Mit einer gewaltigen Explosion zerbarst das Boot. Davis schien es, als ob alle Insassen auf einen Schlag in die Luft geschleudert worden seien. Körper und Körperfetzen landeten überall um das lichterloh brennende Wrack herum. »Ich sah Männer wie schwarze Punkte durch das Benzin schwimmen, das sich über das Wasser ausgebreitet hatte, und während wir noch überlegten, was wir machen sollten, flog ein Rumpf ohne Kopf fast zwanzig Meter durch die Luft und landete mit einem ekelhaften Plumps in unserer Nähe.« Davis hielt es für unmöglich, daß auch nur ein einziger der Explosion lebend entrinnen könne, aber zwei Männer hatten das Glück. Man zog sie schwer verbrannt, aber lebend aus dem Wasser.

Aber die Katastrophe, die Davis hatte mit ansehen müssen, war nicht größer als die, die über die heldenhaften Männer seiner eigenen Einheit, der Sondereinsatztruppe der Heeres- und Marinepioniere, hereingebrochen war. Die Landungsboote mit den Sprengladungen waren dem Artilleriebeschuß zum Opfer gefallen, und die Rümpfe dieser Boote lagen brennend auf dem Vorstrand. Pioniere mit kleinen Schlauchbooten, die mit plastischem Sprengstoff und Sprengkapseln beladen waren, wurden im Wasser zerfetzt, wenn durch feindlichen Beschuß die Zündung ausgelöst wurde. Sobald die Deutschen die zwischen den Hindernissen arbeitenden Pioniere sahen, schienen sie ihnen ihre ganz besondere Aufmerksamkeit zu widmen. Wenn die Trupps ihre Ladungen festzurrten, nahmen Scharfschützen die Minen auf den Hindernissen aufs Korn. Oder sie warteten, bis die Pioniere ganze Reihen von Tschechenigeln oder Betontetraedern zum Sprengen vorbereitet hatten, und sprengten dann die Hindernisse durch Granatwerferbeschuß selber in die Luft – bevor die Pioniere den Abschnitt verlassen konnten. Am Ende des Tages würden die Verluste fast fünfzig Prozent betragen. Auch Feldwebel Davis würde sich unter ihnen befinden. Bei Einbruch der Dunkelheit würde er mit einer Beinverwundung auf einem Lazarettschiff nach England zurück unterwegs sein.

Es war nun sieben Uhr. Die zweite Welle von Truppen landete am Strand von »Omaha«, der einer Schlachtbank ähnlich war. Unter dem zermalmenden Feuer des Gegners wateten die Männer an Land. Sturmboote endeten auf dem ständig wachsenden Friedhof zerfetzter, brennender Bootsleiber. Jede Welle von Booten zahlte der steigenden Flut blutigen Zoll, und überall am Rande des halbmondförmigen Strandes stießen tote Amerikaner im Wasser sanft aneinander.

Überall am Ufersaum türmte sich das Strandgut der Invasion. Schwere Ausrüstung und Nachschub, Munitionskisten, zertrümmerte Funkgeräte, Feldfernsprecher, Gasmasken, Schanzzeug, Kochgeschirre, Stahlhelme und Schwimmwesten lagen umher. Der Sand war besät mit dicken Kabeltrommeln, Stricken, Verpflegungspäckchen, Minensuchgeräten und Waffen aller Art, von zerbrochenen Gewehren bis zu durchlöcherten Raketenwerfern. Die verbogenen Wracks von Landungsbooten ragten bizarr aus dem Wasser. Brennende Panzer schickten große Spiralen schwarzen Rauchs in die Luft. Bulldozer lagen umgekippt zwischen den Hindernissen. Vor »Leicht Rot« sahen Männer zwischen all dem weggeworfenen Kriegsmaterial eine Gitarre hin und her schwimmen.

Kleine Inseln von Verwundeten hatten sich hier und dort auf dem Strand gebildet. Vorbeiziehende Truppen beobachteten, daß viele von denen, die überhaupt sitzen konnten, so kerzengerade saßen, als könne ihnen keine Kugel mehr etwas anhaben. Die Männer waren still; sie schienen nicht zu bemerken, was um sie her vorging. Sanitätsunterfeldwebel Alfred Eigenberg, der

der 6. Pionier-Sonderbrigade zugeteilt war, erinnert sich, daß die schwerer Verwundeten »schrecklich höflich« waren. In den ersten paar Minuten nach der Landung stieß Eigenberg auf so viele Verwundete, daß er nicht wußte, wo und mit wem er anfangen sollte. Auf »Hunderot« saß ein Soldat im Sand, dessen Bein »vom Knie bis an die Hüfte aufgeschlitzt war – so sauber, als habe es ein Arzt mit einem Skalpell geöffnet«. So tief war die Wunde, daß Eigenberg die Oberschenkelschlagader deutlich pulsieren sehen konnte. Der Soldat war vollkommen benommen. Ruhig teilte er Eigenberg mit: »Ich habe all meine Pillen geschluckt und das ganze Pulverzeug in die Wunde gestreut. Ich komm' doch durch, oder?« Der neunzehnjährige Eigenberg wußte nicht, was er sagen sollte. Er gab dem Soldaten eine Morphiumspritze und versicherte ihm: »Klar, du kommst durch!« Dann tat Eigenberg das einzige, was er tun konnte. Er klappte die sauber getrennten Beinhälften des Mannes zusammen – und schloß die Wunde sorgfältig mit Sicherheitsnadeln.

Mitten in das Chaos, die Verwirrung und den Tod auf dem Strand ergoß sich die dritte Welle der Angriffstruppen – und blieb liegen. Minuten später landeten die Männer der vierten Welle –, und auch sie blieben liegen. Schulter an Schulter kauerten sie da auf dem Sand, auf den Steinen, auf dem schiefrigen Lehm. Sie duckten sich hinter Hindernisse; sie suchten Deckung zwischen den Leibern der Toten. Vom feindlichen Feuer, das sie für erledigt gehalten hatten, niedergezwungen, verwirrt durch die Landung im falschen Abschnitt, bestürzt durch das Fehlen von schützenden Trichtern, die sie nach den Teppichwürfen der Bomber erwartet hatten, und zutiefst betroffen von Tod und Verwüstung um sie her, erstarrten die Männer auf dem Strand. Eine seltsame Lähmung schien sie befallen zu haben. Ganz und gar von dem Geschehen überwältigt, hielten manche der Männer die Schlacht für verloren. Unterfeldwebel William McClintock vom 741. Panzerbataillon stieß auf einen Mann, der, ohne von den überall herumfetzenden Maschinengewehrgarben Notiz zu nehmen, am Wasser saß. Er hockte dort und »warf Steine ins Wasser und weinte leise vor sich hin, als müsse ihm das Herz brechen«.

Der Schock sollte nicht lange anhalten. Schon jetzt begannen die ersten Männer hier und dort zu begreifen, daß ein Verharren auf dem Strand den sicheren Tod bedeuten würde; sie sprangen auf und gingen weiter vor.

Im sechzehn Kilometer entfernten Abschnitt »Utah« dagegen schwärmten die Männer der 4. Division an Land und drangen rasch landeinwärts vor. Die dritte Welle von Sturmbooten lief an, und immer noch gab es praktisch keinen Widerstand. Ein paar Granaten krepierten auf dem Strand, vereinzeltes Maschinengewehr- und Gewehrfeuer prasselte darüber hinweg, aber der wilde Kampf, den die verbissenen, angriffswütigen Männer der 4. erwartet hatten, blieb aus. Für viele war die Landung fast eine Routineangelegenheit. Gefreiter Donald N. Jones in der zweiten Welle kam sich »wie bei einem von diesen Invasionsmanövern« vor. Andere hielten den Sturm für enttäuschend; das monatelange Training auf dem Strand von Slapton in England war härter gewesen. Gefreiter Ray Mann fühlte sich ein wenig »angeschmiert«, weil die Landung nun »doch keine ganz große Masche war«. Selbst die Hindernisse waren nicht so schlimm, wie alle befürchtet hatten. Nur wenige Betonkegel und -dreiecke und stählerne Tschechenigel begegneten ihnen auf dem Strand. Die wenigsten davon waren vermint, und alle lagen über Wasser, so daß die Pioniere leicht an sie herankommen konnten. Die Räumtrupps waren bereits bei der Arbeit. Sie hatten eine etwa fünfzig Meter breite Bresche in die Befestigungen gesprengt und die Deichmauer durchbrochen, und in einer Stunde würden sie den ganzen Strand gesäubert haben.

In langer Kette über die anderthalb Kilometer Strand verteilt, standen mit schlapp herunterhängenden Segeltuchröcken die Schwimmpanzer – einer der Hauptgründe, warum der Sturm solchen Erfolg gehabt hatte. Schwerfällig mit den ersten Wellen aus dem Wasser watschelnd, hatten sie den quer über den Strand vorwärts stürmenden Truppen äußerst wirksame Unterstützung geleistet. Die Panzer und die dem Angriff vorausgegangene Bombardierung von See her und aus der Luft schienen die deutschen Truppen, die in den Stellungen hinter dem Strand lagen, zerschlagen und demoralisiert zu haben. Dennoch war der Sturm nicht ohne sein gerüttelt Maß an Tod und Elend geblieben. Kaum hatte Gefreiter Rudolph Mozgo festen Boden betreten, da sah er schon den ersten Gefallenen. Ein Panzer hatte einen Volltreffer erhalten, und Mozgo sah »einen von der Besatzung halb in der Luke und halb aus ihr heraushängen«. Leutnant Herbert Taylor von der 1. Pionier-Sonderbrigade war wie betäubt vom Anblick eines Mannes, dem eine »knapp sieben Meter entfernt eingeschlagene Granate den Kopf abgerissen hatte«. Und Gefreiter Edward Wolfe kam an einem toten Amerikaner vorbei, der »auf dem Strand saß, den Rücken gegen einen Pfahl gelehnt, als ob er schliefe«. So natürlich und friedlich sah er aus, daß Wolfe »Lust verspürte, die Hand auszustrecken und ihn wachzurütteln«.

Von Zeit zu Zeit seine gichtige Schulter massierend, stapfte Brigadegeneral Theodore Roosevelt auf dem Strand auf und ab. Der 57jährige Offizier – der einzige im Generalsrang, der mit Truppen der ersten Welle landete – hatte auf diesem Auftrag bestanden. Sein erstes Gesuch war abgelehnt worden, aber Roosevelt ließ prompt ein zweites folgen. In einem Handschreiben an den Kommandeur der 4. Division, Generalmajor Raymond O. Barton, hatte Roosevelt seinem Wunsch mit der Begründung Nachdruck verliehen, daß es »den Jungens den Rücken stärken wird, wenn sie wissen, daß ich bei ihnen bin«. Batton willigte widerstrebend ein, aber die Entscheidung ließ ihm keine Ruhe. »Als ich mich in England von Ted verabschiedete«, erinnert er sich, »glaubte ich nicht, ihn jemals wiederzusehen.« Der entschlossene Roosevelt war überaus lebendig. Feldwebel Harry Brown vom 8. Infanterieregiment sah ihn »mit einem Stock in der einen Hand, einer Karte in der anderen herumspazieren, als ob er sich ein Grundstück ansehe«. Dann und wann krepierte eine Werfergranate auf dem Strand und wirbelte Sandwolken auf. Roosevelt fand das ärgerlich; ungehalten bürstete er sich jedesmal ab.

Als die Boote der dritten Welle aufliefen und die Männer sich anschickten, an Land zu waten, heulte plötzlich deutsches 8,8-Feuer los, und Granaten krepierten zwischen den anstürmenden Truppen. Ein Dutzend Männer ging zu Boden. Sekunden später erhob sich eine vereinzelte Gestalt aus dem Qualm des Artillerieeinschlags. Das Gesicht des Soldaten war schwarz; Helm und Ausrüstung hatte er verloren. Er marschierte völlig benommen durch den Sand, die Augen blickten starr geradeaus. Nach einem Sanitäter rufend, lief Roosevelt auf den Mann zu. Er legte dem Soldaten seinen Arm um die Schulter. »Junge«, sagte er zärtlich, »du kommst bestimmt wieder auf ein Schiff zurück.«

Bis jetzt wußten nur Roosevelt und ein paar seiner Offiziere, daß die Landungen auf »Utah« an der falschen Stelle stattgefunden hatten. Es war ein glückbringender Irrtum gewesen; schwere Batterien, die die Truppen hätten dezimieren können, waren immer noch intakt in ihren Stellungen am Rande des vorgesehenen Angriffsraums. Für die Fehllandungen gab es eine ganze Reihe von Gründen. Durch den die Orientierungspunkte verdeckenden Qualm der Schiffsartillerieeinschläge irritiert und von einer an der Küste entlanglaufenden starken Strömung abgetrieben, hatte ein Führerboot die erste Welle auf einen von der ursprünglich vorgesehenen Ausbootungsstelle fast zwei Kilometer nach Süden liegenden Landeplatz zugesteuert. Geplant war, den Strand gegenüber den Ausgängen drei und vier zu stürmen. Sie führten zu zwei von den fünf entscheidend wichtigen Dämmen, gegen die sich der Vorstoß der 101. Luftlandedivision richtete. Statt dessen war der ganze Landekopf um fast zweitausend Meter verrutscht und lag nun zu beiden Seiten von Ausgang zwei. Die Ironie des Kriegsglücks wollte es, daß in diesem selben Augenblick Oberstleutnant Robert G. Cole und ein recht gemischter Haufen von Fallschirmjägern der 101. und 82. Division am Westrand des Ausgangs drei eintrafen. Sie waren die ersten Fallschirmjäger, die den Damm erreichten. Cole und seine Männer verbargen sich im Sumpf und machten sich ans Warten. Der Oberstleutnant rechnete damit, daß die Männer der 4. Division nun jeden Augenblick auftauchen würden.

Auf dem Strand, in der Nähe von Ausgang zwei, stand Roosevelt vor einer bedeutsamen Entscheidung. Alle paar Minuten würde von nun an eine neue Welle von Truppen und Fahrzeugen landen – insgesamt dreißigtausend Mann und dreitausendfünfhundert Fahrzeuge. Roosevelt mußte sich entschließen, ob er die nachfolgenden Wellen in dem neuen, verhältnismäßig ruhigen Angriffsraum mit nur einem vom Strand landeinwärts führenden Damm landen lassen sollte, oder ob es besser war, alle weiteren Sturmtruppen umzuleiten und samt ihrer Ausrüstung im ursprünglichen Abschnitt »Utah« mit seinen zwei Dammausgängen auszubooten. Falls der einzige Ausgang nicht geöffnet und gehalten werden konnte, saß der alptraumhafte Wirrwarr von Truppen und Fahrzeugen auf dem Strand in der Falle. Der General und seine Bataillonskommandeure hockten sich zu einer raschen Besprechung zusammen. Dann fiel die Entscheidung. Statt um die vorgesehenen Einsatzziele zu kämpfen, die hinter dem ursprünglichen Landeabschnitt lagen, würde die 4. Division auf dem einzigen Damm landeinwärts vorstoßen und die deutschen Stellungen nehmen, auf die sie stieß. Alles hing nun davon ab, daß man sich schnell in Marsch setzte, bevor sich der Gegner von seiner ersten Bestürzung über die Landung erholte. Der Widerstand war nur geringfügig, und die Männer der 4. Division ließen den Strand rasch hinter sich. Zu Oberst Eugene Caffey von der 1. Pionier-Sonderbrigade gewandt, sagte Roosevelt: »Ich gehe mit den Truppen vor. Geben Sie der Marine Nachricht, daß die Boote kommen sollen. Wir fangen den Krieg hier an.«

Die Geschütze der vor »Utah« liegenden *Corry* waren glühend heiß. So schnell feuerten sie, daß man Matrosen mit Schläuchen auf die Geschütztürme geschickt hatte, von wo sie mit Wasserstrahlen die Rohre kühlten. Seit dem Augenblick, als Korvettenkapitän George Hoffman seinen Zerstörer in Schußposition manövriert und Anker geworfen hatte, jagten die Geschütze der *Corry* pro Minute acht 12,5-cm-Granaten landeinwärts. Eine deutsche Batterie würde niemanden mehr belästigen; die *Corry* hatte sie mit hundertzehn gutsitzenden Einschlägen zermahlen. Die Deutschen hatten zurückgeschossen – und nicht zu knapp. Die *Corry* war der einzige Zerstörer, den die feindlichen Beobachter sehen konnten. Vernebelungsflugzeuge hatten den Auftrag gehabt, die für die »Feuerunterstützung in Ufernähe« eingesetzten Flotteneinheiten zu decken, aber das der *Corry* zugeteilte Flugzeug war abgeschossen worden. Besonders eine Batterie in den Steilhängen über dem Abschnitt »Utah« – dem

Mündungsfeuer nach mußte sie in der Nähe des Dorfes St.-Marcouf liegen – schien ihren ganzen Zorn an dem offen daliegenden Zerstörer auszulassen. Hoffman beschloß, sich zurückzuziehen, ehe es zu spät war. »Wir schwenkten herum«, erinnert sich Funker Bennie Glisson, »und zeigten ihnen unsere Kehrseite wie eine alte Jungfer einem Marineinfanteristen.«

Aber die *Corry* lag in flachem Wasser und in der Nähe einiger messerscharfer Riffe. Ihr Kommandant konnte sie erst mit Volldampf in Sicherheit bringen, wenn er weit genug von ihnen weg war. Minutenlang war er gezwungen, mit den deutschen Kanonieren auf gefährliche Art Katze und Maus zu spielen. Hoffman versuchte, ihre Salven vorauszuberechnen, und riß die *Corry* durch eine ganze Serie abrupter Manöver. Er schoß vorwärts, ging zurück, schwenkte nach Backbord, dann nach Steuerbord, stoppte scharf, ging wieder vor. Die ganze Zeit über ließen seine Geschütze die Batterie nicht aus den Klauen. Der in der Nähe liegende amerikanische Zerstörer *Fitch* sah, in welcher Klemme die *Corry* saß, und nahm ebenfalls die Geschütze von St.-Marcouf unter Feuer. Aber die genau schießenden Deutschen ließen nicht ab. Geradezu eingeklammert von Einschlägen, manövrierte Hoffman die *Corry* Meter für Meter seewärts. Als er schließlich überzeugt war, daß er die Riffe hinter sich hatte, befahl er: »Ruder hart Steuerbord! Volle Kraft voraus!« Und die *Corry* machte einen Satz vorwärts. Hoffman sah sich um. Salven klatschten in ihr Kielwasser, daß die Gischt in breiten Fahnen hochspritzte. Hoffman atmete auf; er hatte es geschafft. Genau in diesem Augenblick jedoch war sein Glück zu Ende. Mit einer Geschwindigkeit von über achtundzwanzig Knoten fuhr die *Corry* auf eine unter der Wasseroberfläche verankerte Mine.

Eine gewaltige Explosion erschütterte die Luft und schien den Zerstörer seitwärts aus dem Wasser zu werfen. Hoffman war von der heftigen Erschütterung wie betäubt. Es kam ihm so vor, als sei »das Schiff von einem Erdbeben emporgeschleudert worden«. Bennie Glisson, der in seiner Funkstation zum Bullauge hinausgeschaut hatte, glaubte, man habe ihn »plötzlich in eine Betonmischmaschine geworfen«. Der Boden ruckte unter seinen Füßen weg, er wurde gegen die Decke geschleudert, und dann krachte er auf die Planken und schlug sich das Knie auf.

Die Mine hatte die *Corry* fast in zwei Teile zerrissen. Quer über das Hauptdeck klaffte ein über dreißig Zentimeter breiter Spalt. Bug und Heck waren aufwärts gebogen; fast nur die Deckaufbauten hielten den Zerstörer noch zusammen. Kesselraum und Maschinenraum standen unter Wasser. In Kesselraum II gab es nur wenig Überlebende – hier verbrühten sich die Männer in Sekundenschnelle zu Tode, als der Kessel explodierte. Das Ruder klemmte. Der Strom war ausgefallen, aber dennoch preschte die *Corry* im Feuer und Dampf ihres Todeskampfes wie besessen weiter durch das Wasser. Mit einemmal bemerkte Hoffman, daß einige von seinen Geschützen immer noch schossen. Seine Kanoniere, die nun ohne Strom waren, luden und feuerten mit der Hand.

Der verbogene, zertrümmerte Stahlkasten, der einmal die *Corry* gewesen war, raste noch etwa tausend Meter über das Meer, dann blieb er schließlich liegen. In diesem Augenblick hatten sich die deutschen Batterien eingeschossen. »Alle Mann von Bord!« befahl Hoffman. In den nächsten paar Minuten bohrten sich mindestens neun Granaten in das Wrack. Eine jagte die 4-cm-Munition in die Luft. Eine andere setzte den Rauchgenerator am Heck in Tätigkeit, so daß die Männer, die sich mit Rettungsbooten und Flößen herumschlugen, fast erstickten.

Das Wasser stand einen guten halben Meter über

dem Hauptdeck, als Hoffman nach einem letzten Rundblick über Bord sprang und auf ein Rettungsfloß zuschwamm. Hinter ihm sackte die *Corry* auf Grund. Ihre Masten und Teile der Aufbauten blieben über den Wellen. Der Zerstörer war der einzige größere Verlust der amerikanischen Kriegsmarine am Tage der Landung. Von Hoffmans 294 Mann starker Besatzung waren dreizehn tot oder vermißt und dreiunddreißig verwundet. Das waren mehr Ausfälle, als es bis dahin bei den Landungen im Abschnitt »Utah« gegeben hatte.

Hoffman glaubte, daß er die *Corry* als letzter verlassen habe. Aber er irrte sich. Keiner weiß heute, wer wirklich der letzte war, aber als die Boote und Flöße abstießen, sahen Männer auf anderen Schiffen einen Matrosen am Heck der *Corry* hochklettern. Er holte die Fahne ein, die heruntergeschossen worden war, und gelangte dann, über das Wrack schwimmend und kletternd, an den Großmast. Von der USS *Butler* sah Rudergänger Dick Scrimshaw verblüfft und voller Bewunderung zu, wie der Matrose inmitten der immer noch einschlagenden Granaten seelenruhig die Flagge festband und am Mast hißte. Dann schwamm er weg. Scrimshaw sah die Flagge schlapp über dem Wrack der *Corry* hängen. Einen Augenblick später entfaltete sie sich und flatterte in der Brise.

Raketen mit Seilen im Schlepp zischten zu dem dreißig Meter hohen Felsen an der Pointe du Hoc hoch. Zwischen den Strandabschnitten »Utah« und »Omaha« begann der dritte amerikanische Angriff von See her. Ein Kugelregen aus Handfeuerwaffen ging auf Oberstleutnant James E. Rudders drei *Ranger*-Kompanien nieder, die nun zum Sturm ansetzten, um die mächtigen Küstenbatterien zum Schweigen zu bringen, die nach Ansicht des Geheimdienstes die amerikanischen Landeabschnitte zu beiden Seiten bedrohten. Die neun Sturmboote mit den 225 Männern vom 2. *Ranger*-Bataillon landeten dicht nebeneinander auf dem kurzen und schmalen Stück Strand unterhalb der überhängenden Klippen. Der Felsvorsprung gewährte einigen Schutz gegen das Maschinengewehrfeuer und gegen die Handgranaten, mit denen die Deutschen die Angreifer nun überschütteten – aber nicht viel Schutz. Die vor dem Strand aufgefahrenen Zerstörer, der britische *Talybont* und der amerikanische *Satterlee,* feuerten eine Granate nach der anderen oben auf den Felsen hinauf.

Rudders *Rangers* hätten eigentlich schon zur Stunde X am Fuß des Felsens auflaufen sollen. Aber das Führerboot war vom Kurs abgekommen und hatte die kleine Flottille genau auf die fünf Kilometer weiter östlich liegende Pointe de la Percée zugesteuert. Rudder hatte den Irrtum bemerkt, aber kostbare Zeit ging verloren, bis er die Sturmboote wieder auf Kurs hatte. Die Verzögerung sollte ihn seine fünfhundert Mann starke Unterstützungstruppe kosten – den Rest des 2. Bataillons und Oberstleutnant Max Schneiders 5. *Ranger*-Bataillon. Geplant war, daß Rudder Leuchtsignale abfeuern sollte, sobald seine Männer die Klippen erklettert hatten. Auf dieses Signal hin sollten die anderen *Rangers,* die in ihren Booten einige Seemeilen vor der Küste warteten, nachrücken. Kam bis sieben Uhr kein Signal, dann konnte Oberstleutnant Schneider annehmen, daß der Sturm auf die Pointe du Hoc fehlgeschlagen war, und nach dem sechs Kilometer entfernten Abschnitt »Omaha« aufbrechen. Dort sollten die *Rangers* hinter der 29. Division landen, sofort nach Westen schwenken und zur Pointe du Hoc vorstoßen, um die Geschützstellungen von der Landseite aus zu stürmen. Es war nun 7 Uhr 10. Kein Signal war abgefeuert worden, also befand sich Schneiders Kampfverband bereits auf dem Wege nach »Omaha«. Rudder und seine 225 *Rangers* waren auf sich selber angewiesen.

Der Felsen bot einen wilden, fantastischen Anblick. Wieder und wieder brüllten die Raketen auf, die Seile und Strickleitern mit daran befestigten Halteklampen hochschossen. Granaten und Geschosse von 4-cm-Schnellfeuergeschützen zerharkten die Felsenkuppe, so daß große Erdbrocken auf die *Rangers* herabprasselten. Mit Sturmleitern, Stricken und Handraketen sprangen die Männer über den schmalen, mit Granattrichtern durchsetzten Strand. Oben an der Felskante tauchten an verschiedenen Stellen Deutsche auf, warfen Handgranaten herunter oder feuerten mit Maschinenpistolen. Die *Rangers* sprangen von Deckung zu Deckung, luden ihre Boote aus und schossen zu den Klippen hinauf – alles das gleichzeitig. Und im Wasser vor der Felsnase versuchten zwei Schwimmfahrzeuge mit langen Ausziehleitern, die man von der Londoner Feuerwehr zu diesem Zweck geborgt hatte, sich näher an das Ufer heranzumanövrieren. Oben von den Leitern herunter beschossen *Rangers* die Klippen mit ihren Schnellfeuergewehren und Maschinenpistolen.

Verbissen kämpften die Männer. Manche warteten nicht ab, bis die Seile faßten. Die Waffen umgehängt, hieben sie sich mit ihren Messern Löcher, in die sie hineingreifen konnten, und kletterten wie die Fliegen an der neun Stockwerke hohen Felswand hoch. Die ersten Halteklampen blieben nun haften, und die Männer zogen sich in Schwärmen an den Seilen aufwärts. Da hörte man gellende Schreie: Die Deutschen kappten die Seile, und die *Rangers* stürzten aus der Wand ab. Das Seil des Gefreiten Harry Roberts wurde zweimal durchgeschnitten. Bei seinem dritten Versuch gelangte er schließlich in eine von einer Granate herausgeschossene Nische unmittelbar unterhalb des oberen Felsenrandes. Feldwebel Bill Petty versuchte, Hand über Hand an einem einfachen Seil hochzuklettern, aber das Seil war so naß und verschmiert, daß er, obwohl er ein erfahrener Bergsteiger war, es nicht schaffte. Als nächstes versuchte Petty es mit einer Strickleiter, brachte etwa zehn Meter hinter sich und rutschte zur Erde zurück, als die Leiter gekappt wurde. Er begann noch einmal von vorn. Feldwebel Herman Stein, der eine andere Leiter hochkletterte, kippte beinahe aus der Wand, als er versehentlich die Aufblasautomatik seiner Schwimmweste in Gang setzte und die Weste sich aufblähte. »Eine Ewigkeit lang« versuchte er, der Schwimmweste Herr zu werden. Aber vor ihm und hinter ihm drängten noch andere Männer die Leiter hinauf, und so kletterte er, so gut es ging, weiter.

An einem guten Dutzend von Seilen, die ruckend und sich schlängelnd von der Felskante herabhingen, klommen die Männer nun nach oben. Plötzlich wurde Feldwebel Petty, der zum drittenmal hochkletterte, von Erdbrocken berieselt, die überall um ihn herum aus der Wand brachen. Die Deutschen lehnten über der Felskante und nahmen die aufwärts kletternden *Rangers* unter Maschinengewehrbeschuß. Die Deutschen kämpften verzweifelt. Sie achteten nicht auf das auf sie herabregnende Artilleriefeuer des Zerstörers und den Beschuß durch die *Rangers* auf den Feuerwehrleitern. Petty sah den neben ihm kletternden Soldaten erstarren und sich dann von der Wand lösen. Stein sah ihn ebenfalls, und auch der zwanzigjährige Gefreite Carl Bombardier. Vor ihren entsetzten Augen rutschte der Mann an dem Seil abwärts, dabei von Felskanten und Vorsprüngen zurückprallend, und Petty schien »ein ganzes Leben vergangen, bis er auf dem Strand aufschlug«. Petty erstarrte auf seiner Strickleiter. Er konnte seine Hand nicht dazu bringen, nach der nächsten Runge zu greifen. Er erinnert sich, daß er sich einredete: »Hier kommt man einfach nicht hoch!« Aber die deutschen Maschinengewehre brachten ihn wieder in Bewegung. Als sie gefährlich nahe die Klippen abzukämmen begannen, war Petty »im Nu aufgetaut«. Mit der Kraft der Verzweiflung zog er sich die letzten paar Meter hoch.

Überall sprangen die Männer über die Felskante und warfen sich in Granatlöcher. Für Feldwebel Regis McCloskey, der sein schon halbgesunkenes Munitionsboot doch noch wohlbehalten auf den Strand gesetzt hatte, bot sich auf dem Hochplateau Pointe du Hoc ein unglaublicher, gespenstischer Anblick. Die Erde war von den Granaten und Bomben des Schiffsartilleriebeschusses und der Luftangriffe vor der Stunde X so aufgewühlt, daß er »die Krater auf dem Mond« zu sehen vermeinte. Eine unheimliche Stille herrschte, als die Männer sich nun vollends hochzogen und in die schützenden Granat- und Bombentrichter robbten. Das Feuer hatte ausgesetzt, nicht ein einziger Deutscher war zu sehen, und wohin die Männer sahen, erstreckten sich die gähnenden Krater von der Felsnase landeinwärts – ein wildes, schreckliches Niemandsland.

Oberstleutnant Rudder hatte seinen ersten Gefechtsstand bereits bezogen – eine Felsennische am Rand der Klippen. Von hier aus funkte Oberleutnant James Eikner, sein Nachrichtenoffizier, die Meldung: »Gelobt sei der Herr.« Sie bedeutete: »Alle Mann auf dem Felsen.« Aber das stimmte nicht ganz. Unten am Fuß der Klippen widmete sich auf dem Strand der Sanitätsoffizier der *Rangers*, im Zivilberuf Fußspezialist, den Toten und den Sterbenden – etwa fünfundzwanzig Mann. Von Minute zu Minute schmolz der tapfere Stoßtrupp mehr zusammen. Am Ende des Tages würden von den ursprünglich 725 Angreifern nur noch neunzig kampffähig sein. Und das allerschlimmste: Die heroische Anstrengung war vergeblich gewesen, überflüssig. Sie sollten Geschütze zum Schweigen bringen, die überhaupt nicht da waren. Die Information, die Jean Marion, der Abschnittsleiter der Untergrundbewegung, nach London zu schicken versucht hatte, traf zu. Die schwer angeschlagenen Bunker oben auf der Pointe du Hoc waren leer – die Geschütze waren nie aufgebaut worden.[1]

Nun begann an diesem bedeutsamen, schrecklichen Morgen die letzte Phase des Sturms von See her. In der östlichen Hälfte der normannischen Invasionsküste ging Generalleutnant M. C. Dempseys britische 2. Armee an Land – entschlossen und doch leichtherzig, mit Prunk und Gepränge, mit der ganzen wohlbedachten Nonchalance, die die Briten traditionell in Augenblikken großer innerer Bewegung an den Tag legen. Vier lange Jahre hatten sie auf diesen Tag gewartet. Sie stürmten nicht nur gegen einen Landestrand an, sondern gegen bittere Erinnerungen – Erinnerungen an München und Dünkirchen, an einen verhaßten und demütigenden Rückzug nach dem anderen, an zahllose vernichtende Bombenangriffe, an die schwarzen Tage, in denen sie ganz allein gestanden hatten. An ihrer Seite landeten die Kanadier; sie hatten abzurechnen für die blutigen Verluste bei Dieppe. Und auch die Franzosen kamen mit ihnen – wild entschlossen und kampfbegierig an diesem Morgen der Heimkehr.

Ein seltsamer Jubel hatte alle ergriffen. Als die Truppen gegen die Landeabschnitte anliefen, dröhnte aus dem Lautsprecher eines Rettungsbootes vor »Sword« ein vielgesungenes Rauf- und Sauflied. Von einem vor »Gold« liegenden Raketenwerferboot klang ein anderes Lied herüber, dessen Refrain »Wir wissen nicht, wohin wir gehen« lautete. »Juno« anlaufende Kanadier hörten die krächzenden Töne eines Signalhorns über das Was-

1 Etwa zwei Stunden später stieß ein Spähtrupp der *Rangers* fast zwei Kilometer landeinwärts in einer getarnten Stellung auf eine verlassene Batterie mit fünf Geschützen. Munitionsstapel umgaben jedes Geschütz, und sie waren schußbereit, aber nichts deutete darauf hin, daß sie bemannt gewesen waren. Vermutlich waren dies die für die Bettungen der auf der Pointe du Hoc vorgesehenen Geschütze.

ser plärren. Manche Männer sangen sogar. Marineinfanterist Denis Lovell erinnert sich, daß »die Männer standen und all die üblichen Matrosen- und Soldatenlieder sangen«. Und die Kommandotrupps von Lord Lovats 1. Sondereinsatz-Brigade, schmuck und prächtig anzusehen in ihren grünen Baskenmützen (die Kommandos verschmähten Stahlhelme), zogen unter den geisterhaft wehklagenden Klängen von Dudelsäcken in den Kampf. Als ihre Landungsboote an Admiral Vians Flaggschiff HMS *Scylla* vorbeifuhren, grüßten die Kommandos mit ihrem »Daumen-hoch«-Salut. Obermatrose Ronald Northwood blickte auf sie hinunter und sagte sich, daß sie »die schneidigsten Kerls waren, die ich jemals gesehen hatte«.

Selbst die Hindernisse und das nun über die Boote niedergehende feindliche Feuer wurden von vielen mit ziemlicher Gelassenheit betrachtet. Auf einem Panzerlandungsboot beobachtete Funker John Webber einen Hauptmann der Marineinfanterie, der das den Küstensaum verfilzende Gewirr der Minenhindernisse studierte und sich dann beiläufig an den Bootssteuermann wandte mit der Bemerkung: »Sie müssen meine Jungs aber wirklich an Land bringen, alter Freund; seien Sie so gut, ja?« An Bord eines anderen Landungsbootes betrachtete ein Major von der 50. Division nachdenklich die deutlich sichtbaren Tellerminen oben auf den Hindernissen und sagte zu dem Steuermann: »Hauen Sie um Gottes willen nicht die verdammten Kokosnüsse runter, sonst kriegen wir eine Freifahrt zur Hölle!« Ein Boot mit Kommandotrupps vom 48. Marineinfanterieregiment wurde vor »Juno« von schwerem Maschinengewehrfeuer empfangen, und die Männer gingen schleunigst hinter den Deckaufbauten in Deckung. Nicht jedoch der Regimentsadjutant, Hauptmann Daniel Flunder. Er klemmte seinen Stock unter den Arm und paradierte seelenruhig auf dem Vorschiff auf und ab. »Ich hielt es für das Gegebene«, erklärte er später. (Während er tat, was er für das Gegebene hielt, durchschlug eine Kugel seine Kartentasche.) Und in einem gegen »Sword« vorstürmenden Landungsboot las Major C. K. King, wie er versprochen hatte, aus *Heinrich V.* vor. Umgeben vom Brüllen der Dieselmotoren, dem Zischen der Gischt und dem Donnern der Geschütze, deklamierte King durch den Lautsprecher: »Und wer in England nun zu Bette liegt, / Wird sich verfluchen, daß er nicht dabei war ...«

Einige der Männer konnten es kaum erwarten, daß der Kampf begann. Zwei irische Feldwebel, James Percival de Lacy, der Stunden zuvor De Valera hatte hochleben lassen, »weil er uns aus dem Krieg herausgehalten hat«, und sein Busenfreund Paddy McQuaid, standen an der Rampe eines Panzerlandungsschiffes und betrachteten, mit gutem britischem Marinerum gestärkt, mit wichtiger Miene die Truppen. »De Lacy«, sagte McQuaid, die Engländer um ihn herum scharf ins Auge fassend, »meinst du nicht auch, daß ein paar von den Jungs hier einen etwas ängstlichen Eindruck machen?« Als sie sich dem Strand näherten, rief De Lacy seinen Leuten zu: »Fertig! Jetzt geht's los! Auf die Plätze!« Knirschend lief das Panzerlandungsschiff auf. Die Männer rannten hinaus, und McQuaid brüllte in Richtung der unter dem Qualm der Granateinschläge vor ihnen liegenden Küste: »Kommt raus, ihr Hunde, und kämpft mit uns!« Dann verschwand er unter Wasser. Einen Augenblick später tauchte er prustend wieder auf. »Verfluchte Sauerei!« tobte er. »Mich zu ersäufen, bevor ich überhaupt an Land bin!«

Vor »Sword« brachte Soldat Hubert Victor Baxter von der britischen 3. Division seinen leichten gepanzerten MG-Träger auf volle Touren und rollte, über die Kante der Panzerung hinausspähend, ins Wasser. Ungeschützt saß auf dem hochgeschraubten Sitz über ihm sein erbitterter Gegner, Feldwebel Bell, mit dem Baxter sich monatelang herumgeschlagen hatte. Bell brüllte: »Baxter, dreh den Sitz runter, damit du sehen kannst, wohin du fährst!« Baxter schrie zurück: »Nicht mal im Traum! Ich kann sehen!« Als sie dann den Strand hinauffegten, fiel der Feldwebel in der Aufregung des Augenblicks in seine alte Angewohnheit zurück, die ursprünglich die Fehde ausgelöst hatte. Wieder und wieder ließ er seine Faust auf Baxters Stahlhelm hinuntersausen und brüllte dabei: »Schneller! Schneller!«

Als die Kommandos im Abschnitt »Sword« landeten, sprang Lord Lovats Dudelsackpfeifer, William Millin, aus seinem Sturmboot ins Wasser, das ihm bis zur Schulter reichte. Er sah Qualm über der vor ihm liegenden Küste aufsteigen und hörte das Krachen krepierender Werfergranaten. Als Millin mühsam an Land stolperte, rief Lovat ihm zu: »Spiel ›Sohn des Hochlands‹ für uns, Junge!« Bis zu den Hüften im Wasser watend, nahm Millin das Mundstück zwischen die Lippen und planschte mit wild klagendem Dudelsack durch die Brandung vorwärts. Ohne auf das feindliche Geschützfeuer zu achten, machte er am Rand des Wassers halt und begleitete dann, auf dem Strand auf und ab marschierend, die Landung der Kommandos mit seinem Spiel. Die Männer strömten an ihm vorbei, und mit dem Pfeifen der Kugeln und dem Aufbrüllen der Granaten mischten sich die schrillen Klänge von Millins Dudelsack, der nun »Der Weg zu den Inseln« blies. »Prima, Mann!« rief einer der Männer. Und ein anderer: »Schmeiß dich hin, du verrückter Hund!«

Überall in den Abschnitten »Sword«, »Juno« und »Gold«, die sich zusammen von Ouistreham an der Ornemündung bis zu dem Dorf Le Hamel im Westen über rund dreißig Kilometer erstreckten, schwärmten die Briten an Land. Die Landestellen waren mit Truppen ausspeienden Booten verstopft, und fast überall in dem

Angriffsraum bereiteten die hohen Wellen und die Unterwasserhindernisse größere Schwierigkeiten als der Gegner.

Als erste waren die Froschmänner gelandet – einhundertzwanzig Spezialisten für Unterwassersprengungen, die den Auftrag hatten, dreißig Meter breite Breschen in die Hindernisse zu schlagen. Sie hatten nur zwanzig Minuten Zeit für ihre Arbeit; dann kam die erste Welle heran. Die Hindernisse waren furchtbar und stellenweise dichter gesät als in irgendeinem anderen Teil des Invasionsgebietes in der Normandie. Feldwebel Peter Henry Jones von der britischen Marineinfanterie schwamm in ein Gewirr von Stahlmasten, Gittern, Tschechenigeln und Betonhöckern hinein. In der dreißig Meter breiten Bresche, die Jones heraussprengen mußte, fand er zwölf größere Hindernisse, von denen einige fast fünf Meter lang waren. Ein anderer Kampfschwimmer, Kapitänleutnant John B. Taylor von der britischen Marine, sah die fantastische Schlachtordnung von Unterwasserhindernissen, die ihn nach allen Seiten umgab, und brüllte zu seinem Einsatzführer hinüber, daß »diese verfluchte Arbeit unmöglich erledigt werden« könne. Aber er gab nicht auf. Wie all die anderen Froschmänner unter Beschuß arbeitend, machte er sich mit methodischer Überlegung ans Werk. Die Kampfschwimmer sprengten die Hindernisse einzeln, da sie zu groß waren, um in Gruppen hochgejagt zu werden. Während sie noch beim Räumen waren, schwammen Amphibienpanzer zwischen ihnen hindurch ans Ufer, und ihnen folgten wenig später die Truppen der ersten Welle. Aus dem Wasser eilende Froschmänner sahen Landungsboote, die von der groben See seitwärts gedreht worden waren, in die Hindernisse hineinkrachen. Minen krepierten, stählerne Dorne und Tschechenigel rissen die Bootsrümpfe auf, und an vielen Stellen des Strandes blieben die ersten Landungsboote liegen. Oft schoben sich die Boote fast übereinander, so daß der Vorstrand bald zu einem einzigen großen Schrottplatz wurde. Funker Webber hielt die Ausbootung für »eine Tragödie«. Als Webbers Landungsboot sich dem Ufer näherte, sah er »Panzerlandungsboote, die gestrandet waren und in Flammen standen, verbogene Eisenhaufen auf dem Strand, brennende Panzer und Schlepper«. Und als ein Panzerlandungsboot in Richtung auf die offene See an ihnen vorbeifuhr, sah Webber mit Entsetzen, daß »auf seinem Welldeck ein furchtbares Feuer tobte«.

Auf »Gold«, wo Froschmann Jones nun zusammen mit den »Königlichen Pionieren« an der Beseitigung der Hindernisse arbeitete, näherte sich ein Infanterielandungsboot dem Ufer; die Truppen standen bereit zum Aussteigen an Deck. Von einer plötzlichen Dünungswelle erfaßt, stellte sich das Boot quer, hob sich und krachte auf eine ganze Reihe verminter Stahldreiecke hinunter. Jones sah das Boot mit gewaltigem Krach explodieren. Er fühlte sich »an einen Zeichentrickfilm in Zeitlupe erinnert – die in Reih und Glied stehenden Männer in die Luft geschleudert, als habe eine Wasserfontäne sie emporgehoben… oben auf der Fontäne Körper und Teile von Körpern wie lauter Wassertropfen«.

Ein Boot nach dem anderen blieb in den Hindernissen hängen. Von den sechzehn Landungsbooten, die die Kommandos des 47. Marineinfanterieregiments für »Gold« heranbrachten, gingen vier verloren, elf wurden beschädigt und strandeten, und nur eins kehrte zum Mutterschiff zurück. Feldwebel Donald Gardener vom 47. und seine Leute wurden etwa fünfzig Meter vom Ufer entfernt ins Wasser gekippt. Sie verloren ihr gesamtes Gepäck und mußten unter schwerem Maschinengewehrfeuer an Land schwimmen. Als sie sich im Wasser abmühten, hörte Gardener jemanden sagen: »Vielleicht haben wir hier gar nichts zu suchen; sieht mir nach einem Privatstrand aus!« Die auf »Juno« landenden Kommandos des 48. Marineinfanterieregiments fuhren nicht nur auf den Hindernissen fest; sie gerieten außerdem in heftiges Granatwerferfeuer. Oberleutnant Michael Aldworth und etwa vierzig von seinen Leuten kauerten im vorderen Laderaum ihres Infanterie-Landungsbootes, während die Granaten überall um sie herum krepierten. Aldworth steckte seinen Kopf heraus, um zu sehen, was los sei, und sah Männer aus dem achteren Laderaum über Deck laufen. »Wann kommen wir denn endlich hier raus?« schrien seine Leute. Aldworth rief zurück: »Geduld, Jungens, wir sind noch nicht an der Reihe!« Es entstand eine Pause, und dann fragte einer: »Na schön, aber wie lange soll es denn wohl noch dauern? Das Wasser steigt immer schneller in diesem vertrackten Loch!«

Die Männer auf dem sinkenden Infanterie-Landungsboot wurden schnell von verschiedenen anderen Booten an Bord genommen. So viele Boote waren in der Nähe, wie Aldworth erzählte, daß man sich fast so vorkam, als »winke man in der Bond Street in London ein Taxi heran«! Einige der Männer wurden wohlbehalten auf dem Strand ausgeladen; andere wurden zu einem kanadischen Zerstörer hinausgefahren. Fünfzig Mann des Kommandos jedoch mußten feststellen, daß sie sich auf einem Panzerlandungsboot befanden, das seine Panzer ausgeladen und nun Befehl hatte, unverzüglich nach England zurückzukehren. Die wütenden Männer konnten tun und sagen, was sie wollten – nichts vermochte den Steuermann zu bewegen, seinen Kurs zu ändern. Einer der Offiziere, Major de Stackpoole, war bei der Anlandung an beiden Oberschenkeln verwundet worden, als er jedoch das Marschziel des Panzerlandungsbootes erfuhr, brüllte er: »Unsinn! Ihr seid alle komplett verrückt!« Sprach's, sprang über Bord und schwamm auf das Ufer zu.

Für die meisten Männer waren die Hindernisse die härteste Nuß. Wenn sie die Vorstrandbefestigungen einmal überwunden hatten, stießen sie in den drei Landeabschnitten auf keinen zusammengefaßten feindlichen Widerstand. An verschiedenen Stellen war er wohl erbittert, an anderen nur leicht, stellenweise gab es überhaupt keinen. In der westlichen Hälfte von »Gold« wurden die Männer vom 1. Hampshire-Regiment stark dezimiert, als sie durch Wasser wateten, das oft über einen Meter und manchmal sogar fast zwei Meter tief war. Während sie sich Seite an Seite durch die hochgehende See vorwärts kämpften, schlug ihnen schweres Granatwerfer- und Maschinengewehrfeuer aus dem Dorf Le Hamel entgegen, einem von der zähen 352. Division besetzten Widerstandsnest. Ein Mann nach dem anderen ging unter. Soldat Charles Wilson hörte eine erstaunte Stimme sagen: »Das war's, Kameraden!« Er drehte sich um und sah den Mann mit seltsam ungläubigem Gesicht ohne ein weiteres Wort im Wasser versinken. Wilson pflügte sich weiter vorwärts. Er war schon einmal im Wasser von Maschinengewehren beschossen worden – mit dem Unterschied, daß er bei Dünkirchen in entgegengesetzter Richtung marschierte. Auch Soldat George Stunell sah überall um sich herum Männer untertauchen. Er stieß auf einen gepanzerten MG-Träger, der mit laufendem Motor in etwa ein Meter tiefem Wasser stand. Der Fahrer »saß wie gelähmt am Steuerrad – so entsetzt war er, daß er die Karre einfach nicht an Land fahren konnte«. Stunell schob ihn zur Seite und fuhr den MG-Träger, um den die Maschinengewehrgarben peitschten, auf den Strand. Stunell freute sich nicht wenig, daß er es geschafft hatte. Plötzlich jedoch stürzte er kopfüber hin: Eine Kugel hatte mit mächtigem Aufprall die Zigarettendose in der Brusttasche seiner Uniformbluse getroffen. Minuten später merkte er, daß er aus Wunden auf der Brust und im Rücken blutete. Dieselbe Kugel war glatt durch seinen Körper hindurchgefetzt.

Den Hampshirern sollte es erst in acht Stunden gelingen, die Stellungen von Le Hamel zu knacken, und am Ende des Landungstages würden ihre Verluste insgesamt fast zweihundert Mann betragen. Seltsamerweise hatten die zu beiden Seiten landenden Truppen, von den Hindernissen abgesehen, keine Schwierigkeiten. Es gab Verluste, aber sie waren nicht so hoch, wie man erwartet hatte. Links von den Hampshirern waren die Männer vom 1. Dorset-Regiment in vierzig Minuten über den Strand hinweg. Neben ihnen landeten die »Green Howards« mit so viel Schneid und Entschlossenheit, daß sie in knapp einer Stunde ihr erstes Angriffsziel erreicht hatten. Stabsfeldwebel Stanley Hollis, der bisher neunzig Deutsche erledigt hatte, watete ans Ufer und knackte prompt ganz allein einen Bunker. Mit Handgranaten und seiner Maschinenpistole tötete Hollis, ein Mann ohne Nerven, zwei Deutsche, und zwanzig nahm er gefangen. Und das war erst der Anfang des Tages, an dem er noch zehn weitere töten würde.

Rechts von Le Hamel war es so ruhig auf dem Strand, daß manche Männer enttäuscht waren. Sanitäter Geoffrey Leach sah zu, wie sich Truppen und Fahrzeuge ans Ufer ergossen, und stellte fest, daß es »für die Sanitäter nichts anderes zu tun gab, als mitzuhelfen, die Munition auszuladen«. Für den Marineinfanteristen Denis Lovell war die Landung »genau wie eine von den Übungen zu Hause«. Seine Einheit, die Kommandotruppe des 47. Marineinfanterieregiments, drang rasch vom Strand aus landeinwärts vor, vermied jegliche Feindberührung, schwenkte nach Westen ein und marschierte im Eilmarsch los, um sich in der Nähe des elf Kilometer entfernten Port-en-Bessin mit den Amerikanern zu vereinigen. Gegen Mittag hofften sie die ersten Yankees vom Abschnitt »Omaha« zu sehen.

Aber es sollte anders kommen. Im Gegensatz zu den Amerikanern auf »Omaha«, die immer noch von der hart zuschlagenden 352. Division niedergehalten wurden, waren die Briten und Kanadier der zweitrangigen deutschen 716. Division mit ihren zum Kriegsdienst gezwungenen russischen und polnischen »Freiwilligen« mehr als gewachsen. Außerdem hatten die Briten den größtmöglichen Gebrauch von Schwimmpanzern und einer ganzen Kollektion von gepanzerten Spezialfahrzeugen gemacht. Einige davon, die sogenannten »Dresch«-Panzer, trommelten vor sich mit Ketten auf die Erde ein und brachten auf diese Weise Minen zur Explosion. Andere Panzerfahrzeuge führten kleine Brücken mit oder dicke Rollen von Stahlmatten, die abgerollt einen provisorischen Fahrweg über weichen Boden schufen. Eine Gruppe von Fahrzeugen war sogar mit riesigen Bündeln von Baumstämmen beladen, die sich als Stufen zum Überrollen von Mauern oder zum Anfüllen von Panzergräben verwenden ließen. Diese Erfindungen und der auf den britischen Landeabschnitten besonders lange durchgeführte Artilleriebeschuß und Bombenabwurf gewährten den angreifenden Truppen zusätzliche Unterstützung.

Dennoch stieß man auf einige zähe Widerstandsnester. In einer Hälfte des Abschnitts »Juno« kämpften sich die Männer der 3. kanadischen Division durch ganze Reihen von Bunkern und Gräben, durch befestigte Häuser und von Straße zu Straße in dem Städtchen Courseulles vor, bis ihnen schließlich der Durchbruch und der Stoß landeinwärts gelang. Auch der letzte Widerstand würde innerhalb zweier Stunden gebrochen sein. An manchen Stellen wurde die Säuberung mit unglaublicher Schnelligkeit erledigt. Obermatrose Edward Ashworth von einem Landungsboot, das Truppen und Panzer auf dem Strand bei Courseulles abgesetzt hatte, sah kanadische Soldaten mit sechs deutschen Kriegsgefangenen in einiger Entfernung hinter einer Düne verschwinden. Ashworth hielt den Augenblick für gekommen, sich einen deutschen Stahlhelm als Andenken zu besorgen. Er rannte den Strand hinauf, und in den Dünen entdeckte er die sechs Deutschen. Sie »lagen alle ganz verkrampft da«. Ashworth beugte sich über einen der Toten, immer noch entschlossen, sich seinen Helm zu holen. Aber da sah er, daß »dem Mann die Kehle durchgeschnitten worden war – allen sechs hatte man die Kehle durchgeschnitten«, und Ashworth wandte sich ab. Ihm war »kotzübel wie einem Papagei. Ich kam doch nicht zu meinem Stahlhelm.«

Feldwebel Paddy de Lacy, der ebenfalls in der Umgebung von Courseulles an Land gegangen war, hatte zwölf Deutsche gefangengenommen. Mit hoch über den Kopf erhobenen Händen waren sie geradezu eifrig aus einem Graben herausgekommen. De Lacy stand da und blickte sie einen Augenblick starr an; er hatte einen Bruder in Nordafrika verloren. Dann sagte er zu einem Soldaten, der bei ihm war: »Schau sie dir an, die Übermenschen – schau sie dir nur an! Los, bring sie weg, ich will sie nicht mehr sehen!« Er ging davon und machte sich eine Tasse Tee, um seinen Zorn zu beschwichtigen. Als er gerade ein Kochgeschirr voll Wasser über einem Feldbrenner erhitzte, kam ein junger Offizier »mit Flaum am Kinn« auf ihn zu und sagte streng: »Feldwebel, jetzt ist nicht die Zeit, um Tee zu machen!« De Lacy blickte auf und antwortete so ruhig, wie es ihm seine einundzwanzig Jahre Militärdienst erlaubten: »Herr Leutnant, wir spielen hier nicht Soldaten; jetzt ist richtiger Krieg! Warum kommen Sie nicht in fünf Minuten wieder und trinken eine leckere Tasse Tee mit?« Der Offizier kam.

Während der Kampf im Raum von Courseulles andauerte, ergossen sich neue Truppen, Geschütze, Panzer, Fahrzeuge und Nachschub auf den Strand. Sie wurden glatt und reibungslos landeinwärts geschleust. Der

Strandkommandant, Hauptmann Colin Maud, duldete keine Bummler auf »Juno«. Die meisten Männer waren ein wenig bestürzt beim Anblick des großen, bärtigen Offiziers mit dem überlegenen Auftreten und der dröhnenden Stimme, der jede neue Einheit mit den Worten begrüßte: »Ich bin der Vorsitzende des Empfangskomitees und dieser Party, also bitte Beeilung!« Nur wenigen Männern stand der Sinn danach, dem Wächter von »Juno« zu widersprechen. Oberleutnant zur See John Beynon erinnert sich, daß er in der einen Hand einen Knüppel und mit der anderen die Leine eines gefährlich aussehenden Schäferhundes hielt. Die Wirkung war die, die Maud sich erhofft haben mußte. INS-Korrespondent Joseph Willicombe, der mit der ersten Welle von Kanadiern gelandet war, hatte die Zusicherung erhalten, daß er über das Funkgerät des Strandkommandanten einen Bericht von fünfundzwanzig Worten an das Befehlsschiff zur Übermittlung nach den Vereinigten Staaten werde durchgeben können. Anscheinend hatte sich jedoch niemand die Mühe gemacht, Maud entsprechend zu unterrichten. Er sah Willicombe mit steinernem Blick an und knurrte: »Mein lieber Freund, wir haben hier so was wie Krieg!« Willicombe mußte zugeben, daß der Strandkommandant nicht so unrecht hatte.[1] Wenige Meter entfernt lagen im harten Strand-

1 Korrespondenten auf »Juno« hatten keine Nachrichtenverbindung, bis Ronald Clark von United Press mit zwei Körben voll Brieftauben landete. Die Korrespondenten schrieben rasch kurze Berichte, steckten sie in die Plastikkapseln an den Füßen der Tauben und ließen die Tauben frei. Leider waren die Tiere jedoch so überladen, daß die meisten von ihnen auf die Erde zurückfielen. Einige aber kreisten einige Male – und flogen dann zu den deutschen Linien hinüber. Charles Lynch von Reuter stand auf dem Strand, drohte den Tauben mit der Faust und schrie: »Verräter! Verfluchte Verräter!« Vier Brieftauben, berichtet Willicombe, »erwiesen sich als treu«. Sie erreichten tatsächlich in wenigen Stunden das Informationsministerium in London.

gras die zerfetzten Leichen von fünfzehn Kanadiern, die beim Sturm auf den Strand auf Minen getreten waren.

Überall auf »Juno« hatten die Kanadier schwer zu leiden. Von den drei britischen Strandabschnitten war ihrer der blutigste. Grobe See hatte die Landungen verzögert. Rasiermesserscharfe Riffe in der östlichen Strandhälfte und Barrikaden und Hindernisse richteten heillose Verwüstungen unter den Sturmbooten an. Darüber hinaus hatten die Schiffsgeschütze und Bomber die Küstenbefestigungen nur teilweise zerstört oder sogar ganz verfehlt, und in verschiedenen Unterabschnitten gingen die Truppen ohne den Feuerschutz von Panzern an Land. Den Städten Bernieres und St.-Aubin-sur-Mer gegenüber landeten Mannschaften der kanadischen 8. Brigade und Kommandos des 48. Marineinfanterieregiments unter schwerem Beschuß. Eine Kompanie verlor fast die Hälfte ihrer Leute beim Sturm auf das Ufer. Das Artilleriefeuer aus St.-Aubin-sur-Mer war so konzentriert, daß es zu einer grauenhaften Szene auf dem Strand kam. Mit geschlossener Luke raste ein Panzer wie besessen den Strand hinauf, um aus dem Feuerbereich herauszukommen, und überfuhr dabei die Toten und Sterbenden. Hauptmann Daniel Flunder von den Kommandos sah sich aus den Dünen um, merkte, was geschah, und rannte, ohne auf die einschlagenden Granaten zu achten, auf den Strand zurück. So laut er konnte schrie er: »Das sind meine Leute!« Außer sich vor Wut hieb Flunder mit seinem Stock auf die Luke des Panzers ein, aber der Panzer rollte weiter. Flunder riß eine Handgranate ab und sprengte eine Raupe des Panzers weg. Erst als die entsetzten Panzerleute die Luke öffneten, wurde ihnen klar, was sie angerichtet hatten.

Aber trotz des erbitterten Ringens bei Bernières und St.-Aubin dauerte der Kampf doch nicht lange. In weniger als dreißig Minuten brachten die Kanadier und die britischen Kommandos den Strand hinter sich und stießen landeinwärts vor. Die nachfolgenden Angriffswellen landeten ohne nennenswerte Schwierigkeiten, und nach einer Stunde war es so still am Ufer, daß Flieger John Murphy von einer Sperrballoneinheit feststellte: »Der schlimmste Feind waren die Sandkäfer; sie trieben uns zum Wahnsinn, als die Flut anstieg!« Hinter dem Strand würden die Truppen noch etwa zwei Stunden in Straßenkämpfe verwickelt sein, aber dieser Teil von »Juno« war nun, ebenso wie die westliche Hälfte, fest in alliierter Hand.

Die Kommandos vom 48. Marineinfanterieregiment kämpften sich durch St.-Aubin-sur-Mer hindurch, bogen dann nach Osten ab und stießen an der Küste entlang vor. Sie hatten einen besonders schweren Auftrag. »Juno« lag etwa elf Kilometer von »Sword« entfernt. Um die Lücke zu schließen und die beiden Landeabschnitte miteinander zu verbinden, sollte die Kommandotruppe der 48er zu einem Gewaltmarsch in Richtung »Sword« aufbrechen. Eine andere Kommandoeinheit, die 41er, sollte am Rande des Abschnitts »Sword« bei Lion-sur-Mer landen, nach rechts einschwenken und westwärts vorstoßen. Man erwartete, daß die beiden Verbände in wenigen Stunden etwa in der Mitte zwischen den beiden Landeköpfen zusammentrafen. So war es geplant, aber die beiden Kommandoeinheiten stießen fast gleichzeitig auf Schwierigkeiten. In Langrune, etwa anderthalb Kilometer östlich von »Juno«, gerieten die Männer vom 48. Regiment in einen befestigten Stadtteil, der jedes weitere Vordringen unmöglich machte. Jedes Haus war ein Widerstandsnest. Minen, Stacheldraht und Betonmauern – manche von ihnen fast zwei Meter hoch und anderthalb Meter dick – sperrten die Straßen. Aus diesen Stellungen empfing schweres Feuer die eindringenden Truppen. Die 48er, die keine Panzer und keine Artillerie hatten, blieben stecken.

Etwa zehn Kilometer entfernt drangen die 41er nach

einer schwierigen Landung westwärts durch Lion-sur-Mer vor. Von den französischen Einwohnern erfuhren sie, daß die deutsche Besatzung abgerückt sei. Die Nachricht schien zu stimmen – bis die Kommandos den Ortsausgang erreichten. Hier schoß ihnen feindliche Artillerie drei ihrer Panzer ab. Scharfschützen- und Maschinengewehrfeuer schlug ihnen aus harmlos aussehenden Villen entgegen, die zu Bunkern ausgebaut worden waren, und Werfergranaten regneten auf die Kommandos herab. Wie die 48er, kamen auch die 41er nicht weiter.

Noch wußte niemand im alliierten Oberkommando davon, aber nun klaffte eine gefährliche Lücke von zehn Kilometer Breite im Invasionsraum – eine Lücke, durch die Rommels Panzer, wenn sie schnell genug herankamen, die Küste erreichen und in Angriffen nach links und rechts entlang der Küste die britischen Landungen aufrollen konnten.

Lion-sur-Mer war einer von den wenigen wirklichen schwachen Punkten auf »Sword«. Man hatte damit gerechnet, daß von den drei britischen Landeabschnitten »Sword« am hartnäckigsten verteidigt werden würde. Bei der Befehlsausgabe war den Truppen gesagt worden, daß sehr hohe Verluste zu erwarten seien. Dem Soldaten John Gale vom 1. South-Lancashire-Regiment »eröffnete man kaltblütig, daß alle von uns, die in der ersten Welle landeten, wahrscheinlich dran glauben müßten«. Den Kommandos malte man ein noch schwärzeres Bild. Ihnen wurde eingedrillt, daß »wir unter allen Umständen den Strand erreichen müssen, denn es wird keine Evakuierung geben … kein Zurück«. Die Kommandos des 4. Regiments rechneten damit, »auf dem Landestrand abgeschrieben zu werden«, erzählten später Unteroffizier James Colley und Soldat Stanley Stewart, denn ihnen wurde gesagt, die Ausfälle würden »bis zu vierundachtzig Prozent« betragen. Und den

Männern, die vor der Infanterie in Schwimmpanzern landen sollten, sagte man, daß »selbst die von euch, die es bis zum Strand schaffen, mit Ausfällen bis zu sechzig Prozent rechnen können«. Soldat Christopher Smith, Fahrer eines Schwimmpanzers, hielt die Chance, mit dem Leben davonzukommen, für sehr gering. Gerüchte hatten die erwarteten Verlustziffern auf neunzig Prozent erhöht, und Smith war geneigt, daran zu glauben, denn als seine Einheit England verließ, hatten die Männer gesehen, daß auf dem Strand bei Gosport Wände aus Zeltplanen aufgerichtet wurden, und »es hieß, sie würden gebraucht, um die zurückgebrachten Toten auszusortieren«.

Eine Zeitlang sah es so aus, als ob die schlimmsten Voraussagen in Erfüllung gehen sollten. In einigen Unterabschnitten wurden die Truppen der ersten Welle mit Maschinengewehren und Granatwerfern schwer beschossen. In der Ouistrehamer Hälfte von »Sword« lagen Tote und Sterbende vom 2. East-York-Regiment vom Wassersaum an quer über dem Strand. Obgleich niemals genau festzustellen sein wird, wie viele Männer bei diesem blutigen Landemanöver ausfielen, ist doch zu vermuten, daß die East-Yorker die meisten ihrer Verluste von insgesamt zweihundert Mann in den ersten paar Minuten erlitten. Der Schock beim Anblick der zusammengekrümmt daliegenden Khakigestalten schien die schrecklichsten Befürchtungen der nachfolgenden Truppen zu bestätigen. Einige sahen »Leichen, wie Klafterholz aufgestapelt« und zählten »über 150 Tote«. Soldat John Mason von den Kommandos des 4. Regiments, der eine halbe Stunde später landete, »rannte voller Entsetzen durch Haufen toter Infanteristen, die wie Kegel umgelegt worden waren«. Und Unteroffizier Fred Mears von Lord Lovats Kommandotruppe »sah mit Schaudern die East-Yorker in Bündeln zusammenliegen ... Es hätte wahrscheinlich alles nicht zu sein brauchen, wenn sie ausgeschwärmt wären«. Während er den Strand hinaufjagte, fest entschlossen, »Jesse Owens wie eine Schildkröte wirken zu lassen«, kam ihm der zynische Gedanke, daß »sie beim nächstenmal Bescheid wüßten«.

Der Kampf auf dem Strand war zwar blutig, aber kurz.[1] Trotz der Verluste zu Beginn ging der Angriff auf »Sword« zügig voran und traf kaum auf irgendwelchen anhaltenden Widerstand. Die Landungen verliefen so erfolgreich, daß viele der nur Minuten nach der ersten Welle landenden Männer zu ihrer Überraschung nur noch Scharfschützenfeuer vorfanden. Sie sahen den Strand rauchverhüllt vor sich liegen, Sanitäter zwischen den Verwundeten arbeiten, Dreschflegelpanzer Minen zur Explosion bringen. Panzer brannten, der Strand war mit Fahrzeugen aller Art besät, und gelegentlich ließ ein Granateinschlag den Sand hochspritzen, aber von dem Gemetzel, das sie erwartet hatten, war nirgends etwas zu sehen. Für diese bitter entschlossenen Truppen, die man auf ein Massensterben vorbereitet hatte, war der Strand geradezu eine Enttäuschung.

1 Es wird immer Meinungsverschiedenheiten über die Heftigkeit des Kampfes auf »Sword« geben. Viele von den East-Yorkern sind anderer Ansicht als ihre Regimentsgeschichte, in der es heißt, das Ganze sei »eine Ausbildungsübung« gewesen, »und zwar eine leichte«. Die Kommandoeinheiten des 4. Regiments behaupten, daß die East-Yorker immer noch am Wasserrand festlagen, als sie eine halbe Stunde nach X landeten. Laut Brigadegeneral E. E. E. Cass, dem die auf »Sword« angreifende 8. Brigade unterstand, waren die East-Yorker nicht mehr auf dem Strand, als die Kommandos landeten. Man schätzt, daß die Kommandos vom 4. Regiment dreißig Mann bei der Ausbootung verloren. Auf der westlichen Strandhälfte war laut Cass »der Widerstand, von einigen vereinzelten Scharfschützen abgesehen, gegen 8 Uhr 30 gebrochen«. Dort an Land gehende Einheiten vom 1. South-Lancashire-Regiment hatten nur geringe Ausfälle und stießen rasch landeinwärts vor. Die hinter ihnen landenden 1. Suffolker verloren nur vier Mann.

An vielen Stellen auf »Sword« herrschte die reinste Ferienstimmung. Hier und da an der Küste winkten kleine Gruppen von freudig erregten Franzosen den Truppen zu und riefen: *»Vivent les Anglais!«* Funker Leslie Ford von der britischen Marineinfanterie sah »praktisch unten auf dem Strand selber einen Franzosen, der für eine Gruppe von Einheimischen einen laufenden Kommentar zur Schlacht zu geben schien«. Ford hielt sie für verrückt, denn Strand und Küstensaum waren immer noch von Minen verseucht und gelegentlich unter Beschuß. Aber es geschah überall. Die Männer wurden umhalst und umarmt und geküßt von den Franzosen, die augenscheinlich die Gefahr um sie herum nicht bemerkten. Unteroffizier Harry Norfield und Kanonier Ronald Allen sahen zu ihrem Erstaunen »einen Mann in prachtvoller Amtstracht mit einem funkelnden Messinghelm auf dem Haupt den Weg zum Strand herunterkommen«. Es stellte sich heraus, daß es der Bürgermeister von Colleville-sur-Orne, einem etwa anderthalb Kilometer landeinwärts liegenden kleinen Dorf, war, der beschlossen hatte, zum Meer hinunterzugehen und die Invasionsstreitkräfte offiziell willkommen zu heißen.

Einige von den Deutschen schienen nicht weniger begierig als die Franzosen, die alliierten Truppen zu begrüßen. Kaum hatte Pionier Henry Jennings sein Landungsboot verlassen, da sah er sich »einem Haufen von Deutschen gegenüber – zum größten Teil russische und polnische ›Freiwillige‹ –, die es gar nicht abwarten konnten, sich zu ergeben«. Aber Hauptmann Gerald Norton von einer Artillerieeinheit erlebte die allergrößte Überraschung: Er wurde »von vier Deutschen empfangen, die ihre Koffer bereits gepackt hatten und offenbar auf die erstbeste Gelegenheit zur Abreise aus Frankreich warteten«.

Aus dem Wirrwarr auf »Gold«, »Juno« und »Sword« schwärmten die Briten und Kanadier landeinwärts. Der

Vormarsch verlief geordnet und reibungslos, und ein Anflug von Großartigkeit lag über allem. Beim Vordringen durch Städte und Dörfer zeigten sich allenthalben Beispiele von Heldenmut und Tapferkeit. Manche Männer erinnern sich an einen Major von einem Kommandotrupp der Marineinfanterie, der, obwohl ihm beide Arme abgeschossen worden waren, seine Leute zur Eile anhielt. »Los, Jungs!« rief er. »Landeinwärts mit euch, bevor der Fritz uns sieht!« Andere erinnern sich an die kecke Fröhlichkeit und das ungetrübte Vertrauen der Verwundeten, die auf die Ankunft der Sanitäter warteten. Einige winkten den vorbeiziehenden Truppen zu, andere schrien: »Wir sehen uns in Berlin wieder, Kameraden!« Kanonier Ronald Allen würde niemals einen Soldaten vergessen, der einen schweren Bauchschuß erhalten hatte. Er lehnte an einer Mauer und las in aller Ruhe ein Buch.

Tempo war nun das Entscheidende. Aus dem Abschnitt »Gold« stießen Truppeneinheiten auf die etwa elf Kilometer landeinwärts liegende Domstadt Bayeux vor. Von »Juno« aus marschierten die Kanadier in Richtung der Straße Bayeux–Caën und des etwa sechzehn Kilometer entfernten Flugplatzes von Carpiquet. Und aus »Sword« setzten sich die Briten nach Caën in Marsch. Sie waren so sicher, daß sie ihr Angriffsziel erreichen würden, daß sie – wie sich Noel Monks von der Londoner *Daily Mail* später erinnerte – sogar die Kriegsberichter zu einer Pressekonferenz »am Punkt X in Caën um 16 Uhr« bestellten.

Lord Lovats Kommandos rückten ohne Verzug aus dem Landeraum »Sword« ab. Sie sollten die Einheiten von Generalmajor Gales 6. Luftlandedivision entsetzen, die die sechseinhalb Kilometer entfernten Brücken über die Orne und den Caën-Kanal hielten, und »Shimy« Lovat hatte Gale versprochen, daß er »Punkt Mittag« eintreffen werde. Hinter einem an der Spitze der Marschkolonne fahrenden Panzer blies Lord Lovats Pfeifer Bill Millin seinen Dudelsack.

Für zehn Briten, die Besatzungen der beiden Zwergunterseeboote X 20 und X 23, war der Tag der Landung zu Ende. Vor »Sword« schlängelte sich Kapitänleutnant George Honours X 23 durch Wellen von Landungsbooten, die in steter Folge ans Ufer drängten. In der groben See waren die Aufbauten von X 23 fast völlig überspült, und von dem winzigen U-Boot war nichts anderes zu sehen als seine im Wind knatternden Erkennungsflaggen. Auf einem Panzerlandungsboot fiel Steuermann Charles Wilson »vor Überraschung beinahe über Bord«, als er zwei Flaggen »allem Anschein nach von selber« durch das Wasser zielstrebig auf sich zukommen sah, und als X 23 an dem Landungsboot vorbeizog, fragte Wilson sich vergeblich, »was um alles in der Welt ein Zwerg-U-Boot mit der Invasion zu tun haben konnte«. X 23 pflügte in Richtung des Bereitstellungsraums davon, um nach seinem Schleppschiff, einem Fischdampfer mit dem passenden Namen *En Avant,* zu suchen. Unternehmen »Gambit« war beendet. Kapitänleutnant Honour und seine vierköpfige Besatzung fuhren nach Hause.

Die Männer, für die sie die Landeköpfe markiert hatten, marschierten in Frankreich ein. Alles war optimistisch. Sie hatten den Atlantikwall durchbrochen. Nun lautete die große Frage: Wie schnell würden sich die Deutschen von ihrem Schock erholen?

III

Berchtesgaden lag still und friedlich da an diesem frühen Morgen. Schon jetzt war es warm und schwül, und die Wolken hingen tief über den Bergen der Umgegend. In

Hitlers festungsartigem Berghof auf dem Obersalzberg herrschte Ruhe. Der Führer schlief. Für das wenige Kilometer entfernte Führerhauptquartier war es ein Morgen wie jeder andere. Generaloberst Alfred Jodl, der Chef des Wehrmachtführungsstabes beim OKW, war seit sechs Uhr auf. Er hatte, wie üblich, nur leicht gefrühstückt (eine Tasse Kaffee, ein weichgekochtes Ei und eine dünne Scheibe Zwieback), und nun las er in seinem kleinen schalldichten Dienstzimmer in aller Ruhe die in der Nacht eingegangenen Berichte.

Die Nachrichten aus Italien waren weiterhin schlecht. Vor vierundzwanzig Stunden war Rom gefallen, und Generalfeldmarschall Albert Kesselrings Truppen zogen sich, vom Gegner hart bedrängt, zurück. Jodl hielt es für möglich, daß den Alliierten ein Durchbruch gelang, ehe sich Kesselrings Truppen absetzen und neue Stellungen im Norden beziehen konnten. So beunruhigt war Jodl wegen des drohenden Zusammenbruchs der Front in Italien, daß er seinen Stellvertreter, General der Artillerie Walter Warlimont, angewiesen hatte, sich zur Untersuchung der Lage in Kesselrings Hauptquartier zu begeben. Warlimont sollte gegen Abend aufbrechen.

Aus Rußland gab es nichts Neues. Obwohl der östliche Kriegsschauplatz offiziell nicht in Jodls Aufgabenbereich fiel, hatte er sich schon lange in eine Position hineingearbeitet, aus der heraus er den Führer im Hinblick auf die Kriegführung in Rußland »beriet«. Die sowjetische Sommeroffensive würde nun jeden Tag beginnen können, und an der über dreitausend Kilometer langen Front lagen zweihundert deutsche Divisionen – mehr als 1 500 000 Mann – bereit und warteten. Aber an diesem Morgen war die russische Front ruhig. Jodls Adjutant hatte dem Chef des Wehrmachtsführungsstabes auch einige Berichte aus Rundstedts Hauptquartier über einen alliierten Angriff in der Normandie vorgelegt. Jodl hielt die Lage dort nicht für ernst, jedenfalls im Augenblick noch nicht. Im Augenblick war Italien seine große Sorge.

In der wenige Kilometer entfernt liegenden Kaserne in Strub hatte Jodls Stellvertreter, General Warlimont, den Angriff in der Normandie seit vier Uhr früh genau verfolgt. Er hatte das Fernschreiben des OB West mit der Bitte um die Freigabe der Panzerreserven – der Panzer-Lehrdivision und der 12. SS-Division – erhalten und die Angelegenheit telefonisch mit Rundstedts Chef des Stabes, Generalmajor Günther Blumentritt, besprochen. Nun rief Warlimont Jodl an.

»Blumentritt hat wegen der Panzerreserven angerufen«, berichtete Warlimont. »OB West will sie sofort nach dem Invasionsraum in Marsch setzen.«

Warlimont erinnert sich, daß eine lange Stille folgte, während der Jodl überlegte. »Sind Sie sicher, daß dies tatsächlich die Invasion ist?« fragte Jodl endlich. Noch ehe Warlimont antworten konnte, fuhr Jodl fort: »Nach den Meldungen, die ich erhalten habe, könnte es ein Ablenkungsangriff sein – Teil eines Täuschungsmanövers. OB West hat zur Zeit ausreichende Reserven. OB West sollte versuchen, den Angriff mit den ihm zur Verfügung stehenden Verbänden zu bereinigen. Ich halte den Zeitpunkt zur Freigabe der OKW-Reserven noch nicht für gekommen. – Wir müssen eine weitere Klärung der Lage abwarten.«

Warlimont wußte, daß es wenig Sinn hatte, Einwände vorzubringen, obwohl er die Landungen in der Normandie für ernster hielt, als sie Jodl offenbar erschienen. Er sagte zu Jodl: »Herr Generaloberst, soll ich in Anbetracht der Lage in der Normandie wie vorgesehen nach Italien fahren?« Jodl antwortete: »Ja, natürlich, ich wüßte nicht, warum nicht.« Dann hängte er ein.

Warlimont legte den Hörer auf. Er wandte sich Generalmajor von Buttlar-Brandenfels, dem Chef des Heeresführungsstabes, zu und teilte ihm Jodls Entscheidung mit. »Ich stimme mit Blumentritt überein«, sagte Warlimont. »Diese Entscheidung läuft meiner Auffassung, wie im Falle einer Invasion verfahren werden sollte, völlig zuwider!«

Warlimont war »entsetzt« über Jodls wortwörtliche Auslegung der sich auf die Verfügungsgewalt über die Panzer beziehenden Führerweisung. Gewiß, es handelte sich um OKW-Reserven, die direkt Hitlers Befehl unterstanden. Aber Warlimont war, wie von Rundstedt, stets der Ansicht gewesen, daß »die Panzer im Falle eines alliierten Angriffs, mochte er nun zur Ablenkung dienen oder nicht, sofort freizugeben seien – und zwar automatisch«. Diese Regelung schien Warlimont die einzig logische zu sein. Der Befehlshaber, der die Invasion abzuwehren hatte, mußte alle verfügbaren Streitkräfte so einsetzen können, wie er es für richtig hielt, ganz besonders, wenn dieser Befehlshaber der letzte von Deutschlands »Schwarzen Rittern«, der alte Stratege von Rundstedt, war. Jodl hätte die Panzerverbände freigeben können, aber er wollte nichts riskieren. Wie Warlimont später berichtete, »entschied Jodl so, wie er glaubte, daß Hitler entschieden haben würde«. Jodls Haltung war in Warlimonts Augen »wieder einmal ein Beispiel für das Chaos der Führung im Führerstaat«. Aber niemand versuchte Jodl umzustimmen. Warlimont rief Blumentritt beim OB West an. Nun hing die Entscheidung über die Freigabe der Panzer von der Laune des Mannes ab, den Jodl für ein militärisches Genie hielt – von Hitler.

Der Mann, der genau diese Situation vorausgesehen und gehofft hatte, mit Hitler darüber sprechen zu können, hielt sich kaum zwei Autostunden von Berchtesgaden entfernt auf. Bei all dem Durcheinander scheint man Feldmarschall Erwin Rommel in seinem Heim in Herrlingen bei Ulm völlig vergessen zu haben. Das mit peinlicher Sorgfalt geführte Kriegstagebuch der Heeresgruppe B enthält keinen Hinweis, daß Rommel zu diesem Zeitpunkt von den Landungen in der Normandie überhaupt wußte.

Im Hauptquartier des OB West bei Paris löste Jodls Entscheidung Empörung und ungläubiges Staunen aus. Der Ia, Generalleutnant Bodo Zimmermann, erzählte, daß von Rundstedt »vor Wut kochte; er war rot im Gesicht, und der Zorn machte seine Worte unverständlich«. Zimmermann glaubte ebenfalls, daß es sich um einen Irrtum handeln müsse. Während der Nacht hatte Zimmermann beim OKW angerufen und Jodls Offizier vom Dienst, Oberstleutnant Friedel, davon in Kenntnis gesetzt, daß die beiden Panzerdivisionen durch OB West in Alarmbereitschaft versetzt worden waren. »Gegen die Maßnahme wurden nicht die geringsten Einwände erhoben«, erinnert sich Zimmermann erbittert. Nun rief er abermals beim OKW an und sprach mit dem Chef des Heeresführungsstabes, Generalmajor von Buttlar-Brandenfels. Sein Anruf wurde außerordentlich kühl aufgenommen – von Buttlar richtete sich nach Jodl. Er bekam einen Wutanfall und redete hochtrabend daher: »Diese Divisionen unterstehen dem Befehl des OKW! Sie hatten kein Recht, sie ohne unsere vorherige Zustimmung zu alarmieren. Sie werden die Panzer augenblicklich anhalten! Nichts geschieht, bevor der Führer seine Entscheidung fällt!« Zimmermann machte Einwendungen, aber von Buttlar fertigte ihn barsch ab: »Tun Sie, was ich Ihnen sage!«

Nun wäre es an von Rundstedt gewesen, den nächsten Schritt zu unternehmen. Als Generalfeldmarschall hätte er ohne jeden Umweg mit Hitler selber telefonieren können, und es ist sogar wahrscheinlich, daß die Panzer sofort freigegeben worden wären. Aber von Rundstedt rief nicht den Führer an – jetzt nicht und auch im Laufe des Landungstages nicht. Nicht einmal die überwältigende Bedeutung der Invasion konnte den

Aristokraten von Rundstedt dazu bringen, den Mann um etwas zu bitten, von dem er gewöhnlich als dem »böhmischen Gefreiten« sprach.[1]

Aber sein Stab bestürmte auch weiterhin das OKW mit Ferngesprächen. Vergeblich versuchte er zu erreichen, daß die Entscheidung rückgängig gemacht wurde. Nacheinander wurden Warlimont, von Buttlar-Brandenfels und sogar Hitlers Adjutant, Generalmajor Rudolf Schmundt, angerufen. Dieses seltsame Ferngefecht dauerte stundenlang. Zimmermann faßte das Ergebnis so zusammen: »Als wir darauf hinwiesen, daß die Landungen in der Normandie Erfolg haben würden, falls wir die Panzer nicht bekämen, und daß die Folgen unabsehbar wären, erklärte man uns kurzerhand, daß wir nicht in der Lage seien, dies zu beurteilen – daß der Hauptstoß der Invasion auf jeden Fall an völlig anderer Stelle ansetzen werde[2].« Und in der Scheinwelt von Berchtesgaden, vom engsten Kreis seiner kriecherischen Militärs beschützt, schlief Hitler unterdessen weiter.

In Rommels Hauptquartier in La Roche Guyon wußte der Chef des Stabes, Generalleutnant Speidel, noch nichts von Jodls Entscheidung. Er nahm an, daß die bei-

1 Von Buttlar-Brandenfels berichtet, daß Hitler sehr wohl wußte, daß von Rundstedt ihn verachtete. »Solange der Feldmarschall knurrt«, hatte Hitler einmal geäußert, »ist alles in Ordnung.«

2 Hitler war jetzt so fest davon überzeugt, daß die »tatsächliche« Invasion im Bereich des Pas de Calais stattfinden werde, daß er von Salmuths 15. Armee bis zum 25. Juli in ihren Stellungen zurückhielt. Dann war es zu spät. Ironischerweise scheint Hitler der einzige gewesen zu sein, der ursprünglich annahm, daß die Invasion in der Normandie erfolgen werde. Generalmajor Blumentritt berichtet: »Ich erinnere mich sehr gut, daß mir Jodl irgendwann im April bei einem Anruf sagte: ›Der Führer hat definitive Informationen, daß eine Landung in der Normandie nicht unwahrscheinlich ist.‹«

den Reserve-Panzerdivisionen alarmiert und bereits im Anmarsch seien. Speidel wußte außerdem, daß die 21. Panzerdivision in einen Bereitstellungsraum südlich von Caën vorzog, und obgleich es noch eine Weile dauern würde, ehe die Panzer anrollten, waren Aufklärungsverbände der Division bereits in Kampfhandlungen verwickelt. Im Hauptquartier herrschte daher durchaus optimistische Stimmung. Nach Oberst Leodegard Freyberg hatte man »allgemein den Eindruck, daß es gelingen werde, den Gegner bis zum Abend ins Meer zurückzuwerfen«. Vizeadmiral Friedrich Ruge, Rommels Marinesachverständiger, war genauso zuversichtlich wie die anderen, aber ihm fiel etwas Merkwürdiges auf: Die Hausangestellten des Herzogs und der Herzogin von Larochefoucauld gingen in aller Stille durch das Schloß und nahmen die unschätzbar wertvollen Gobelins von den Wänden.

Im Hauptquartier der 7. Armee, der Armee, die in diesem Augenblick gegen den Angriff der Alliierten ankämpfte, schien man noch mehr Veranlassung zum Optimismus zu haben. Für die Offiziere beim Armeeoberkommando sah es so aus, als habe die 352. Division die Invasionsstreitkräfte in dem Abschnitt zwischen Vierville und Colleville, also dem Angriffsraum »Omaha«, ins Meer zurückgetrieben. Ein Offizier in einem Bunker über »Omaha« war nach langen vergeblichen Versuchen endlich mit einem ermutigenden Bericht über den Fortgang des Kampfes zum Hauptquartier durchgedrungen. Man hielt den Bericht für so bedeutsam, daß man ihn Wort für Wort niederschrieb. »Am Wasserrand«, meldete der Beobachter, »sucht der Gegner hinter Vorstrandhindernissen Deckung. Eine große Anzahl Motorfahrzeuge, darunter Panzer, steht brennend auf dem Strand. Die Hindernisräumtrupps haben ihre Tätigkeit eingestellt. Die Ausbootung hat aufgehört – die Landungsboote halten sich weiter draußen auf See. Das Feuer unserer Feldstellungen und Küstenbatterien liegt gut und hat dem Gegner beträchtliche Verluste beigebracht. Tote und Verwundete liegen in großer Zahl auf dem Strand ...[1]«

Das war die erste gute Nachricht, die bei der 7. Armee einging. Man war daraufhin in solch gehobener Laune, daß ein Angebot General von Salmuths, des Kommandeurs der 15. Armee, die 346. Division zur Unterstützung an die 7. Armee abzutreten, stolz abgelehnt wurde. »Brauchen wir nicht«, war die Antwort.

Trotz aller Zuversicht versuchte der Chef des Stabes der 7. Armee, Generalmajor Pemsel, immer noch, sich ein genaues Bild der Lage zu machen. Das war schwierig, denn er hatte praktisch keine Nachrichtenverbindung. Kabel und Leitungen waren von der französischen Widerstandsbewegung zerschnitten oder von den Fallschirmjägern, durch Schiffsartillerie oder Bombenabwürfe zerstört worden. Pemsel berichtete an Rommels Hauptquartier: »Ich führe einen Krieg, wie Wilhelm der Eroberer ihn geführt haben muß – nur mit Ohren und Augen.« Dabei ahnte Pemsel nicht einmal, wie schlecht seine Verbindungen tatsächlich waren. Er glaubte, nur Fallschirmjäger seien auf der Halbinsel

1 Dieser Bericht wurde zwischen acht und neun Uhr dem Ia der 352. Division, Oberstleutnant Ziegelmann, direkt durchgegeben und stammte von einem Oberst Goth, dessen Kommando die Befestigungen von Pointe du Raz de la Percée oberhalb Vierville, am Ende von »Omaha« unterstanden. Der Bericht löste solche Hochstimmung aus, daß Ziegelmann, wie er in seiner eigenen, nach dem Kriege aufgezeichneten Darstellung der Ereignisse mitteilt, zu dem Schluß kam, er habe es mit »unbedeutenden Feindkräften« zu tun. Nachfolgende Berichte waren sogar noch optimistischer, und gegen elf Uhr war General Krais, der Kommandeur der 352. Division, überzeugt, daß er den Landekopf »Omaha« aufgerieben habe, und ließ darum Reserven zur Stärkung des im britischen Abschnitt liegenden rechten Flügels der Division abziehen.

Cotentin gelandet. Bis zu diesem Zeitpunkt hatte er nicht die geringste Ahnung, daß an der Ostküste der Halbinsel, im Abschnitt »Utah«, Landungen von See her stattgefunden hatten.

So war es Pemsel fast unmöglich, die genauen Grenzen des Angriffsraumes zu erkennen. In einem Punkt jedoch war er ganz sicher: Der Sturm auf die Normandie *war* die Invasion. Immer wieder wies er seine Vorgesetzten in Rommels und von Rundstedts Hauptquartier darauf hin, aber seine Ansicht fand nur wenig Gehör. Heeresgruppe B und OB West stellten in ihren Morgenberichten fest: »Zu diesem Zeitpunkt ist noch nicht abzusehen, ob es sich um einen großangelegten Ablenkungsangriff oder um den Hauptstoß handelt.« Die Generale suchten weiter nach dem »Schwerpunkt«. An der Küste der Normandie hätte ihnen jeder einfache Soldat sagen können, wo der Schwerpunkt lag.

Knapp einen Kilometer hinter »Sword« fingerte Gefreiter Josef Häger zitternd und benommen nach dem Abzug seines Maschinengewehrs und feuerte von neuem los. Überall um ihn herum schien die Erde zu explodieren. Der Lärm war ungeheuer. Dem achtzehn Jahre alten Maschinengewehrschützen dröhnte der Kopf, und ihm war schlecht vor Angst. Häger hatte tapfer gekämpft und mitgeholfen, den Rückzug seiner Kompanie zu decken, nachdem die Verteidigungsstellungen der 716. Division hinter dem Abschnitt »Sword« durchbrochen worden waren. Er wußte nicht, wie viele Tommys er getroffen hatte. Wie gebannt hatte er sie vom Strand herankommen sehen, und einen nach dem anderen hatte er niedergestreckt. Schon oft hatte er früher überlegt, wie das wohl sein würde, wenn man seinen Gegner tötete. Mit seinen Freunden Huf, Saxler und Ferdi Klug hatte er verschiedentlich darüber gesprochen. Nun wußte Häger es: Es war furchtbar einfach. Huf hatte nicht lange genug gelebt, um herauszufinden, wie einfach es war – er war gefallen, als sie zurückrannten. Häger hatte ihn in einer Hecke zurückgelassen, Mund aufgerissen, ein Loch in der Stirn. Wo Saxler war, wußte Häger nicht, aber Ferdi war auch jetzt noch an seiner Seite. Halb blind war er, Blut lief ihm über das Gesicht, das ein Granatsplitter schwer getroffen hatte. Und nun war Häger überzeugt, daß es nicht mehr lange dauern konnte, bis sie alle umkamen. Er und noch neunzehn Leute – alles, was von der Kompanie übrig war – lagen in einem Graben vor einem kleinen Bunker. Von allen Seiten ging Maschinengewehr-, Granatwerfer- und Gewehrfeuer auf sie nieder. Sie waren eingeschlossen. Entweder sie ergaben sich, oder sie mußten alle sterben. Alle wußten das, jeder einzelne – außer dem Hauptmann, der hinter ihnen in dem Bunker an einem Maschinengewehr saß. Er ließ sie einfach nicht in den Bunker hinein. »Wir müssen die Stellung halten! Die Stellung halten!« schrie er immer wieder.

Es waren die schrecklichsten Minuten in Hägers Leben. Er wußte schon längst nicht mehr, auf was er schoß. Sobald das Granatwerferfeuer nachließ, zog er automatisch am Abzug und spürte das Maschinengewehr weiterrattern. Das machte ihm Mut. Dann setzte der Beschuß wieder ein, und alles schrie und beschwor den Hauptmann: »Lassen Sie uns herein! Lassen Sie uns reinkommen!«

Die Panzer waren es wohl, die den Hauptmann schließlich umstimmten. Alle hörten das Brummen und Klirren. Zwei Panzer näherten sich. Einer blieb schließlich stehen. Der andere rollte langsam vor, bahnte sich krachend seinen Weg durch eine Hecke, rasselte an drei Kühen vorbei, die sich auf der Wiese nebenan beim Fressen nicht stören ließen. Dann sahen die Männer in dem Graben, wie sich das Geschützrohr des Panzers langsam senkte und genau auf sie richtete. In diesem Augenblick flog der Panzer plötzlich und völlig überraschend in die Luft. Einer der Panzerjäger in dem Graben hatte mit seiner allerletzten Panzerfaust einen Volltreffer erzielt. Häger und sein Freund Ferdi begriffen nur halb, was geschehen war. Mit offenem Mund sahen sie zu, wie sich die Luke des lichterloh brennenden Panzers öffnete und ein Mann versuchte, durch die schwarzen Qualmwolken nach draußen zu klettern. Schreiend, mit brennender Uniform, zwängte er sich zur Hälfte aus der Öffnung heraus. Dann brach er zusammen; sein Oberkörper hing zu einer Seite des Panzers herunter. Häger sagte zu Ferdi: »Hoffentlich läßt uns der Herrgott schöner sterben.«

Der zweite Panzer hielt sich wohlweislich außerhalb Panzerfaustschußweite. Als er zu feuern begann, befahl der Hauptmann alles in den Bunker. Häger und die anderen Überlebenden taumelten ins Innere – und in ein neues Grauen: Der kaum wohnzimmergroße Bunker war voll von toten und sterbenden Soldaten. Jetzt drängten sich über dreißig Männer in dem Raum. Hinsetzen war ausgeschlossen. Nicht einmal umdrehen konnten sie sich. Es war heiß und dunkel, und es herrschte ein abscheulicher Lärm. Die Verwundeten stöhnten. Die Männer redeten in mehreren Sprachen durcheinander. Viele von ihnen waren Polen oder Russen. Und die ganze Zeit schoß der Hauptmann, ungeachtet der Schreie der Verwundeten – »Ergeben Sie sich! Wir müssen uns ergeben!« –, mit seinem Maschinengewehr durch die einzige Schießscharte.

Einen Augenblick ließ der Feuerlärm nach, und Häger und die erstickenden Männer in dem Bunker hörten jemand draußen schreien: »Nun mal los, Hermanns, nun kommt mal besser raus!« Verbissen schoß der Hauptmann von neuem los. Ein paar Minuten später hörten sie dieselbe englische Stimme wieder:

Oben: Kommandotrupps bei der Landung. *Unten:* Britische Truppen landen bei schwerem Feuer. Der Landeabschnitt ist nicht zu identifizieren, wahrscheinlich ist es »Gold«

Oben: Panzer werden mit Hilfe eines Leitfeuers (rechts) ans Ufer gebracht
Unten: Amerikanische Stoßtrupps schleppen ihre Ausrüstung an Land

Oben: Die angreifenden Sturmtruppen im deutschen Granatfeuer (8,8-cm-Flak). *Unten:* Auf »Omaha«: Im Schutz der Deichmauer warten Verwundete auf den Abtransport.

Oben: Links der Bürgermeister von Ste. Mère-Eglise, Alexandre Renaud, der Zeuge des Kampfes auf dem Kirchplatz war, und rechts Pfarrer Louis Roulland, der die Kirchenglocke läuten ließ. *Unten:* Der Nachschub rollt. Amerikanische Pioniere bauen mit Bulldozern und Drahtnetzen eine Behelfsstraße bis zu den Landungsschiffen

Die überfluteten Gebiete wurden vielen Fallschirmjägern zum Verhängnis. Behindert durch ihr schweres Gepäck, waren sie oft nicht in der Lage, sich von ihren Fallschirmen zu befreien, und ertranken selbst in flachem Wasser wie dieser amerikanische Fallschirmjäger

Oben: Große Stahlcaissons, sogenannte »Mulberrys«, wurden über den Kanal geschleppt und als Wellenbrecher versenkt. *Unten:* Der künstliche Hafen ist fertig. Im Schutz der »Mulberrys« werden zahlreiche Schiffe entladen

»You better give up, Fritz!«

Die ätzenden Abgase des Maschinengewehrs reizten die Männer zum Husten. Der Rauch machte die ohnehin stickige Luft unerträglich. Sooft der Hauptmann zu schießen aufhörte, um einen neuen Gurt einzulegen, forderte die Stimme draußen die Übergabe des Bunkers. Schließlich rief ihnen jemand von draußen etwas auf deutsch zu, und Häger erinnert sich, daß einer der Verwundeten, offensichtlich unter Benutzung der beiden einzigen englischen Worte, die er kannte, Antwort gab: *»Hello, boys! Hello, boys! Hello, boys!«*

Der Beschuß von draußen hörte auf, und es schien Häger, daß alle in dem Bunker im selben Augenblick begriffen, was nun geschehen würde. Die Kuppel über ihnen hatte ein kleines Guckloch. Häger und mehrere andere Soldaten hoben einen Mann hoch, der feststellen sollte, was sich tat. Plötzlich schrie der Mann: »Flammenwerfer! Sie bringen einen Flammenwerfer heran!«

Häger wußte, daß die Flammen ihnen nichts anhaben konnten, denn der stählerne Luftschacht, der von hinten in den Bunker hineinführte, war in gegeneinander versetzten Abschnitten gebaut. Aber die Hitze konnte sie umbringen. Plötzlich hörte er das »Wuff!« des Flammenwerfers. Nun konnte nur noch durch die schmale Öffnung, durch die der Hauptmann sein Maschinengewehr weiterbellen ließ, und durch das Guckloch in der Decke Luft in den Bunker gelangen.

Die Temperatur begann zu steigen. Einige der Männer wurden kopflos. Sie schoben und drängelten, schrien: »Wir müssen hier raus!«, warfen sich lang hin und versuchten, zwischen den Beinen der anderen zum Ausgang zu kriechen. Aber unter dem Druck der Männer um sie herum erreichten sie nicht einmal den Boden. Alles flehte nun den Hauptmann an, sich zu ergeben. Der Hauptmann schoß weiter und wandte sich nicht einmal um. Die Luft wurde unbeschreiblich schlecht.

»Alles atmet auf mein Kommando ein und aus!« schrie ein Oberleutnant. »Ein! – Aus! – Ein! – Aus!« Häger beobachtete, wie sich die Stahlverkleidung des Luftschachts von Rosa zu Rot und dann zu einem glühenden Weiß verfärbte. »Ein! – Aus! – Ein! – Aus!« brüllte der Offizier. »Hello, boys! Hello, boys!« schrie der Verwundete. Und an einem Funkgerät in der Ecke hörte Häger den Funker immer wieder rufen: »Spinat, bitte kommen! Spinat, bitte kommen!«

»Herr Hauptmann!« schrie der Oberleutnant. »Die Verwundeten ersticken. Wir müssen uns ergeben!«

»Kommt überhaupt nicht in Frage!« brüllte der Hauptmann. »Wir brechen aus dem Bunker aus! Zählen Sie die Männer und ihre Waffen!«

»Nein! Nein!« schrie es aus jeder Ecke des Bunkers.

Ferdi sagte zu Häger: »Du bist außer dem Hauptmann der einzige, der ein Maschinengewehr hat. Der verrückte Hund schickt dich als ersten raus, darauf kannst du dich verlassen!«

Trotzig rissen viele der Männer den Bolzen aus ihrem Gewehrschloß und warfen ihn auf den Boden. »Ich geh' nicht«, sagte Häger zu Ferdi. Er zog den Schleuderhebel seines Maschinengewehrs heraus und warf ihn weg.

Die ersten Leute brachen unter der Hitze zusammen. Mit eingeknickten Knien und herunterhängendem Kopf blieben sie halb aufrecht stehen; sie konnten einfach nicht zu Boden sacken. Der junge Oberleutnant beschwor den Hauptmann weiter, aber ohne Erfolg. Niemand kam an die Tür heran, denn die Schießöffnung war unmittelbar daneben, und vor ihr saß der Hauptmann mit seinem Maschinengewehr.

Plötzlich hörte der Hauptmann auf zu schießen und wandte sich an den Funker: »Haben Sie Verbindung?«

Der Funker antwortete: »Meldet sich niemand, Herr Hauptmann.« Der Hauptmann blickte sich um, als sehe er den zum Bersten vollgepackten Bunker zum erstenmal. Er schien benommen und bestürzt. Dann ließ er sein Maschinengewehr fallen und sagte resigniert: »Öffnen Sie die Tür!«

Häger sah jemanden ein Gewehr mit einem weißen Tuchfetzen daran durch die Öffnung stecken. Von draußen sagte eine Stimme: »Gut, Fritz, rauskommen – einer nach dem anderen!« Nach Luft japsend, von dem Licht geblendet, taumelten die Männer aus dem dunklen Bunker heraus. Wenn sie ihre Waffen und Helme nicht schnell genug wegwarfen, schossen zu beiden Seiten des Grabens stehende britische Soldaten hinter ihnen in die Erde. Am Ende des Grabens wurde ihnen Koppel, Schnürsenkel und Uniformrock zerschnitten und die Knöpfe am Hosenschlitz gekappt. Dann zwang man sie, sich auf einem Feld mit dem Gesicht zur Erde hinzulegen.

Mit den Händen in der Luft liefen Häger und Ferdi den Graben entlang. Als Ferdis Koppel durchgeschnitten wurde, sagte ein britischer Offizier zu ihm: »In zwei Wochen treffen wir uns mit euren Kameraden in Berlin!« Ferdi, dessen Gesicht von der Granatsplitterschramme blutverschmiert und aufgedunsen war, versuchte zu scherzen. »Dann sind wir in England«, meinte er. Er wollte sagen, daß sie dann in einem Gefangenenlager sitzen würden, aber der Engländer verstand ihn falsch. »Zum Strand mit den Leuten!« brüllte er. Ihre Hosen mit beiden Händen hochhaltend, wurden sie abgeführt – vorbei an dem auch jetzt noch brennenden Panzer und den immer noch seelenruhig auf ihrer Weide wiederkäuenden Kühen.

Eine Viertelstunde später arbeiteten Häger und die anderen in der Brandung zwischen den Hindernissen und räumten Minen. Ferdi sagte zu Häger: »Als du die

Dinger gelegt hast, da hast du auch nicht gedacht, daß du sie eines Tages wieder ausbauen würdest, oder?[1]«

Dem Soldaten Aloysius Damski lag überhaupt nichts am Kämpfen. Damski war einer von den Polen, die man zum Kriegsdienst in der 716. Division gezwungen hatte, und für ihn war es seit langem beschlossene Sache, daß er im Falle einer Invasion die Rampe des ersten besten Landungsbootes hinauflaufen und sich ergeben würde. Aber Damski fand keine Gelegenheit dazu. Die Briten landeten unter solch schwerem Feuerschutz von Schiffsgeschützen und Panzern, daß Damskis Batterieführer unverzüglich den Rückzug aus der Stellung am Westrand des Abschnitts »Gold« befahl. Damski sah ein, daß ein Sprung nach vorn den sicheren Tod bedeuten würde – entweder von der Hand der Deutschen hinter ihm oder der heranstürmenden Briten vor ihm. Aber in dem Durcheinander des Rückzugs brach er nach dem Dorf Tracy auf, wo er bei einer alten Französin in Quartier lag. Wenn er dort blieb, überlegte Damski, konnte er sich ergeben, sobald das Dorf vom Gegner eingenommen war.

Als er sich quer durch die Felder schlug, begegnete er einem steinharten deutschen Feldwebel auf einem Pferd. Vor dem Feldwebel her marschierte ein anderer Soldat, ein Russe. Der Feldwebel blickte auf Damski hinunter und fragte mit einem breiten Grinsen: »Na, wohin wollen wir denn so ganz allein?« Sie sahen sich einen Augenblick an, und Damski wußte, daß der Feldwebel ihn durch-

1 Es ist mir nicht gelungen, den fanatischen Hauptmann ausfindig zu machen, der den Bunker zu halten versuchte, aber Häger glaubt, daß er Gundlach hieß und daß der andere Offizier ein Oberleutnant Lutke war. Im Laufe des Tages traf Häger seinen vermißten Freund Saxler wieder – er arbeitete ebenfalls an den Hindernissen. Noch am selben Abend wurden sie nach England gebracht, und sechs Tage darauf landeten Häger und weitere einhundertfünfzig Deutsche auf dem Weg in ein kanadisches Kriegsgefangenenlager in New York.

schaut hatte. Immer noch grinsend, sagte der Feldwebel: »Sie kommen wohl besser mit uns!« Damski war nicht überrascht. Als sie losmarschierten, sagte er sich erbittert, daß er nie besonders viel Glück gehabt habe und daß sich daran auch weiterhin offensichtlich nichts ändern sollte.

Sechzehn Kilometer entfernt, in der Gegend von Caën, überlegte sich Soldat Wilhelm Voigt von einer motorisierten Funkhorcheinheit ebenfalls, wie er sich ergeben konnte. Voigt hatte siebzehn Jahre in Chicago gelebt, war aber nicht amerikanischer Staatsbürger geworden. 1939 war seine Frau zu Besuch in Deutschland gewesen und hatte sich ihrer kranken Mutter wegen gezwungen gesehen, dort zu bleiben. 1940 hatte Voigt sich gegen den Rat seiner Freunde aufgemacht, sie nach Hause zu holen. Da er das im Krieg befindliche Deutschland auf normalem Wege nicht erreichen konnte, reiste er auf vielen Umwegen quer über den Pazifik nach Japan, dann nach Wladiwostok und mit der Transsibirischen Eisenbahn nach Moskau. Von dort war er über Polen nach Deutschland gelangt. Die Reise hatte fast vier Monate gedauert – und als Voigt einmal die Grenze überschritten hatte, konnte er nicht mehr zurück. Er und seine Frau saßen fest. Nun hörte er zum erstenmal seit vier Jahren wieder amerikanische Stimmen in seinem Kopfhörer. Seit Stunden überlegte er, was er sagen sollte, wenn er die ersten amerikanischen Truppen sah. Er würde ihnen entgegenlaufen und rufen: »He, Jungs, ich bin aus Chicago!« Aber seine Einheit lag zu weit zurück. Fast die ganze Welt hatte er umreist, um nach Chicago zurückzukehren – und nun konnte er nichts anderes tun, als in seinem Funkwagen sitzen und sich die nur wenige Kilometer entfernten Stimmen anhören, die für ihn zu Hause bedeuteten[1].

1 Voigt ist bis heute nicht zurückgekehrt. Er lebt immer noch in Deutschland und arbeitet für die Luftverkehrsgesellschaft PAA.

Hinter dem Landeabschnitt »Omaha« lag Major Werner Pluskat in einem Graben und rang nach Luft. Er war beinahe nicht wiederzuerkennen. Er hatte seinen Stahlhelm verloren. Seine Uniform hing in Fetzen. Sein Gesicht war zerschrammt und blutverschmiert. Seit über anderthalb Stunden – seitdem er seinen Bunker bei Ste.-Honorine verlassen hatte, um zu seinem Gefechtsstand zurückzukehren – kroch er durch ein brennendes, von Einschlägen durchschütteltes Niemandsland. Dutzende von Jabos flogen knapp hinter dem Steilufer hin und her und griffen alles an, was sich bewegte, und die Granaten der Schiffsgeschütze pflügten den Abschnitt um. Pluskat hatte seinen Volkswagen als brennendes, völlig zerschlagenes Wrack irgendwo stehenlassen. Qualm stieg über brennenden Hecken und Grasflächen auf. An verschiedenen Stellen war Pluskat auf Gräben voller toter Soldaten gestoßen, die von der Schiffsartillerie oder einem der erbarmungslos herabstoßenden Jabos hingemäht worden waren. Zuerst hatte er versucht zu laufen, aber sofort hatten sich die Jabos auf ihn gestürzt. Wieder und wieder hatten sie ihn angeflogen. Nun kroch Pluskat nur noch. Er schätzte, daß er erst etwa anderthalb Kilometer zurückgelegt hatte und noch fast fünf Kilometer von seinem Gefechtsstand in Etreham entfernt war. Mühsam arbeitete er sich vorwärts. Vor sich sah er einen Bauernhof. Er beschloß, aus dem Graben die rund zwanzig Meter zu dem Haus hinüberzurennen, wenn er mit ihm auf einer Höhe war, und um einen Schluck Wasser zu bitten. Als er näher kam, sah er zu seinem Erstaunen zwei französische Frauen seelenruhig in der offenen Tür sitzen, als könne ihnen Artillerie und Jabos nichts anhaben. Sie blickten zu ihm herüber, und eine von ihnen rief unter gehässigem Lachen: »C'est terrible, n'est-ce pas?« (»Schrecklich, was?«) Pluskat kroch an dem Haus vorbei. Das Lachen klang ihm in den Ohren. In diesem Augenblick haßte er die Franzosen, die Normannen und den ganzen dreckigen, stinkenden Krieg.

Unteroffizier Anton Wünsch vom 6. Fallschirmjägerregiment sah einen Fallschirm hoch oben in den Ästen eines Baumes hängen. Er war blau, und an ihm pendelte ein großer Segeltuchbehälter. In einiger Entfernung hörte man heftiges Gewehr- und MG-Feuer, aber bis jetzt hatten Wünsch und sein Granatwerfertrupp noch nichts vom Feind gesehen. Seit drei Stunden waren sie auf dem Marsch, und nun lagen sie in einem kleinen Wald über Carentan, etwa sechzehn Kilometer südwestlich des Landeabschnitts »Utah«.

Gefreiter Richter blickte zu dem Fallschirm auf. »Gehört den Amis«, sagte er. »Wahrscheinlich Munition drin.« Soldat Fritz Wendt hingegen glaubte, der Behälter könne Verpflegung enthalten. »Mein Gott, hab' ich einen Hunger!« stöhnte er. Wünsch befahl ihnen, im Graben liegenzubleiben, während er auf Erkundung ausging. Es könne eine Falle sein; vielleicht würde man sie aus dem Hinterhalt abschießen, wenn sie den Behälter herunterzuholen versuchten; oder der Behälter könne explodieren.

Wünsch erkundete vorsichtig das Gelände vor ihnen. Überzeugt, daß die Luft rein war, band er dann zwei Handgranaten an den Stamm des Baumes und zog ab. Krachend kippte der Baum um, und mit ihm kam der Fallschirmbehälter herunter. Wünsch wartete einen Augenblick, aber allem Anschein nach hatte niemand die Explosion bemerkt. Er winkte seine Gruppe heran. »Jetzt wollen wir mal sehen, was die Amis uns geschickt haben!« rief er.

Fritz sprang mit seinem Messer hinzu und schlitzte das Segeltuch auf. »Du meine Güte!« rief er. »Verpflegung! Alles Verpflegung!«

In der nächsten halben Stunde genossen die sieben

kampferprobten Fallschirmjäger ihr Leben wie noch nie. Sie fanden Büchsen mit Ananas und Apfelsinensaft, Schachteln mit Schokolade und Zigaretten und eine reiche Auswahl an Lebensmitteln, die sie schon seit Jahren nicht mehr gesehen hatten. Fridolin stopfte sich voll. Er schüttete sich sogar Nescafé in den Hals und versuchte, ihn mit Büchsenmilch hinunterzuspülen. »Ich weiß nicht, was es ist«, sagte er. »Aber es schmeckt fantastisch.«

Schließlich entschied Wünsch – trotz Fridolins Protest –, daß sie sich nun »besser aufmachten und den Krieg suchten«. Bis oben hin voll, alle Zigaretten, die sie tragen konnten, in den fast aus den Nähten platzenden Taschen, verließen Wünsch und seine Männer den Wald und rückten in einer Reihe hintereinander auf den Gefechtslärm in der Ferne vor. Wenige Minuten später fand der Krieg sie. Einer von Wünschs Leuten fiel mit einem Einschuß in der Schläfe tot hin.

»Scharfschützen!« brüllte Wünsch. Alles stürzte in Deckung. Kugeln pfiffen um sie herum.

»Da!« schrie einer der Männer und zeigte auf eine Baumgruppe zur Rechten. »Ich bin sicher, dort oben sitzt einer!«

Wünsch holte seinen Feldstecher hervor, visierte die Baumwipfel an und suchte sie sorgsam ab. Er glaubte eine leichte Bewegung der Äste in einem der Bäume zu sehen, war aber nicht ganz sicher. Eine ganze Weile hielt er das Glas auf einen Punkt gerichtet; dann sah er, wie das Laubwerk sich wieder bewegte. Nach seinem Gewehr greifend, sagte er: »Nun wollen wir mal sehen, wer wen zum Narren hält!« Er schoß.

Zuerst glaubte Wünsch, er habe sein Ziel verfehlt, denn er sah den Scharfschützen am Baum herunterklettern. Wünsch zielte zum zweitenmal, diesmal auf eine Stelle am Stamm, die nicht von Zweigen oder Blättern verdeckt war. »Alter Freund«, sagte er laut, »jetzt kriegen wir dich!« Er sah die Beine des Scharfschützen auftauchen, dann seinen Rumpf. Wünsch schoß – einmal, zweimal, dreimal, rasch hintereinander. Ganz langsam kippte der Scharfschütze rückwärts aus dem Baum. Wünschs Leute jubelten auf, und dann rannten alle zu dem Toten hinüber. Sie standen da und schauten auf den ersten amerikanischen Fallschirmjäger hinunter, der ihnen begegnet war. »Er hatte dunkles Haar; er sah sehr gut aus und war sehr jung. Aus einem seiner Mundwinkel rann Blut«, erinnert sich Wünsch.

Gefreiter Richter suchte die Taschen des Toten ab und fand eine Brieftasche mit zwei Fotografien und einem Brief. Wünsch erinnert sich, daß eins der Bilder »den Soldaten neben einem Mädchen zeigte; und wir nahmen an, daß es vielleicht seine Frau war«. Das andere Bild war ein Schnappschuß »von dem Soldaten und dem Mädchen im Kreise einer Familie, vermutlich seiner Eltern und Geschwister«. Richter schickte sich an, die Fotografien und den Brief einzustecken.

Wünsch fragte ihn – »Was soll denn das?«

Richter antwortete: »Ich denke, ich schicke die Sachen nach dem Krieg an die Adresse auf dem Umschlag.«

Wünsch hielt ihn für verrückt. »Und wenn die Amis uns gefangennehmen?« fragte er. »Wenn die das da bei dir finden?« Er fuhr sich mit dem Finger über die Kehle.

»Überlaß das lieber den Sanitätern«, sagte Wünsch. »Und jetzt weg von hier!«

Während seine Männer sich in Marsch setzten, blieb Wünsch noch einen Augenblick stehen und sah den toten Amerikaner an, der schlaff und still »wie ein überfahrener Hund« dalag. Dann eilte er seinen Leuten nach.

Wenige Kilometer entfernt jagte ein deutscher Stabswagen mit schwarzweißrotem Stander über die Landstraße auf das Dorf Picauville zu. Generalleutnant Wilhelm

Falley von der 9. Luftlandedivision saß mit seinem Ordonnanzoffizier und seinem Fahrer seit fast sieben Stunden in seinem Horch – seitdem er gegen ein Uhr zu dem Planspiel nach Rennes aufgebrochen war. Zwischen drei und vier Uhr hatten das andauernde Dröhnen von Flugzeugen und die Bombeneinschläge in der Ferne den beunruhigten Falley zur Umkehr veranlaßt.

Nur noch ein paar Kilometer waren es bis zum Divisionsgefechtsstand nördlich von Picauville, da prasselte mit einemmal eine Maschinengewehrgarbe in den Wagen hinein. Die Windschutzscheibe zersplitterte, und Falleys Ordonnanzoffizier, der neben dem Fahrer saß, sackte in seinem Sitz zusammen. Mit kreischenden Reifen hin und her rutschend, kam der Horch ins Schleudern und sauste gegen eine niedrige Mauer. Beim Aufprall flogen die Türen auf, und Falley und der Fahrer wurden hinausgeschleudert. Falleys Pistole rutschte quer über die Straße. Er robbte hinter ihr her. Der arg mitgenommene Fahrer sah mehrere amerikanische Soldaten auf den Wagen zustürzen. Falley schrie: »Nicht schießen! Nicht schießen!« Aber er kroch noch näher an die Pistole heran. Ein Schuß fiel, und, eine Hand nach der Pistole ausgestreckt, brach Falley auf der Straße zusammen.

Oberleutnant Malcolm Brannen von der amerikanischen 82. Luftlandedivision blickte auf den Toten hinunter. Dann bückte er sich und hob die Mütze des Offiziers auf. In das Schweißleder war der Name »Falley« eingepreßt. Der Deutsche trug eine graugrüne Uniform mit roten Streifen an den Hosennähten. Auf seinem Uniformrock saßen schmale goldene Schulterstücke und am Kragen rote, mit goldgeflochtenem Eichenlaub geschmückte Spiegel. Ein Eisernes Kreuz hing dem Mann an einem schwarzen Band um den Hals. Ganz sicher war Brannen nicht, aber es sah ihm sehr danach aus, als ob er einen General getötet habe.

Auf dem Flugplatz in der Nähe von Lille rannten Geschwaderchef Pips Priller und Feldwebel Heinz Wodarczyk zu ihren beiden einsamen Maschinen vom Typ FW 190 hinüber.

Jagdkommando II hatte angerufen. »Priller«, hatte der Ia gesagt, »die Invasion hat angefangen. Am besten steigen Sie gleich auf!«

Priller war geplatzt: »Da haben wir den Salat! Ihr verfluchten Blödmänner! Was soll ich denn wohl mit zwei Maschinen beginnen? Wo sind meine Staffeln? Könnt ihr die zurückholen?«

Der Ia blieb völlig kühl. »Priller«, sagte er beschwichtigend, »wir wissen noch nicht genau, wo Ihre Staffeln gelandet sind, aber wir werden sie auf den Flugplatz von Poix zurückverlegen. Setzen Sie Ihr gesamtes Bodenpersonal sofort dorthin in Marsch. Inzwischen fliegen Sie selber am besten in den Invasionsraum. Machen Sie's gut, Priller!«

So gefaßt, wie sein Zorn es ihm eben erlaubte, hatte Priller geantwortet: »Würden Sie vielleicht so freundlich sein und mir sagen, wo die Invasion ist?«

Gelassen hatte der Offizier geantwortet: »Normandie, Pips – in der Gegend von Caën.«

Priller benötigte fast eine Stunde für die Vorbereitungen zur Verlegung seines Bodenpersonals. Nun waren er und Wodarczyk startbereit – startbereit, um den einzigen Tageseinsatz der Luftwaffe gegen die Invasion zu fliegen.[1]

Kurz bevor sie in ihre Maschinen kletterten, ging Pril-

1 In verschiedenen Darstellungen wird berichtet, daß Bomber vom Typ Ju 88 den Strand während der ersten Landungen angegriffen hätten. Bomber erschienen über dem Landekopf in der Nacht vom 6. zum 7. Juni, aber ich konnte nirgends einen Beleg finden, daß am Morgen des Landungstages außer Prillers Jagdeinsatz noch ein weiterer Angriff der Luftwaffe durchgeführt wurde.

ler noch einmal zu seinem Rottenkameraden hinüber. »Hör zu«, sagte er. »Wir beide sind ganz allein. Wir können es uns nicht leisten, auseinandergerissen zu werden. Tu um Gottes willen genau das, was ich tue. Flieg hinter mir her und mach mir alles nach.« Sie waren schon lange zusammen, und Priller hielt es für das beste, alle Unklarheiten zu beseitigen. »Wir fliegen allein«, sagte er, »und ich glaube nicht, daß wir wieder zurückkommen.«

Es war neun Uhr, als sie starteten (acht Uhr für Priller). Dicht über der Erde flogen sie genau nach Westen. Über Abbéville sahen sie hoch über sich die ersten alliierten Jäger. Priller bemerkte, daß sie nicht in dichtem Verband flogen, wie es eigentlich üblich war. Er dachte: Wenn ich nur ein paar Maschinen hätte – die kämen nur so heruntergepurzelt! Als sie sich Le Havre näherten, ging Priller höher, um in den Wolken Deckung zu suchen. Sie flogen ein paar Minuten weiter und stießen dann aus den Wolken heraus. Unter ihnen lag eine fantastische Flotte – Hunderte von Schiffen jeder Größe und jeden Typs, anscheinend endlos über den ganzen Kanal ausgebreitet. In steter Folge brachten Landungsboote Truppen strandwärts, und Panzer und Geräte aller Art waren auf den Strand gestreut. Der Sand war schwarz von Soldaten, und Priller konnte die weißen Rauchwolken von Explosionen am Küstensaum und dahinter sehen. Er flog in die Wolken zurück, um zu überlegen, was zu machen sei. So viele Flugzeuge waren in der Luft, so viele Schlachtschiffe vor der Küste, so viele Truppen auf dem Strand, daß sie wohl gerade für einen einzigen Anflug Zeit haben würden, bevor man sie abknallte.

Funkstille nützte nun auch nichts mehr. Geradezu ausgelassen kommentierte Priller über Kehlkopfmikrofon: »Tolle Sache! Ganz tolle Sache! Da unten ist alles zu haben – wo man nur hinsieht! Glaub mir, das ist die Invasion!« Dann sagte er: »Wodarczyk, wir gehen ran! Mach's gut!«

Sie kippten in Richtung der britischen Landeabschnitte ab und jagten in knapp fünfzig Meter Höhe mit über sechshundert Stundenkilometern auf den Strand zu. Priller hatte keine Zeit zu zielen. Er drückte einfach auf den Knopf an seinem Steuerknüppel und spürte den Rückstoß seiner Maschinengewehre und Bordkanonen. Er fegte dicht über die Köpfe der Soldaten hinweg. Entsetzte Gesichter blickten zu ihm auf.

Im Abschnitt »Sword« sah Fregattenkapitän Kieffer, Kommandeur des französischen Kommandotrupps, Priller und Wodarczyk herankommen. Er warf sich hin und ging in Deckung. Sechs deutsche Gefangene machten sich die Verwirrung zunutze und versuchten auszureißen. Kieffers Leute mähten sie prompt nieder. Auf »Juno« hörte Soldat Robert Rogge von der kanadischen 8. Infanteriebrigade das schrille Heulen der beiden Maschinen und sah sie »so tief herankommen, daß ich deutlich die Gesichter der Piloten erkennen konnte«. Mit allen anderen warf er sich lang hin; aber zu seinem Erstaunen sah er einen von den Männern »in aller Ruhe dastehen und mit seiner Maschinenpistole drauflosfeuern«. Auf dem östlichen Teil von »Omaha« verschlug es Oberleutnant zur See William J. Eisemann von der amerikanischen Kriegsmarine den Atem, als die beiden Focke-Wulfs mit hämmernden Bordkanonen auf »weniger als zwanzig Meter herunterstießen und zwischen den Sperrballons durchtauchten«. Und auf HMS *Dunbar* sah Oberheizer Robert Dowie, wie sämtliche Flakgeschütze der Flotte das Feuer auf Priller und Wodarczyk eröffneten. Die beiden Jäger flogen unversehrt hindurch, schwenkten dann landeinwärts ab und rasten in die Wolken hinein. »Deutscher hin, Deutscher her«, sagte Dowie und schüttelte ungläubig den Kopf, »viel Glück wünsch' ich euch. Ihr Kerle habt Schneid!«

IV

Überall an der normannischen Küste ging die Invasion voran. Für die im Kampfgebiet wohnenden Franzosen waren es Stunden des Chaos, des Schreckens und der freudigen Erregung. In der Umgebung von Ste.-Mère-Eglise, das nun unter schwerem Artilleriefeuer lag, sahen Fallschirmjäger der 82. Luftlandedivision Bauern in aller Ruhe auf den Feldern arbeiten, als ob nichts geschehe. Von Zeit zu Zeit brach einer von ihnen zusammen – verwundet oder tot. In der Stadt selber beobachteten Fallschirmjäger, wie ein Friseur ein Schild mit der deutschen Aufschrift »Friseur« außen an seinem Laden herunterholte und dafür eins mit dem englischen Wort »Barber« aufhängte.

In dem wenige Kilometer entfernten Küstendörfchen La Madeleine litt der verbitterte Paul Gazengel unter heftigen Schmerzen. Man hatte ihm nicht nur das Dach von seinem Kramladen und Café heruntergeschossen, er war auch selber bei dem Artilleriebeschuß verwundet worden. Und nun schleppten Soldaten der 4. Division ihn und sieben weitere Männer zum Strandabschnitt »Utah« hinunter.

»Wohin bringen Sie meinen Mann?« fragte Gazengels Frau den befehlführenden jungen Oberleutnant.

Der Offizier erwiderte in perfektem Französisch: »Zum Verhör, Madame. Hier können wir nicht mit ihm reden; also bringen wir ihn und die anderen Männer nach England.«

Madame Gazengel traute ihren Ohren nicht. »Nach England!« rief sie. »Warum? Was hat er denn getan?«

Der junge Offizier wurde verlegen. Geduldig wies er darauf hin, daß er lediglich einen Befehl ausführe.

»Und wenn mein Mann bei den Bombenangriffen umkommt?« fragte Madame Gazengel in Tränen.

»Das wird mit neunzigprozentiger Sicherheit nicht passieren, Madame«, erwiderte der Offizier.

Gazengel küßte seine Frau zum Abschied und wurde abgeführt. Er hatte nicht die geringste Ahnung, was hinter seiner Verhaftung steckte – und er würde es niemals herausfinden. Vierzehn Tage später würde er wieder zu Hause in der Normandie sein. Es sei »alles ein Irrtum gewesen«, würden sich die Amerikaner bei ihm entschuldigen.

Jean Marion, Abschnittführer der französischen Untergrundbewegung in dem Küstenstädtchen Grandcamp, war bitter enttäuscht. Er konnte die Flotte zu seiner Linken vor »Utah« und zu seiner Rechten vor »Omaha« sehen, und er wußte, daß Truppen landeten. Aber es schien ihm, als ob man Grandcamp vergessen habe. Den ganzen Morgen schon wartete er vergeblich auf das Anrücken von Soldaten. Aber er faßte neuen Mut, als seine Frau auf einen Zerstörer zeigte, der dem Städtchen gegenüber langsam hin und her manövrierte. »Das Geschütz!« rief Marion. »Das Geschütz, das ich gemeldet habe!« Einige Tage zuvor hatte er nach London berichtet, daß ein leichtes Feldgeschütz so auf dem Deich in Stellung gebracht worden sei, daß es nur nach links, in Richtung des Strandes, der nun »Utah« hieß, feuern könne. Nun war Marion ganz sicher, daß man seine Meldung erhalten hatte, denn er beobachtete, wie der Zerstörer mit Bedacht im toten Winkel des Geschützes Stellung bezog und zu schießen begann. Mit Tränen in den Augen sprang Marion bei jedem Abschuß hoch. »Sie haben die Meldung gekriegt!« schrie er. »Sie haben die Meldung gekriegt!« Der Zerstörer – möglicherweise die *Herndon* – schoß eine Granate nach der anderen auf das Geschütz. Plötzlich erfolgte eine heftige Explosion. Die Munition des Geschützes war in die Luft geflogen. *»Merveilleux!«* schrie Marion aufgeregt. *»Magnifique!«*

In der etwa vierundzwanzig Kilometer entfernten

Domstadt Bayeux stand Guillaume Mercader, Nachrichtenchef der Untergrundbewegung für den Raum »Omaha«, mit seiner Frau Madeleine am Fenster seines Wohnzimmers. Mercader konnte nur mit Mühe die Tränen zurückhalten. Nach vier schrecklichen Jahren schien das Gros der in der Stadt in Bürgerquartieren liegenden deutschen Truppen nun endlich abzuziehen. Mercader konnte weiter weg Geschützfeuer hören, und er ahnte, daß schwere Kämpfe im Gang sein mußten. Nun verspürte er die größte Lust, seine Widerstandskämpfer zusammenzutrommeln und die restlichen Nazis davonzujagen. Aber das Radio hatte sie angewiesen, Ruhe zu bewahren; es dürfe keinen Aufstand geben. Es war schwer, der Anweisung zu gehorchen, aber Mercader hatte Warten gelernt. »Bald sind wir frei!« sagte er zu seiner Frau.

Jeder in Bayeux schien dasselbe zu empfinden. Obwohl die Deutschen Bekanntmachungen angeschlagen hatten, die den Einwohnern befahlen, in ihren Häusern zu bleiben, hatten sich zahlreiche Menschen in aller Offenheit im Innenhof der Kathedrale versammelt, um sich von einem der Priester einen laufenden Kommentar zum Fortgang der Invasion geben zu lassen. Von seinem Aussichtspunkt konnte der Priester deutlich den Strand sehen. Die Hände als Schalltrichter um den Mund gelegt, schrie er seinen Bericht aus dem Glockenstuhl herunter.

Unter den Leuten, die von dem Priester über die Invasion ins Bild gesetzt wurden, befand sich auch Anne Marie Broeckx, die neunzehn Jahre alte Kindergärtnerin, die ihren zukünftigen Mann unter den amerikanischen Invasionstruppen finden sollte. Um sieben Uhr hatte sie sich in aller Ruhe mit ihrem Fahrrad nach dem Hof ihres Vaters bei Colleville hinter dem Landeabschnitt »Omaha« aufgemacht. Kräftig in die Pedalen tretend, war sie an deutschen Maschinengewehrstellungen und an Truppen, die zur Küste marschierten, vorbeigeradelt. Ein paar Deutsche hatten ihr zugewinkt, und einer hatte ihr geraten, vorsichtig zu sein, aber keiner hatte sie angehalten. Sie sah Jabos herabstoßen und Deutsche in Deckung gehen, aber mit im Wind flatternden Haaren, den blauen Rock wie einen Ballon um sich her, war Anne Marie weitergefahren. Sie fühlte sich ganz und gar sicher. Nicht einen Augenblick lang kam ihr der Gedanke, daß sie sich in Lebensgefahr befand.

Nur noch gut einen Kilometer hatte sie bis Colleville zurückzulegen. Niemand war auf den Straßen zu sehen. Rauchwolken zogen landeinwärts. Hier und da brannte es. Da sah das Mädchen die Ruinen mehrerer Bauernhäuser. Jetzt begann Anne Marie sich zu fürchten. Wie besessen hastete sie weiter auf ihrem Rad. Als sie die Wegkreuzung bei Colleville erreichte, wurde sie vollends von der Angst gepackt. Überall um sie her rollte der Donner der Geschütze, und die ganze Gegend schien seltsam verlassen und unbewohnt. Das Gehöft ihres Vaters lag zwischen Colleville und dem Strand. Anne Marie hielt es für besser, zu Fuß weiterzugehen. Sie schulterte ihr Fahrrad und schlug den Weg quer durch die Felder ein. Dann, als sie oben auf einer kleinen Anhöhe ankam, sah sie den Hof vor sich. Er stand noch. Sie rannte den Rest des Weges.

Zuerst glaubte Anne Marie, der Bauernhof sei geräumt worden, denn es rührte sich nichts. Sie rief nach ihren Eltern und lief eilig in den kleinen Stallhof. Im Haus waren die Fensterscheiben herausgeflogen. Ein Teil des Daches war verschwunden, und in der Tür klaffte ein gähnendes Loch. Plötzlich öffnete sich die Tür, und ihr Vater und ihre Mutter standen vor ihr. Sie umarmte beide.

»Mein liebes Kind«, sagte ihr Vater, »heute ist ein großer Tag für Frankreich.« Anne Marie brach in Tränen aus.

Kaum einen Kilometer entfernt kämpfte, von den Schrecken auf »Omaha« umgeben, der neunzehnjährige Gefreite Leo Heroux um sein Leben – der Mann, der Anne Marie heiraten würde.[1]

Während der alliierte Angriff in der Normandie wütete, saß einer der höchsten Untergrundführer des ganzen Gebiets in einem Zug kurz vor Paris und platzte fast vor Zorn. Léonard Gille, stellvertretender Chef des militärischen Geheimdienstes für die Normandie, hing schon seit über zwölf Stunden in dem Zug nach Paris. Die Reise schien überhaupt kein Ende zu nehmen. Sie waren durch die Nacht gekrochen, hatten auf jedem Bahnhof gehalten. Die Ironie des Schicksals wollte es, daß der Nachrichtenchef die ersten Nachrichten über die Invasion von einem Gepäckträger erfuhr. Gille hatte keine Ahnung, an welcher Stelle in der Normandie der Angriff erfolgt war, aber er konnte es kaum abwarten, nach Caën zurückzukehren. Es erbitterte ihn, daß nach all den Jahren harter Arbeit seine Vorgesetzten ihn ausgerechnet an diesem Tag nach Paris beordert hatten. Zu allem Unglück konnte er nicht einmal aus dem Zug aussteigen. Der nächste Halt war Paris.

Zu Hause in Caën jedoch hatte Gilles Verlobte, Janine Boitard, seit dem Eintreffen der ersten Invasionsnachrichten keine ruhige Minute gehabt. Um sieben Uhr hatte sie die beiden Flugzeugführer der RAF geweckt, die sie bei sich versteckt hielt. »Wir müssen uns beeilen«, sagte sie zu ihnen. »Ich bringe Sie auf einen Bauernhof in Gavrus, das ist ein Dorf etwa zwölf Kilometer von hier.«

1 Anne Marie gehört zu den Kriegsbräuten, die nicht in den Vereinigten Staaten leben. Sie und Leo Heroux wohnen jetzt noch da, wo sie sich am 8. Juni zum erstenmal begegneten – auf dem Hof der Familie Broeckx bei Colleville hinter dem Landeabschnitt Omaha«. Sie haben drei Kinder, und Heroux betreibt eine Fahrschule.

Die beiden Briten vernahmen ihr Marschziel mit Bestürzung. Die Freiheit war nur noch sechzehn kurze Kilometer entfernt, und sie sollten sich weiter ins Landesinnere zurückziehen! Gavrus lag südwestlich von Caën. Einer der beiden Briten, Oberstleutnant der Luftwaffe K. T. Lofts, wollte es riskieren, nach Norden zu marschieren, um mit den eigenen Truppen zusammenzutreffen.

»Sie müssen Geduld haben«, mahnte Janine. »Das ganze Gebiet von hier bis zur Küste wimmelt von Deutschen. Es ist sicherer, wenn Sie noch warten.«

Kurz nach sieben machten sie sich mit Fahrrädern auf den Weg, die beiden Engländer in derber Bauernkleidung. Die Fahrt verlief ohne Zwischenfälle. Zwar wurden sie mehrmals von deutschen Patrouillen angehalten, aber ihre gefälschten Ausweispapiere hielten der Nachprüfung stand, und sie durften passieren. In Gavrus war Janines Aufgabe beendet. Wieder hatte sie zwei Flieger ein Stück weiter nach Hause gebracht. Janine hätte die beiden noch gerne weiterbefördert, aber sie mußte nach Caën zurückkehren – um auf den nächsten abgeschossenen Piloten zu warten, der auf dem von der Untergrundbewegung organisierten Fluchtweg weitergereicht wurde, und um für den Augenblick der Befreiung gerüstet zu sein, der, wie sie wußte, nun nicht mehr fern war. Sie winkte den englischen Fliegern noch einmal zu, schwang sich auf ihr Fahrrad und radelte los.

Im Gefängnis von Caën hörte Madame Amélie Lechevalier, die damit rechnete, wegen ihres Anteils bei der Rettung alliierter Piloten hingerichtet zu werden, ein Flüstern, als der Blechteller mit ihrem Frühstück unter der Zellentür hindurchgeschoben wurde. »Nicht die Hoffnung verlieren!« sagte eine Stimme. »Die Engländer sind gelandet!« Madame Lechevalier begann zu beten. Sie überlegte, ob ihr Mann Louis, der in einer benachbarten Zelle saß, die Nachricht wohl auch gehört hatte. Die ganze Nacht hindurch hatte sie Explosionen vernommen, aber sie hatte geglaubt, es handele sich um einen der üblichen alliierten Bombenangriffe. Nun hatten sie doch noch eine Chance. Vielleicht würden sie gerettet, ehe es zu spät war.

Plötzlich hörte Madame Lechevalier Bewegung auf dem Korridor. Sie kniete nieder, beugte sich zu dem Spalt unter der Tür hinunter und horchte. Sie hörte Rufen und das Wort »Raus! Raus!« Dann folgte Fußgetrampel, die Zellentüren schlugen zu, und alles war wieder still. Wenige Minuten später hörte sie irgendwo draußen vor dem Gefängnis anhaltendes Maschinengewehrfeuer.

Die Gestapo-Wärter waren kopflos geworden. Unmittelbar nach Eingang der ersten Meldung über die Landung hatte man auf dem Gefängnishof zwei Maschinengewehre aufgebaut. In Gruppen zu jeweils zehn Mann wurden die männlichen Gefangenen herausgeholt, an die Wand geführt und erschossen. Die Männer wurden der verschiedensten Vergehen bezichtigt – manche zu Recht, andere zu Unrecht. Es waren Guy de Saint Pol und René Loslier, Bauern; Pierre Audige, Zahnarzt; Maurice Primault, Ladengehilfe; Oberst a. D. Antoine de Touchet; Anatole Lelièvre, Stadtsekretär; Georges Thomine, Fischer; Pierre Menochet, Polizist; Maurice Dutacq, Achille Boutrois, Joseph Picquenot und sein Sohn, Eisenbahnarbeiter; Albert Anne; Désiré Lemière; Roger Veillat; Robert Boulard – insgesamt zweiundneunzig, von denen nur vierzig der französischen Untergrundbewegung angehörten. An diesem Tag, dem Tag, an dem die große Befreiung begann, wurden diese Männer ohne Erklärung, ohne Verhör, ohne Verhandlung und ohne Urteil hingeschlachtet. Unter ihnen war auch Madame Lechevaliers Mann Louis. – Das Schießen draußen dauerte eine ganze Stunde an. In ihrer Zelle fragte sich Madame Lechevalier vergeblich, was wohl der Grund sein mochte.

V

In England war es 9 Uhr 30. Die ganze Nacht hindurch war Eisenhower in seinem Wohnwagen hin und her gegangen und hatte auf die Nachrichten gewartet. Er hatte versucht, sich in gewohnter Manier bei der Lektüre von Wildwestromanen zu entspannen, aber es wollte ihm nicht gelingen. Dann trafen die ersten Meldungen ein. Sie waren lückenhaft, aber sie waren gut. Eisenhowers Luftwaffen- und Marinebefehlshaber waren mehr als zufrieden mit dem Fortgang des Angriffs, und in allen fünf Strandabschnitten hatten die Truppen das Ufer erreicht. »Overlord« ließ sich gut an. Wohl war der Landekopf noch sehr eng, aber die Meldung, die Eisenhower vierundzwanzig Stunden zuvor in aller Stille niedergeschrieben hatte, brauchte er nicht zu veröffentlichen. Für den Fall, daß die Landung der Truppen fehlschlagen sollte, hatte er sich notiert: »Unsere Landungen im Raum Cherbourg-Le-Havre haben nicht in zufriedenstellendem Ausmaß Fuß fassen können, und ich habe die Truppen daher zurückgezogen. Meine Entscheidung, zu diesem Zeitpunkt an dieser Stelle anzugreifen, gründete auf der bestverfügbaren Information. Heer, Luftwaffe und Marine haben geleistet, was Tapferkeit und treue Pflichterfüllung nur immer zu leisten vermögen. Sollte irgendein Fehler bei dem Landeversuch unterlaufen sein, so trage ich allein die Verantwortung.«

In der Gewißheit, daß an allen Abschnitten die Invasion gelungen war, hatte Eisenhower die Veröffentlichung einer sehr viel anders lautenden Mitteilung genehmigt. Um 9 Uhr 33 gab sein Presseoffizier, Oberst Ernest Dupuy, über die Rundfunkstationen der ganzen Welt bekannt: »Unter dem Befehl General Eisenhowers begannen Seestreitkräfte, unterstützt von starken Verbänden der Luftwaffe, heute morgen mit der Landung alliierter Truppen an der Küste Nordfrankreichs.«

Dies war der Augenblick, auf den die freie Welt gewartet hatte – und nun, da er gekommen war, nahmen die Menschen mit Erleichterung, Freude und ängstlicher Besorgnis zugleich davon Kenntnis. »Endlich«, hieß es im Leitartikel der Londoner *Times* zum Tag der Landung, »ist der Bann gebrochen.«

Die meisten Engländer hörten die Nachricht während der Arbeit. In manchen Rüstungsbetrieben wurde die Meldung über die Lautsprecheranlage verlesen, und Männer und Frauen traten von ihren Werkbänken zurück und sangen die Nationalhymne – »God save the King«. In den Dörfern öffneten die Kirchen ihre Türen. In den Vorortzügen redeten Menschen miteinander, die sich völlig fremd waren. Auf den Straßen der Städte gingen Zivilisten auf amerikanische Soldaten zu und schüttelten ihnen die Hand. Kleine Gruppen standen an Straßenecken und beobachteten den dichtesten Luftverkehr, den man in England jemals gesehen hatte.

Naomi Coles Honour, Oberleutnant im weiblichen Marinekorps, die Frau des Kommandanten des Zwergunterseeboots X 23, hörte die Nachricht und wußte sofort, wo ihr Mann war. Wenig später rief einer der Führungsoffiziere aus dem Marine-Hauptquartier an: »George ist wohlauf, aber Sie können sich nicht vorstellen, was er durchgemacht hat!« Naomi konnte sich all das später erzählen lassen. Im Augenblick war nur eins wichtig: daß er zurückkam.

Die Mutter des achtzehnjährigen Obermatrosen Ronald Northwood vom Flaggschiff *Scylla* war so aufgeregt, daß sie zu ihrer Nachbarin Mrs. Spurdgeon hinüberlief, um ihr zu sagen: »Mein Ron muß dabeisein!« Mrs. Spurdgeon wollte nicht zurückstehen. Sie hatte »einen Verwandten auf der *Warspite*«, und sie war ganz sicher, daß auch er dabei war. (Die gleiche Unterhaltung fand mit geringen Variationen überall in England statt.)

Grace Gale, die Frau des Soldaten John Gale, der mit

der ersten Welle im Abschnitt »Sword« gelandet war, badete gerade das jüngste ihrer drei Kinder, als sie die Nachricht von der Invasion hörte. Sie versuchte, ihre Tränen zurückzuhalten, aber es gelang ihr nicht – sie war überzeugt, daß ihr Mann in Frankreich kämpfte. »Lieber Gott«, flüsterte sie, »mach, daß er zurückkommt.« Dann bat sie ihre Tochter Evelyn, den Radioapparat auszuschalten. »Wir können doch Vati nicht im Stich lassen, indem wir uns hinsetzen und uns ängstigen«, sagte sie.

In der Kirchenstille der Westminster-Bank von Bridgeport in der Grafschaft Dorset war Audrey Duckworth stark beschäftigt, sie hörte von dem Sturm auf die Normandie erst sehr viel später am Tag. Und es war gut so. Ihr Mann, der amerikanische Hauptmann Edmund Duckworth von der 1. Division, war bei der Landung auf »Omaha« gefallen. Sie hatten vor fünf Tagen geheiratet.

Auf dem Weg zum Hauptquartier Eisenhowers in Portsmouth hörte Generalleutnant Sir Frederick Morgan den Ansager der BBC eine Sondermeldung ankündigen. Morgan ließ seinen Fahrer den Wagen anhalten. Er stellte den Radioapparat lauter ein – und dann hörte der Mann, der den ursprünglichen Invasionsplan entworfen hatte, die Nachricht von dem Angriff.

In den meisten Teilen der Vereinigten Staaten traf die Meldung mitten in der Nacht ein. An der Ostküste war es 3 Uhr 33, an der Westküste 0 Uhr 33. Die meisten Menschen schliefen, aber unter den ersten, die von der Landung hörten, waren die Tausende von Nachtschichtarbeitern – die Männer und Frauen, die mitgeholfen hatten, die bei der Invasion eingesetzten Geschütze, Panzer, Schiffe und Flugzeuge zu bauen. Überall in den rastlos produzierenden großen Rüstungswerken wurde die Arbeit für einen kurzen Augenblick feierlichen Gedenkens unterbrochen. Auf einer Werft in Brooklyn knieten unter dem grellen Licht der

Bogenlampen Hunderte von Frauen und Männern auf den Decks halbfertiger Liberty-Schiffe nieder und beteten das Vaterunser.

Von Küste zu Küste wurde überall in den schlafenden Städten und Dörfern Licht eingeschaltet. In stille Straßen drang mit einemmal der Lärm lautaufgedrehter Radioapparate. Die Menschen weckten ihre Nachbarn, um ihnen die Nachricht weiterzugeben, und so viele riefen ihre Freunde und Verwandten an, daß die Telefonvermittlungen blockiert waren. In Coffeyville im Staate Kansas knieten Männer und Frauen auf der Veranda ihrer Häuser nieder und beteten. In einem Zug zwischen Washington und New York bat man einen Geistlichen, aus dem Stegreif einen Gottesdienst abzuhalten. In Marietta im Staate Georgia strömten die Einwohner in Massen um vier Uhr morgens in die Kirchen. In Philadelphia läutete die Freiheitsglocke, und überall im traditionsreichen Virginia, dem Heimatstaat der 29. Division, dröhnten Kirchenglocken durch die Nacht wie in den Tagen der Revolution. In dem kleinen Städtchen Bedford in Virginia (3800 Einwohner) war die Nachricht von ganz besonderer Bedeutung. Fast jeder hatte einen Sohn, Bruder, Liebsten oder Mann bei der 29. In Bedford wußte man noch nicht, daß all diese Männer auf »Omaha« gelandet waren. Von den sechsundvierzig Bedfordern im 116. Regiment würden nur dreiundzwanzig nach Hause zurückkehren.

Lois Hoffman, Fähnrich im weiblichen Marinekorps, die Frau des Kommandanten der *Corry*, tat Dienst im Marinestützpunkt Norfolk, Virginia, als sie von der Landung erfuhr. Von Zeit zu Zeit hatte sie sich mit Hilfe von Freunden im Kommandoraum über den Standort des Zerstörers ihres Mannes informiert. Die Invasionsnachricht hatte für sie keine persönliche Bedeutung. Sie glaubte immer noch, ihr Mann fahre Geleitschutz für einen Geleitzug mit Kriegsgerät im Nordatlantik.

In San Francisco machte Mrs. Lucille M. Schultz, Krankenschwester im Veteranenhospital Fort Miley, Nachtdienst, als die erste Durchsage eintraf. Sie wäre gerne am Apparat sitzen geblieben, denn sie hoffte, man werde die 82. Luftlandedivision erwähnen. Sie vermutete stark, daß die Division beim Angriff dabei war. Aber sie fürchtete auch, das Radio könne ihren herzkranken Patienten, einen Veteranen des Ersten Weltkrieges, zu sehr aufregen. Er wollte die Nachrichten hören. »Ich wünsche, ich wäre dabei!« sagte er. »Sie haben Ihren Krieg gehabt«, erwiderte Schwester Lucille und schaltete den Apparat aus. Im Dunkeln betete sie, leise vor sich hin weinend, einen Rosenkranz nach dem anderen für ihren einundzwanzig Jahre alten Sohn Arthur, der dem 505. Regiment besser als der Fallschirmjäger Dutch Schultz bekannt war.

In ihrem Haus auf Long Island hatte Mrs. Theodore Roosevelt sehr unruhig geschlafen. Gegen drei Uhr wurde sie wach und konnte keinen Schlaf mehr finden. Sie schaltete das Radio ein – gerade rechtzeitig für die offizielle Bekanntgabe der Landung. Wie sie ihren Mann kannte, würde er sich irgendwo im dichtesten Kampfgetümmel aufhalten. Sie wußte jedoch nicht, daß sie wahrscheinlich die einzige Frau in Amerika war, die ihren Mann auf »Utah« und einen Sohn – den fünfundzwanzigjährigen Hauptmann Quentin Roosevelt von der 1. Division – im Abschnitt »Omaha« hatte. Im Bett sitzend, schloß sie die Augen und betete ein altes, wohlvertrautes Familiengebet. »O Herr, stehe uns heute bei ... bis die Schatten länger werden und die Nacht hereinbricht.«

Im Kriegsgefangenenlager Stalag 17B bei Krems in Österreich löste die Nachricht einen kaum zu bändigenden Jubel aus. Soldaten der amerikanischen Luftwaffe hatten die begeisternde Durchsage mit winzigen selbstgebastelten Kristalldetektoren empfangen, von denen einige so gebaut waren, daß sie in Zahnbürstenbehälter paßten, und andere, daß sie wie ein Bleistift aussahen. Stabsfeldwebel James Lang, der vor mehr als einem Jahr über Deutschland abgeschossen worden war, scheute sich geradezu, der Nachricht Glauben zu schenken. Der »Nachrichtenabhörausschuß« des Lagers warnte die viertausend POW vor allzu großem Optimismus. »Schraubt eure Hoffnung nicht zu hoch«, rieten die Nachrichtenleute. »Wartet ab, bis wir die Meldung bestätigt oder dementiert haben.« Aber in allen Baracken hatten sich die Männer bereits hingesetzt und heimlich Karten der Normandieküste gezeichnet, in die sie den siegreichen Vorstoß der alliierten Truppen einzutragen gedachten.

Zu diesem Zeitpunkt wußten die Kriegsgefangenen mehr von der Invasion als das deutsche Volk. Bis jetzt hatte der Mann auf der Straße nichts Offizielles gehört. Der Umstand entbehrt nicht der Ironie, denn Radio Berlin war der Eisenhower-Bekanntmachung zuvorgekommen und hatte bereits drei Stunden früher als erster Sender überhaupt die alliierten Landungen gemeldet. Von 6 Uhr 30 an hatten die Deutschen eine einigermaßen ungläubige Welt mit einer steten Folge von Meldungen überschüttet. Diese Kurzwellensendungen konnten jedoch von der deutschen Öffentlichkeit nicht gehört werden. Dennoch hatten Tausende aus anderen Quellen von der Landung erfahren. Obgleich das Abhören ausländischer Sender verboten war und mit hohen Freiheitsstrafen geahndet wurde, hatten viele Deutsche schweizerische, schwedische oder spanische Sender eingeschaltet. Die Nachricht hatte sich rasch verbreitet. Manch einer, der sie hörte, war skeptisch. Andere jedoch, insbesondere Frauen, deren Männer in der Normandie lagen, wurden von tiefer Unruhe erfaßt. Zu diesen Frauen gehörte auch Werner Pluskats Frau.

Sie hatte vorgehabt, mit einer anderen Offiziersfrau, Frau Sauer, nachmittags ins Kino zu gehen. Aber sobald sie hörte, daß die Alliierten in der Normandie gelandet sein sollten, geriet sie völlig aus der Fassung. Sofort rief sie Frau Sauer an, die ebenfalls Gerüchte von einem Angriff gehört hatte, und sagte die Kinoverabredung ab. »Ich muß wissen, was mit Werner ist«, sagte sie. »Vielleicht sehe ich ihn nie wieder!«

Frau Sauer war sehr schroff und sehr preußisch. »Sie sollten sich nicht so anstellen!« fiel sie Frau Pluskat unsanft ins Wort. »Sie sollten an den Führer glauben und sich benehmen, wie es sich für die Frau eines Offiziers gehört!«

Frau Pluskat schoß zurück: »Mit Ihnen will ich nie mehr etwas zu tun haben!« Dann knallte sie den Hörer in die Gabel.

In Berchtesgaden sah es fast so aus, als hätten die Männer um Hitler auf die offizielle alliierte Bekanntmachung gewartet, bevor sie es wagten, dem Führer die Nachricht zu unterbreiten. Gegen zehn Uhr (neun Uhr nach deutscher Zeit) rief Hitlers Marinesachverständiger, Admiral Karl Jesko von Puttkamer, in Jodls Dienststelle an und bat um die neuesten Nachrichten. Er erfuhr, daß »definitive Anzeichen für eine bedeutende Landung« vorhanden seien. Puttkamer und sein Stab sammelten alle verfügbaren Informationen und bereiteten in aller Eile eine Lagekarte vor. Dann weckte Generalmajor Rudolf Schmundt, Hitlers Adjutant, den Führer. Im Morgenrock trat er aus seinem Schlafzimmer. Ruhig hörte er sich den Bericht seines Adjutanten an und ließ dann den Chef des OKW, Generalfeldmarschall Wilhelm Keitel, und Jodl rufen. Als sie eintrafen, hatte Hitler sich angezogen und wartete erregt.

Die nun folgende Lagebesprechung verlief, wie von Puttkamer sich erinnert, »außerordentlich bewegt«. Die Nachrichten waren dürftig, aber aufgrund der eingegangenen Informationen war Hitler überzeugt, daß es sich nicht um die Hauptinvasion handele, und diese

Ansicht wiederholte er immer wieder. Die Besprechung dauerte nur ein paar Minuten und endete abrupt, als Hitler – wie Jodl später berichtete – ihn und Keitel plötzlich anschrie: »Nun, ist das die Invasion oder ist sie das nicht?« und auf dem Absatz kehrtmachte und den Raum verließ.

Die Freigabe der OKW-Panzerreserven, die von Rundstedt so überaus dringend benötigte, wurde nicht einmal erwähnt.

Um 10 Uhr 15 klingelte das Telefon im Hause des Feldmarschalls Erwin Rommel in Herrlingen. Sein Chef des Stabes, Generalleutnant Hans Speidel, rief an. Grund des Anrufs: der erste umfassende Lagebericht über die Invasion.[1] Rommel hörte zu und war aufs tiefste bestürzt.

Das war kein »Überfall vom Typ Dieppe«. Rommels sehr geschulter Instinkt, der ihn selten in seinem Leben im Stich gelassen hatte, sagte ihm, daß dies der Tag war, auf den er gewartet hatte – von dem er gesagt hatte, er werde »der längste Tag« sein. Rommel wartete geduldig, bis Speidel mit seinem Bericht fertig war, dann erwiderte er ruhig, ohne jede Bewegung in der Stimme: »Wie dumm von mir! Wie dumm von mir!«

* Generalleutnant Speidel hat mir gesagt, er habe Rommel »gegen sechs Uhr über eine Privatleitung« angerufen. Dasselbe berichtet er in seinem Buch »Invasion 1944«. Aber Generalleutnant Speidel ist bei seinen Zeitangaben mancher Irrtum unterlaufen. Zum Beispiel steht in seinem Buch, der Generalfeldmarschall habe La Roche Guyon am 5. Juni verlassen – nicht am 4. Juni, wie Hauptmann Hellmuth Lang und Oberst Hans Georg von Tempelhoff mitgeteilt haben und wie es im Kriegstagebuch der Heeresgruppe B verzeichnet steht. Am Tage der Landung ist nur ein Ferngespräch mit Rommel in das Kriegstagebuch eingetragen worden: der Anruf um 10 Uhr 15. Die Eintragung lautet: »Speidel unterrichtet Feldmarschall Rommel telefonisch von der Lage, Oberbefehlshaber Heeresgruppe B wird heute ins Hauptquartier zurückkehren.«

Er ging vom Telefon weg, und Frau Rommel sah, daß »der Anruf ihn verwandelt hatte. Eine schreckliche Gespanntheit war in seinem Gesicht.« Innerhalb der nächsten fünfundvierzig Minuten rief Rommel zweimal seinen Ordonnanzoffizier Hauptmann Hellmuth Lang in dessen Wohnung in Schwäbisch-Gmünd an. Jedesmal teilte er Lang einen anderen Zeitpunkt für die Rückkehr nach La Roche Guyon mit. Schon das allein beunruhigte Lang; Unentschlossenheit war sonst nicht Rommels Art. »Er machte einen deprimierten Eindruck am Telefon«, erinnert sich Lang, »und auch das war sonst nicht seine Art.« Die Abfahrtszeit wurde schließlich festgesetzt. »Wir brechen Punkt dreizehn Uhr von Freudenstadt auf«, sagte Rommel zu seinem Adjutanten. Lang legte den Hörer auf. Er sagte sich, daß Rommel die Abfahrt wahrscheinlich verschoben habe, weil er mit Hitler sprechen wolle. Er wußte nicht, daß in Berchtesgaden außer Hitlers Adjutanten, Generalmajor Schmundt, niemand auch nur Kenntnis davon hatte, daß sich Rommel in Deutschland befand.

VI

Auf dem Landestrand »Utah« ging das sporadische Heulen deutscher 8,8-cm-Geschütze in dem Dröhnen der Laster, Panzer, Halbkettenfahrzeuge und Jeeps unter. Es war der Lärm des Sieges. Die 4. Division stieß rascher landeinwärts vor, als irgend jemand erwartet hatte.

Am Ausgang 2., dem einzigen offenen, vom Strand ins Inland führenden Damm, standen zwei Männer und lenkten den Verkehrsstrom. Beide waren Generale. Auf der einen Seite der Straße stand Generalmajor Raymond O. Barton, der Kommandeur der 4. Division, auf der anderen der jungenhaft übermütige Brigadegeneral

Teddy Roosevelt. Als Major Gerden Johnson vom 12. Infanterieregiment näher kam, sah er Roosevelt »am Rand der staubigen Straße auf und ab stapfen, wobei er sich auf seinen Stock stützte und seine Pfeife fast ebenso gelassen rauchte, als stehe er mitten auf dem Times Square«! Roosevelt entdeckte Johnson und brüllte: »He, Johnny! Immer der Straße lang! Alles in bester Ordnung! Großartiger Tag für die Jagd, was?« Es war ein triumphaler Augenblick für Roosevelt. Seine Entscheidung, die 4. Division zweitausend Meter von der geplanten Ausbootungsstelle an Land zu bringen, hätte zu einer Katastrophe führen können. Nun sah er zu, wie die langen Kolonnen von Fahrzeugen und Truppen landeinwärts marschierten, und er verspürte eine gewaltige persönliche Genugtuung.[1]

Aber Barton und Roosevelt verbargen hinter ihrer scheinbaren Sorglosigkeit eine gemeinsame Befürchtung: Falls es nicht gelang, das Vorrücken zügig zu halten, würde die 4. Division von einem entschlossenen deutschen Gegenangriff gestoppt werden können. Wieder und wieder entwirrten die beiden Generale Verkehrsverstopfungen. Festgefahrene Lastkraftwagen wurden rücksichtslos von der Straße geschoben. Hier und dort drohten brennende Fahrzeuge, Opfer feindlicher Granaten, den Vormarsch aufzuhalten. Panzer kippten sie in das angesumpfte Gelände neben der Straße, durch das Truppen landeinwärts zogen. Gegen elf Uhr erreichte Barton die gute Nachricht, daß der etwa anderthalb Kilometer entfernte Damm drei offen sei. Um den Druck zu vermindern, ließ Barton sofort seine

1 Für sein Verhalten bei der Landung auf »Utah« erhielt Roosevelt die höchste amerikanische Tapferkeitsauszeichnung. Am 12. Juli bestätigte Eisenhower seine Ernennung zum Kommandierenden General der 90. Division. Roosevelt erfuhr die Ernennung nicht mehr. Er starb am selben Abend an einem Herzschlag.

Panzer in Richtung des neugeöffneten Ausgangs davonrollen. Die 4. Division rollte. Sie eilte auf die Vereinigung mit den hart bedrängten Fallschirmjägern zu.

Als es dann soweit war, ging das Zusammentreffen ohne viel Aufhebens vor sich – vereinzelte Männer begegneten einander an unerwartetem Ort und oft unter komischen oder bewegten Begleitumständen. Unteroffizier Louis Merlano von der 101. war vielleicht der erste Luftlandesoldat, der Männern der 4. Division begegnete. Mit zwei anderen Fallschirmjägern hatte sich Merlano, der zwischen den Strandhindernissen oberhalb des ursprünglichen Abschnitts »Utah« gelandet war, fast drei Kilometer an der Küste entlang durchgeschlagen. Er war müde, dreckig und schwer mitgenommen, als er auf Soldaten der 4. Division stieß. Er starrte sie einen Augenblick an und fragte dann gereizt: »Wo habt ihr euch denn rumgetrieben?«

Feldwebel Thomas Bruff von der 101. Division beobachtete einen Späher der 4. Division, der in der Nähe von Pouppeville vom Damm herunterkam. »Er trug sein Gewehr, als gehe er auf Eichhörnchenjagd.« Der Späher blickte den abgekämpften Bruff an. »Wo ist der Krieg?« fragte er. Bruff, der über zwölf Kilometer von seiner Absprungzone entfernt gelandet war und die ganze Nacht mit einem kleinen Truppenverband unter dem Befehl von Generalmajor Maxwell Taylor gekämpft hatte, knurrte: »Überall von hier aus nach hinten. Nur weiter, Kumpel, wirst ihn schon finden!«

In der Nähe von Audouville-la-Hubert marschierte Hauptmann Thomas Mulvey von der 101. eilig auf einem Feldweg zur Küste hinunter. »Plötzlich tauchte aus einem Gebüsch etwa siebzig Meter voraus ein Soldat mit einem Gewehr auf.« Beide Männer gingen schleunigst in Deckung. Vorsichtig kamen sie wieder hoch, Gewehr entsichert, und starrten sich stumm und aufmerksam an. Der andere verlangte von Mulvey, er möge sein Gewehr wegwerfen und mit erhobenen Armen vorkommen. Mulvey forderte den Fremden auf, dasselbe zu tun. »Dies ging einige Male hin und her«, berichtet Mulvey, »und keiner von uns beiden gab einen Fingerbreit nach.« Schließlich erhob sich Mulvey, da er sehen konnte, daß der andere ein amerikanischer Soldat war. Die beiden trafen mitten auf dem Weg zusammen, schüttelten sich die Hand und hieben sich auf die Schulter.

In Ste.-Marie-du-Mont sah der Bäcker Pierre Caldron Fallschirmjäger hoch oben im Kirchturm mit einer großen orangefarbenen Erkennungstafel winken. Wenige Minuten später marschierte eine lange Reihe Männer, einer hinter dem andern, die Straße herunter. Als die 4. Division durch den Ort zog, hob Caldron seinen kleinen Sohn auf die Schultern. Der Junge hatte sich noch nicht ganz erholt von seiner Mandeloperation am Tage zuvor, aber Caldron wollte nicht, daß sein Sohn diesen Anblick versäumte. Plötzlich begann der Bäcker zu weinen. Ein untersetzter amerikanischer Soldat grinste zu Caldron hinüber und rief: *»Vive la France!«* Caldron nickte lächelnd zur Antwort. Zu sprechen traute er sich noch nicht.

Aus dem Raum »Utah« ergoß sich die 4. Division landeinwärts. Ihre Verluste am Tag der Landung waren leicht: 197 Ausfälle, davon sechzig auf See. Schwere Kämpfe standen der 4. in den nächsten Wochen bevor, aber der Tag gehörte ihr. Am Abend würden 22000 Mann und 1800 Fahrzeuge gelandet sein. Zusammen mit den Fallschirmjägern hatte die 4. Division den ersten großen amerikanischen Landekopf in Frankreich geschaffen.

Erbittert kämpften sich die Männer Fußbreit um Fußbreit vom »blutigen Omaha« landeinwärts. Von See her bot der Strand ein unglaubliches Bild wüster Zerstörung. Die Lage war so kritisch, daß General Omar Bradley an Bord der *Augusta* um die Mittagszeit die Evakuierung seiner Truppen und die Umleitung der nachfolgenden Landeverbände nach »Utah« und den britischen Abschnitten zu erwägen begann. Aber während Bradley mit dem Entschluß rang, kämpften sich die Männer aus dem Chaos von »Omaha« vorwärts.

Auf »Hundegrün« und »Hundeweiß« ging mit langen Schritten ein mürrischer einundfünfzigjähriger General mit Namen Norman Cota im Geschoßhagel auf und ab, fuchtelte mit seiner Pistole in der Luft herum und schrie die Männer an, schleunigst vom Strand zu verschwinden. An dem ansteigenden Ufer, hinter der Deichmauer und in dem groben Strandgras am Fuß der Steilhänge kauerten die Männer Schulter an Schulter, spähten zu dem General hinüber und wollten es einfach nicht glauben, daß der Mann aufrecht stehen und am Leben bleiben konnte.

Eine Gruppe von *Rangers* lag dicht aneinandergedrängt in der Nähe des Ausgangs bei Vierville. »Los, den andern voran, *Rangers!*« rief Cota. Die ersten Männer standen auf. Weiter den Strand hinunter war ein mit TNT beladener Bulldozer stehengeblieben. Das war genau das, was man brauchte, um die Panzersperrmauer am Ausgang nach Vierville in die Luft zu sprengen. »Wer fährt das Ding?« donnerte Cota. Niemand antwortete. Die Leute schienen wie gelähmt von dem erbarmungslosen Beschuß, der auf den Strand niederging. Cota wurde heftig. »Hat denn keiner Mumm genug, den verdammten Schlitten zu fahren?« brüllte er.

Ein rothaariger Soldat stand langsam auf und ging unter größter Vorsicht zu dem General hinüber. »Ich fahre«, sagte er.

Cota schlug ihm auf den Rücken. »So ist's recht«, sagte der General. »Und nun runter vom Strand!« Ohne sich noch einmal umzusehen, stapfte er weiter. Hinter ihm kam Bewegung in die Männer.

Das Vorbild wirkte. Schon vom Augenblick seiner Landung an war Brigadegeneral Cota, der stellvertretende Kommandeur der 29. Division, den Männern Vorbild gewesen. Er hatte die rechte Hälfte des Angriffsabschnitts der 29. übernommen, Oberst Charles D. Canham, Kommandeur des 116. Regiments, die linke. Mit einem blutigen Taschentuch um eine Wunde am Handgelenk war Canham zwischen den Toten, Sterbenden und den völlig Benommenen umhergegangen und hatte eine Gruppe von Männern nach der anderen zum Weiterstürmen gedrängt. »Die bringen uns hier um«, sagte er. »Los, wir gehen ins Land hinein und lassen uns da umbringen!« Gefreiter Charles Ferguson hob verblüfft den Kopf, als der Oberst an ihm vorbeiging. »Wer ist denn bloß dieser Hundesohn?« fragte er, und dann standen er und die anderen Männer um ihn her auf und gingen in Richtung der Steilhänge vor.

In der Hälfte der 1. Division auf »Omaha« erholten sich die kampferprobten Soldaten, die schon bei Salerno und auf Sizilien dabeigewesen waren, schneller von ihrem Schock. Feldwebel Raymond Strojny sammelte seine Männer und führte sie durch ein Minenfeld die Böschung hinauf. Oben angekommen, knackte er einen Bunker mit einem Raketenwerfer von der Art einer Panzerfaust. Strojny hatte »allmählich die Wut gepackt«. Hundert Meter weiter war Feldwebel Philip Streczyk es ebenfalls satt, im feindlichen Feuer festzuliegen. Einige Soldaten erzählten, daß Streczyk nahe daran war, die Männer mit Fußtritten vom Strand weg und die verminten Hänge hinaufzutreiben, wo er eine Bresche durch das Drahtverhau des Gegners legte. Eine Weile danach begegnete Hauptmann Edward Wozenski dem Feldwebel auf einem den Hang herunterführenden Pfad. Mit Entsetzen sah Wozenski Streczyk auf eine Tellermine treten. Streczyk meinte gelassen: »Als ich beim Raufgehen drauftrat, ist sie auch nicht losgegangen, Herr Hauptmann!«

Ohne das den Strand abkämmende Artillerie- und Maschinengewehrfeuer zu beachten, streifte der Kommandeur des 16. Regiments, Oberst George A. Taylor, im Abschnitt der 1. Division auf und ab. »Nur zweierlei Leute bleiben hier auf dem Strand«, brüllte er, »die Toten und die, die es noch erwischt. Also nichts wie weg von hier!«

Überall brachten unerschrockene Führer, ob einfache Soldaten oder Generale, durch ihr Beispiel die Männer dazu, den Strand zu räumen und weiter vorzustürmen. Und nachdem die Truppen einmal in Gang gekommen waren, konnte sie nichts mehr aufhalten. Unterfeldwebel William Wiedefeld stieg über die Leichen von einem guten Dutzend seiner Kameraden und kletterte dann mit zusammengebissenen Zähnen durch die Minenfelder die Uferböschung hinauf. Leutnant Donald Anderson, dem eine Wunde zu schaffen machte – eine Kugel traf ihn im Nacken und drang zum Mund wieder hinaus –, stellte fest, daß er »mit einemmal den Mut fand, aufzuspringen, und in diesem Augenblick wurde aus dem Rekruten, der ich vor dem Kampf war, ein alter Soldat«. Feldwebel Bill Courtney vom 2. *Rangers*-Bataillon erklomm eine Anhöhe und brüllte zu seiner Gruppe hinunter: »Alles raufkommen! Die Hunde sind erledigt!« Sofort bellte zu seiner Linken ein Maschinengewehr los. Courtney drehte sich blitzschnell um, warf ein paar Handgranaten und brüllte dann von neuem: »Los, rauf mit euch! Jetzt *sind* die Hunde erledigt!«

Während die Truppen allmählich Land gewannen, rammten sich vereinzelte Sturmboote zwischen den Hindernissen hindurch und preschten bis hoch auf den Strand selber vor. Die Steuerleute anderer Boote sahen, daß es klappte, und machten es nach. Einige Zerstörer, die den Vorstoß unterstützen sollten, fuhren so nahe an das Ufer heran, daß sie Gefahr liefen, auf Grund zu laufen, und nahmen feindliche Befestigungen in den Steilhängen unter direkten Beschuß. Unter diesem Feuerschutz machten sich die Pioniere daran, mit der Räumung der Hindernisse fertig zu werden, die sie vor fast sieben Stunden begonnen hatten. Überall auf »Omaha« wurde der tote Punkt überwunden.

Jetzt, wo die Männer sahen, daß es weiterging, machten Furcht und Niedergeschlagenheit einem übermächtigen Zorn Platz. Am Rand der Uferböschung bei Vierville entdeckten *Ranger*-Gefreiter Carl Weast und sein Kompanieführer Hauptmann George Whittington ein mit drei Deutschen besetztes Maschinengewehrnest. Weast und der Hauptmann schlichen vorsichtig um die Stellung herum. Plötzlich wandte sich einer der Deutschen um, sah die beiden Amerikaner und schrie: »Bitte! Bitte! Bitte!« Whittington schoß und tötete alle drei. Zu Weast gewandt, sagte er: »Ich möchte wissen, was ›bitte‹ heißt.«

Den Schreckensstrand »Omaha« hinter sich lassend, drangen die Truppen ins Hinterland vor. Um 13 Uhr 30 würde General Bradley die Meldung erhalten: »Anfänglich auf ›Leicht Rot‹, ›Leicht Grün‹ und ›Fuchsrot‹ niedergehaltene Truppen nun im Vorgehen über Anhöhen hinter der Küste.« Am Ende des Tages würden die Männer der 1. und 29. Division etwa anderthalb Kilometer landeinwärts stehen. Der Preis für Omaha: schätzungsweise zweitausendfünfhundert Tote, Verwundete und Vermißte.

VII

Es war dreizehn Uhr, als Major Werner Pluskat auf seinem Gefechtsstand in Etreham eintraf. Die Erscheinung, die zur Tür hereinkam, hatte nur wenig Ähnlichkeit mit dem Abteilungskommandeur, den seine Offiziere kannten. Pluskat bebte wie nach einem Schlaganfall, und er brachte nichts anderes heraus als: »Kognak! Kognak!« Als der Kognak gebracht wurde, zitterte seine Hand so heftig, daß er das Glas nur mit Mühe zum Mund führen konnte.

Einer seiner Offiziere verkündete: »Herr Major, die Amerikaner sind gelandet.« Pluskat starrte ihn nur an und winkte ihm, abzutreten. Sein Stab scharte sich um ihn. Ein Problem war es, das die Offiziere vor allem beschäftigte: Die Batterien, berichteten sie Pluskat, würden bald ohne Munition sein. Die Angelegenheit war dem Regiment gemeldet worden, und Oberstleutnant Ocker hatte versichert, daß Nachschub unterwegs sei. Aber bisher war nichts eingetroffen. Pluskat rief Ocker an.

»Mein lieber Plus«, kam Ockers sorglose Stimme aus dem Hörer, »leben Sie denn noch?«

Pluskat überging die Frage. »Was ist mit der Munition?« fragte er ohne alle Umschweife.

»Sie ist unterwegs«, erwiderte Ocker.

Die Ruhe des Oberstleutnants machte Pluskat verrückt. »Unterwegs!« schrie er. »Wann sie ankommt, möchte ich wissen! Ihr da oben scheint keinen Dunst zu haben, wie es hier aussieht!«

Zehn Minuten später wurde Pluskat ans Telefon gerufen. »Ich hab' schlechte Nachrichten für Sie«, sagte Ocker. »Gerade wurde mir gemeldet, daß der Munitionstransport zusammengeschossen worden ist. Vor dem Dunkelwerden wird Sie nun wohl nichts mehr erreichen.«

Pluskat war nicht überrascht. Er wußte aus eigener bitterer Erfahrung, daß sich niemand auf den Straßen bewegen konnte. Er wußte außerdem, daß seinen Geschützen bei der gegenwärtigen Feuerdichte bei Einbruch der Nacht die Munition ausgehen würde. Nun war die Frage, wer zuerst bei den Geschützen eintreffen würde – die Munition oder die Amerikaner? Pluskat befahl seiner Einheit, sich auf Nahkampf vorzubereiten; dann wanderte er ziellos durch das Schloß. Er fühlte sich mit einemmal überflüssig und allein. Er hätte gerne gewußt, wo sein Hund Harras war.

VIII

Mittlerweile hielten die britischen Soldaten, die am Landungstag als erste im Kampf gelegen hatten, seit über dreizehn Stunden ihre Beute fest: die Brücken über die Orne und den Caën-Kanal. Obwohl Major Howards Lastenseglertrupp im Morgengrauen von weiteren Fallschirmjägern der 6. Luftlandedivision verstärkt worden war, schmolz der Kampfverband im heftigen Granatwerfer- und Infanteriefeuer ständig weiter zusammen. Howards Leute hatten mehrere leichte, vorfühlende Gegenangriffe abgeschlagen. Nun warteten die müden Fallschirmjäger in den gestürmten deutschen Stellungen zu beiden Seiten der Brücken ungeduldig und voller Sorge auf die Vereinigung mit den von See her vorstoßenden Truppen.

In seinem Schützenloch neben der Auffahrt zur Brükke über den Caën-Kanal blickte Fallschirmjäger Bill Gray noch einmal auf seine Armbanduhr. Lord Lovats Kommandos waren schon fast anderthalb Stunden überfällig. Gray überlegte, was auf dem Strand passiert sein konnte. Er glaubte nicht, daß der Kampf dort heftiger sein könne als hier an den Brücken. Er traute sich kaum, den Kopf zu heben; die Scharfschützen schienen von Minute zu Minute genauer zu schießen.

In einer Feuerpause sagte Grays Kamerad John Wilkes, der neben ihm lag, plötzlich: »Ich weiß nicht – aber ich glaube, ich höre einen Dudelsack.« Gray warf ihm einen verächtlichen Blick zu. »Du bist verrückt«, sagte er. Wenige Sekunden später drehte Wilkes sich wieder zu seinem Kameraden um. »Ich höre wirklich einen Dudelsack!« beharrte er. Nun konnte Gray ihn auch hören.

Auf der Straße kamen Lord Lovats Kommandos anmarschiert, keck in ihren grünen Baskenmützen. Bill Millin marschierte mit näselndem Dudelsack an der Spitze der Kolonne. Auf beiden Seiten hörte das Schießen mit einemmal ganz auf, denn Freund und Feind, alle sahen sich offenen Mundes das Schauspiel an. Doch die Verblüffung dauerte nicht lang. Als die Kommandos über die Brücken zogen, eröffneten die Deutschen erneut das Feuer. Bill Millin erinnert sich, daß er »nur hoffen konnte, daß ich Glück hatte und nicht getroffen wurde, denn hören konnte ich bei dem Gebrumm des Dudelsacks nichts«. Mitten auf der Brücke drehte Millin sich nach Lord Lovat um. »Er schritt aus, als spaziere er zu Hause auf seinem Gut herum«, berichtete Millin, »und er winkte mit der Hand, weiterzuspielen.«

Ohne das schwere deutsche Feuer zu beachten, rannten die Fallschirmjäger herbei, um die Kommandos zu begrüßen. Lovat entschuldigte sich, daß er sich »ein paar Minuten verspätet habe«. Für die müden Männer von der 6. Luftlandedivision war es ein bewegter Augenblick. Zwar würde es noch Stunden dauern, bis das Gros der britischen Truppen den am weitesten landeinwärts liegenden Punkt der von den Fallschirmjägern gehaltenen Verteidigungsstellung erreichte, aber die ersten Verstärkungen von See her waren eingetroffen. Als sich die grünen Baskenmützen unter die roten mischten, stieg ganz plötzlich die Kampfstimmung, und zwar beträchtlich. Der neunzehn Jahre alte Bill Gray fühlte sich »um Jahre jünger«.

IX

An diesem für Hitlers Drittes Reich schicksalhaften Tag, während Rommel in wilder Hast in die Normandie zurückraste und seine Kommandeure an der Invasionsfront verzweifelt versuchten, den Angriff der vorwärtsdrängenden Alliierten aufzuhalten, hing alles von den Panzern ab: von der unmittelbar hinter den britischen Landeabschnitten liegenden 21. Panzerdivision und den beiden von Hitler immer noch nicht freigegebenen Divisionen, der 12. SS-Panzerdivision und der Panzer-Lehrdivision.

Generalfeldmarschall Rommel blickte auf das weiße Band der vor ihm liegenden Straße und trieb seinen Fahrer zu noch größerer Eile an. »Tempo! Tempo! Tempo!« sagte er. Daniel trat den Gashebel durch, und der Wagen schoß aufheulend weiter. Sie hatten Freudenstadt vor knapp zwei Stunden verlassen, und Rommel hatte kaum ein Wort gesagt. Sein Ordonnanzoffizier, Hauptmann Lang, der auf dem Rücksitz saß, hatte den Feldmarschall noch niemals in solch gedrückter Stimmung gesehen. Lang wollte über die Landung sprechen, aber Rommel schien nichts an einer Unterhaltung zu liegen. Plötzlich drehte er sich um und blickte Lang an. »Ich hab' die ganze Zeit recht gehabt«, sagte er, »die ganze Zeit!« Dann starrte er wieder auf die Straße.

Die 21. Panzerdivision kam nicht durch Caën hindurch. Oberst Hermann von Oppeln-Bronikowski, Kommandeur des Panzerregiments der Division, fuhr in einem VW-Kübelwagen an der Kolonne auf und ab. Die Stadt war völlig verwüstet. Sie war kurz vorher bombardiert worden, und die Bomber hatten ganze Arbeit geleistet. Auf den Straßen türmten sich die Trümmer, und es schien Bronikowski, daß »die ganze Stadt auf den Beinen war und versuchte, ins Freie zu gelangen«. Die Straßen waren verstopft von Männern und Frauen auf Fahrrädern. Die Panzer kamen einfach nicht weiter. Bronikowski beschloß, sie zurückzuziehen und die Stadt zu umgehen. Er wußte, daß es Stunden dauern würde, aber es gab keine andere Möglichkeit. Und wo war das Infanterieregiment, das seinen Angriff unterstützen sollte, wenn er das Kampfgebiet erreichte?

Der neunzehnjährige Soldat Walter Hermes vom Regiment 192 der 21. Panzerdivision war noch niemals in seinem Leben so glücklich gewesen. Herrlich war das: Er führte den Angriff gegen die Engländer an! Hermes saß auf seinem Krad und knatterte vor der Vorausabteilung her. Sie marschierten auf die Küste zu, und bald würden sie mit den Panzern zusammentreffen, und dann würde die 21. die Briten ins Meer zurückjagen. Alle sagten das. In Hermes' Nähe fuhren seine Kameraden Tetzlaw, Mattusch und Schard auf ihren Motorrädern. Sie alle hatten damit gerechnet, daß die Briten schon eine ganze Weile zuvor angreifen würden, aber bisher tat sich nichts. Merkwürdig, daß sie die Panzer noch nicht eingeholt hatten. Aber Hermes sagte sich, daß sie irgendwo voraus sein mußten und wahrscheinlich bereits an der Küste zum Angriff übergegangen waren. Hermes fuhr wohlgemut weiter und führte die Vorausabteilung des Regiments genau in die zwölf Kilometer breite Lücke hinein, die die Kommandos zwischen »Juno« und »Gold« noch nicht geschlossen hatten. Diese Lücke hätten die Panzer ausnutzen können, um den britischen Landekopf weit aufzureißen und den ganzen alliierten Angriff zu bedrohen. Aber Oberst von Oppeln-Bronikowski wußte nicht das geringste von dieser Lücke.

In Paris rief Generalmajor Blumentritt, Rundstedts Stabschef, Speidel in Rommels Hauptquartier an. Das Ferngespräch von nur einem Satz wurde ordnungsgemäß ins Kriegstagebuch der Heeresgruppe B eingetragen. »OKW«, sagte Blumentritt, »hat die 12. SS und die Panzer-Lehr freigegeben.« Es war 15 Uhr 40. Beide Generale wußten, es war zu spät. Hitler und sein Führungsstab hatten die beiden Panzerdivisionen mehr als zehn Stunden festgehalten. Es bestand keine Hoffnung, daß auch nur eine von den beiden Divisionen den Invasionsraum noch an diesem entscheidenden Tag erreichen würde. Die 12. SS-Panzerdivision konnte frühestens am Morgen des 7. Juni den Landekopf erreichen. Die Panzer-Lehrdivision würde, durch dauernde Luftangriffe fast aufgerieben, sogar erst am 9. ankommen. Nur der 21. Panzerdivision blieb noch eine Chance, den Angriff abzufangen, bevor die Alliierten endgültig festen Fuß gefaßt hatten.

Kurz vor achtzehn Uhr traf Rommels Horch in Reims ein. In der Stadtkommandantur meldete Lang ein Gespräch nach La Roche Guyon an. Rommel brachte eine Viertelstunde am Telefon zu und ließ sich von seinem Chef des Stabes über die Lage berichten. Als Rommel das Dienstzimmer verließ, merkte Lang sofort, daß die Nachrichten schlecht gewesen sein mußten. Alles schwieg im Wagen. Eine ganze Weile später preßte Rommel die behandschuhte Faust in die andere Hand und sagte bitter: »Mein Freund und Gegner Montgomery!« Und noch später sagte er: »Mein Gott! Wenn die einundzwanzigste Panzer es schafft, dann können wir sie vielleicht in drei Tagen zurückwerfen.«

Nördlich von Caën gab Bronikowski den Befehl zum Angriff. Er schickte fünfunddreißig Panzer vor, die unter dem Kommando von Hauptmann Wilhelm von Gottberg die etwa sechseinhalb Kilometer hinter der

Küste liegenden Höhen von Périers nehmen sollten. Bronikowski selber würde mit weiteren fünfundzwanzig Panzern einen Stoß gegen die Hügelkette bei der rund drei Kilometer entfernten Ortschaft Biéville führen.

General Edgar Feuchtinger, Kommandeur der 21. Panzerdivision, und General Marcks, Kommandierender General des 84. Armeekorps, waren gekommen, um den Verlauf des Angriffs selber zu verfolgen. Marcks ging auf Bronikowski zu. Er sagte: »Oppeln, die Zukunft Deutschlands ruht möglicherweise auf Ihren Schultern. Wenn es Ihnen nicht gelingt, die Briten ins Meer zurückzuwerfen, haben wir den Krieg verloren.«

Bronikowski grüßte und erwiderte: »Herr General, ich werde mein möglichstes tun!«

Als sie anrollten und über die Felder ausschwärmten, wurde Bronikowski von Generalleutnant Richter, dem Kommandeur der 716. Division, angehalten. Bronikowski merkte Richter an, daß er »vor Gram fast wahnsinnig« geworden war. Tränen traten ihm in die Augen, als er zu Bronikowski sagte: »Meine Truppen sind verloren! Meine ganze Division ist erledigt!«

Bronikowski fragte: »Können wir Ihnen helfen? Wir werden alles versuchen.« Er holte seine Karte heraus und hielt sie Richter hin. »Wo sind die Stellungen Ihrer Leute? Können Sie sie mir bitte zeigen?«

Richter schüttelte nur immer wieder den Kopf. »Ich weiß es nicht«, sagte er. »Ich weiß es nicht.«

Rommel drehte sich halb um auf dem Vordersitz des Horchs und sagte zu Lang: »Hoffentlich landen sie jetzt nicht auch noch an der Mittelmeerküste.« Er schwieg einen Augenblick. »Wissen Sie, Lang«, sagte er dann nachdenklich, »wenn ich jetzt Oberbefehlshaber der alliierten Streitkräfte wäre – der Krieg wäre in vierzehn

Tagen zu Ende.« Er drehte sich wieder nach vorne und blickte geradeaus. Lang beobachtete ihn. Ihm war elend zumute. Er konnte nicht helfen. Der Horch heulte weiter durch den Abend.

Bronikowskis Panzer ratterten die Anhöhe bei Biéville hinauf. Bis jetzt waren sie auf keinen feindlichen Widerstand gestoßen. Als sich aber der erste der Panzer dem Hügelkamm näherte, bellten plötzlich in einiger Entfernung Geschütze los. Bronikowski konnte noch nicht feststellen, ob er britischen Panzern genau vor die Nase gefahren war oder ob der Beschuß von Flakgeschützen herstammte. Das Feuer war heftig und lag genau. Es schien gleichzeitig aus einem halben Dutzend verschiedener Richtungen zu kommen. Plötzlich flog Bronikowskis Führerpanzer in die Luft, ohne auch nur einen einzigen Schuß abgegeben zu haben. Zwei andere Panzer rollten mit feuernden Geschützen vor. Aber die Briten schienen nicht im geringsten beeindruckt. Und nun merkte Bronikowski auch, warum nicht: Die britischen Kanoniere waren ihm an Feuerkraft überlegen. Ihre Geschütze schienen eine unerhörte Reichweite zu haben. Bronikowskis Panzer wurden einer nach dem anderen abgeschossen. In weniger als fünfzehn Minuten verlor er sechs. Solchen Beschuß hatte er noch nie erlebt. Bronikowski blieb der Erfolg versagt. Er brach den Angriff ab und gab den Befehl zum Rückzug.

Soldat Walter Hermes verstand einfach nicht, wo die Panzer blieben. Die Vorausabteilung des Regiments 192 hatte bei Luc-sur-Mer die Küste erreicht, aber von den Panzern war nichts zu sehen. Von den Briten ebenfalls nicht, und Hermes war ein wenig enttäuscht. Der Anblick der Invasionsflotte jedoch entschädigte ihn fast. Zu seiner Linken und Rechten sah Hermes Hunderte von Schiffen und Booten in Küstennähe hin und her fahren, und etwa anderthalb Kilometer vom Ufer entfernt lagen Kriegsschiffe jeder Art. »Schön, was«, sagte Hermes zu seinem Freund Schard, »wie bei einer Parade!« Hermes und seine Freunde streckten sich ins Gras und holten ihre Zigaretten heraus. Es schien sich nichts zu tun, und niemand hatte ihnen irgendwelche Befehle erteilt.

Die Briten waren bereits auf den Höhen bei Périers in Stellung gegangen. Sie brachten Hauptmann Wilhelm von Gottbergs fünfunddreißig Panzer zum Stehen, bevor sie auf Schußweite herankommen konnten. In wenigen Minuten verlor von Gottberg zehn Panzer. Der verzögerte Befehl und der Zeitverlust bei der Umgehung Caëns hatten es den Briten ermöglicht, ihre Stellungen auf den strategisch wichtigen Höhen voll auszubauen. Gottberg verfluchte jeden, der ihm nur einfiel, in Grund und Boden. Er zog sich auf einen Waldrand in der Nähe des Dorfes Lebissey zurück. Hier befahl er seinen Besatzungen, ihre Panzer so tief einzugraben, daß nur noch der Turm herausschaute. Er war überzeugt, die Briten würden in wenigen Stunden zum Stoß gegen Caën ansetzen.

Aber zu Gottbergs Überraschung verging die Zeit, ohne daß ein Angriff erfolgte. Gegen einundzwanzig Uhr jedoch bot sich dem Hauptmann mit einemmal ein fantastischer Anblick. Zunächst hörte er langsam anschwellendes Dröhnen von Flugzeugen; dann sah er in einiger Entfernung vor der immer noch hellen Abendsonne Schwärme von Segelflugzeugen die Küste überfliegen. Dutzende zählte er, die unbeirrt im Verband hinter ihren Schleppmaschinen näher kamen. Er beobachtete, wie die Lastensegler ausgeklinkt wurden, abkippten und kurvend herabrauschten und schließlich außer Sicht irgendwo zwischen ihm und der Küste landeten. Gottberg fluchte grimmig.

Bei Biéville hatte Bronikowski seine Panzer ebenfalls

eingegraben. Am Straßentand stehend, sah er »deutsche Offiziere mit je zwanzig oder dreißig Mann, die sich auf dem Rückzug von der Front in Richtung Caën befanden«. Bronikowski begriff einfach nicht, warum die Briten nicht vorstießen. Er war der Ansicht, daß »Caën und der ganze Raum um Caën in wenigen Stunden hätte eingenommen werden können«.[1] Am Schluß einer vorbeiziehenden Kolonne erblickte Bronikowski einen Feldwebel, der in jedem Arm eine dralle Nachrichtenhelferin hielt. Sie waren »betrunken wie die Säue, ihre Gesichter waren dreckig, und sie torkelten von einer Straßenseite zur anderen«. Ohne auch nur irgend etwas in ihrer Umgebung wahrzunehmen, taumelten sie vorbei und sangen so laut sie konnten: »Deutschland, Deutschland über alles!« Bronikowski sah ihnen nach, bis sie verschwunden waren. Dann sagte er laut: »Der Krieg ist verloren.«

Rommels Horch fuhr leise brummend durch La Roche Guyon. Langsam rollte er an den kleinen Häusern vorbei, die sich zu beiden Seiten der Straße aneinanderlehnten. Der große schwarze Wagen bog von der Hauptstraße ab, passierte die sechzehn quadratisch zugeschnittenen Linden und durchfuhr das Tor zum Schloß der Herzöge von La Rochefoucauld. Als er vor dem Eingang anhielt, sprang Lang heraus und lief vor, um Generalleutnant Speidel die Rückkehr des Feldmarschalls zu melden. In der Halle hörte er Musik aus einer Wageroper. Sie kam aus dem Dienstzimmer des Chefs des Stabes. Die Musik schwoll an, als die Tür sich plötzlich öffnete und Speidel ihm entgegentrat.

1 Die Briten drangen zwar am Tage der Landung am weitesten landeinwärts vor, aber ihr Hauptkampfziel, Caën, eroberten sie nicht. Bronikowski sollte mit seinen Panzern noch sechs Wochen in Stellung liegenbleiben – bis die Stadt schließlich fiel.

Lang war betreten und bestürzt. Er vergaß einen Augenblick lang, daß er mit einem General redete, und stieß hervor: »Herr General, wie können Sie nur jetzt Opernmusik spielen!«

Speidel erwiderte lächelnd: »Mein lieber Lang, mein bißchen Musik ändert auch nichts mehr an der Invasion, oder meinen Sie etwa doch?«

Mit langen Schritten kam Rommel in seinem blaugrauen Offiziersmantel, den Marschallstab mit dem silbernen Knauf in der rechten Hand, die Halle entlang. Er ging in Speidels Dienstzimmer und stand dann mit den Händen auf dem Rücken vor der Lagekarte. Speidel schloß die Tür, und Lang, der wußte, daß diese Besprechung lange dauern würde, ging in die Offiziersmesse. Müde setzte er sich an einen der langen Tische und ließ sich von der Ordonnanz eine Tasse Kaffee bringen. In der Nähe las ein anderer Offizier die Zeitung. Er blickte auf. »Wie war die Reise?« fragte er freundlich. Lang konnte ihn nur anstarren.

Auf der Halbinsel Cotentin, in der Nähe von Ste.-Mère-Eglise, lehnte sich Soldat Dutch Schultz von der 82. Luftlandedivision gegen die Wand eines Schützenlochs und horchte auf eine Kirchenglocke, die in der Ferne elf Uhr schlug. Er konnte kaum noch die Augen aufhalten. Er rechnete sich aus, daß er nun beinahe zweiundsiebzig Stunden auf den Beinen war – seit dem Aufschub der Invasion am Abend des 4. Juni, als er sich in das Würfelspiel gestürzt hatte. Es kam ihm nun komisch vor, daß er sich solche Mühe gegeben hatte, all das gewonnene Geld wieder zu verspielen – überhaupt nichts war ihm passiert. Zu blöde, dachte Dutch. Den ganzen Tag über hatte er nicht einen einzigen Schuß abgegeben.

Hinter »Omaha« ließ sich Sanitätsunterfeldwebel Alfred Eigenberg müde und zerschlagen in einen Granattrichter am Fuße des Steilhangs fallen. Er konnte schon längst nicht mehr zählen, wie viele Verwundete er verbunden und behandelt hatte. Er war restlos erschöpft, aber bevor er einschlief, wollte er noch eins erledigen. Eigenberg fischte ein verknittertes Blatt Luftpostpapier aus seiner Brusttasche und machte sich mit Hilfe seiner Taschenlampe daran, nach Hause zu schreiben. Er kritzelte: »Irgendwo in Frankreich«, und begann dann: »Liebe Mama, lieber Papa, inzwischen habt Ihr bestimmt von der Invasion gehört. Nun, mir geht es gut.« Der neunzehnjährige Sanitäter brach ab. Er wußte nicht, was er sonst noch schreiben sollte.

Unten auf dem Strand blickte Brigadegeneral Norman Cota den abgeblendeten Schlußlichtern der Lkws nach, und er hörte die Rufe der Militärpolizisten und Strandkommandanten, die Truppen und Fahrzeuge landeinwärts dirigierten. Hier und dort brannten immer noch einige Landungsboote und leuchteten rötlich zum Nachthimmel auf. Die Brandung toste ans Ufer, und irgendwo in der Ferne hörte Cota vereinzelt das Bellen eines Maschinengewehrs. Plötzlich war Cota sehr müde. Ein Lastwagen kam auf ihn zugerumpelt, und Cota stoppte ihn mit seiner Winkflagge. Er stieg auf das Trittbrett und hielt sich mit einem Arm innen an der Tür fest. Ganz kurz blickte er zum Strand zurück, dann sagte er zu dem Fahrer: »Fahr mich den Berg hinauf, Junge!«

In Rommels Hauptquartier hörte mit allen anderen auch Lang die Unglücksbotschaft: Der Panzerangriff der 21. Division war fehlgeschlagen. Lang war äußerst deprimiert. Er fragte den Feldmarschall: »Glauben Sie, daß wir sie zurückdrängen können?«

Rommel zuckte mit den Schultern, hob die Hände und sagte: »Ich hoffe, daß wir es schaffen, Lang. Bis jetzt habe ich fast immer Erfolg gehabt.« Dann klopfte er Lang auf die Schulter. »Sie sehen müde aus«, sagte er.

»Am besten gehen Sie jetzt zu Bett. Es war ein langer Tag.« Er drehte sich um, und Lang sah ihm nach, als er den Gang hinunter zu seinem Dienstzimmer ging. Leise schloß sich die Tür hinter ihm.

Draußen in den zwei großen gepflasterten Innenhöfen rührte sich nichts. La Roche Guyon lag still da. Bald würde dieses mit deutschen Truppen am stärksten belegte französische Dorf frei sein, und frei sein würde Hitlers ganzes Europa. Von diesem Tage an sollte das Dritte Reich kaum noch ein Jahr bestehen. Vor den Toren des Schlosses erstreckte sich breit und leer die große Straße, und die Fensterläden an den rotbedachten Häusern waren geschlossen. Im Turm der St.-Samson-Kirche schlug die Glocke Mitternacht.

VERLUSTE AM TAGE DER LANDUNG

Im Laufe der Jahre sind zahllose vage, sich widersprechende Angaben über die Höhe der von den alliierten Truppen in den vierundzwanzig Stunden des Sturms erlittenen Verluste gemacht worden. Keine dieser Angaben kann als zuverlässig gelten. Sie bleiben im besten Falle Schätzungen, denn die Art des Angriffs machte es unmöglich, genaue Zahlen zu errechnen. Im allgemeinen sind sich die Militärhistoriker einig, daß die alliierten Gesamtverluste zehntausend Mann betrugen. Einige setzen sogar zwölftausend an.

Die amerikanischen Verluste werden auf 6603 geschätzt. Die Zahl stützt sich auf den Kampfbericht der amerikanischen 1. Armee, der im einzelnen folgende Angaben macht: 1465 Tote, 3184 Verwundete, 1928 Vermißte, 26 Gefangene. In dieser Zusammenstellung sind die Verluste der 82. und 101. Luftlandedivision eingeschlossen, die allein schätzungsweise 2499 Tote, Verwundete und Vermißte betrugen.

Die Kanadier hatten 946 Mann Verluste, darunter 335 Tote. Britische Zahlen sind niemals veröffentlicht worden, aber es wird geschätzt, daß die Briten mindestens 2500 bis 3000 Mann verloren. Davon entfallen auf die 6. Luftlandedivision 650 Tote, Verwundete und Vermißte.

Und wie hoch waren die deutschen Ausfälle am Tag der Landung? Niemand weiß es. Bei meinen Interviews mit höheren deutschen Offizieren wurden mir Schätzungen unterbreitet, die zwischen 4000 und 9000 lagen. Aber Ende Juni 1944 meldete Rommel, daß seine Verluste in dem ganzen Monat sich auf »28 Generale, 354 Offiziere und 250000 Mann« beliefen.

NACHWORT UND DANK

Die hauptsächlichen Quellen für dieses Buch waren ehemalige alliierte und deutsche Soldaten, die den Tag der Landung miterlebt haben, Angehörige der französischen Widerstandsbewegung und der Zivilbevölkerung – alles in allem über tausend Menschen. Freiwillig und selbstlos opferten sie von ihrer Zeit, und sie scheuten keine Mühen. Sie füllten Fragebogen aus, und nachdem die Formulare geordnet und mit denen anderer Veteranen sorgfältig verglichen worden waren, gaben sie bereitwilligst zusätzliche Auskunft. Sie beantworteten meine zahlreichen Briefe und Anfragen. Sie versorgten mich mit einer Fülle von Dokumenten und Denkwürdigkeiten – wasserfleckigen Karten, zerfetzten Tagebüchern, Kampfberichten, Dienstaufzeichnungen, Meldeblöcken, Kompanie-Namenlisten, Verlustlisten, privaten Briefen und Fotografien – und sie gewährten mir Interviews. Ich bin ihnen allen für ihren Beitrag zu allergrößtem Dank verpflichtet.

Von den ausfindig gemachten Teilnehmern an den Ereignissen des Landungstages – eine Arbeit, die fast drei Jahre in Anspruch nahm – wurden etwa siebenhundert in den Vereinigten Staaten, Kanada, Großbritannien, Frankreich und Deutschland interviewt. 383 Einzelberichte wurden in den Text dieses Buches verwoben. Aus den verschiedensten redaktionellen Gründen – hauptsächlich dem der Wiederholung – war es unmöglich, alle Berichte aufzunehmen. Das Rahmenwerk des Buches basiert jedoch auf den Informationen aller Teilnehmer und außerdem auf alliierten und deutschen Kampfberichten, Kriegstagebüchern, historischen Darstellungen oder anderen amtlichen Berichten (wie zum

Beispiel den großartigen Kampfinterviews, die Brigadegeneral S. L. A. Marshall, Militärhistoriker für den europäischen Kriegsschauplatz, während des Krieges und nach dem Krieg durchführte).

Zuvorderst möchte ich De Witt Wallace, dem Herausgeber und Verleger von *The Reader's Digest*, danken, der fast sämtliche Kosten übernahm und dadurch dieses Buch ermöglichte.

Sodann muß ich meinen Tribut zollen: dem Verteidigungsminister der Vereinigten Staaten; General Maxwell D. Taylor, bis vor kurzem Chef des Stabes des amerikanischen Heeres; Generalmajor H. P. Storke, Chef des Heeresnachrichtendienstes; Oberst G. Chesnutt, Oberstleutnant John S. Cheseboro und Oberstleutnant C. J. Owen von der Zeitschriften- und Buchabteilung des amerikanischen Heeres; Fregattenkapitän Herbert Gimpel von der Zeitschriften- und Buchabteilung der amerikanischen Kriegsmarine; Major J. Sundermann und Hauptmann W. M. Mack von der Informationsabteilung der amerikanischen Luftwaffe; Mrs. Martha Holler von der Reiseabteilung des amerikanischen Verteidigungsministeriums und den vielen Informationsbeamten, die mir in Europa und anderenorts bei jeder Gelegenheit halfen. Die Mithilfe all dieser Männer und Frauen erstreckte sich nicht nur darauf, daß sie mich bei dem Ausfindigmachen von Veteranen des Landungstages unterstützten, sondern sie öffneten mir auch überall Türen, gewährten mir die Erlaubnis, bisher noch nicht katalogisierte Dokumente einzusehen, versorgten mich mit genauen Karten, brachten mich nach Europa und zurück und bereiteten Interviews vor.

Ebenfalls dankbar anerkennen muß ich die freundliche Hilfe und Mitarbeit Dr. Kent Roberts Greenfields (bis vor kurzem Leiter der militärhistorischen Abteilung) und der Angehörigen seines Stabes – Major William F. Heinz, Mr. Israel Wice, Mr. Charles Finke und

Mr. Charles von Luttichau. Sie erlaubten mir, amtliche kriegsgeschichtliche Darstellungen und Berichte zu benutzen, und ließen es nie an Anleitung und Rat fehlen. Ich möchte hier die Mitwirkung Charles von Luttichaus erwähnen, der fast acht Monate lang seine gesamte Freizeit darauf verwandte, ganze Bündel von deutschen Dokumenten und die über alles wichtigen Kriegstagebücher zu übersetzen.

Von denen, die zu diesem Buch beigetragen haben, möchte ich den folgenden besonders danken: Feldwebel William Petty, der mit peinlicher Sorgfalt den Einsatz der *Rangers* an der Pointe du Hoc rekonstruierte; Unteroffizier Michael Kurtz von der 1. Division, Leutnant Edward Gearing und Brigadegeneral Norman Cota von der 29. für ihre lebendige Schilderung von »Omaha«; Oberst Gerden Johnson von der 4. Division für seine sorgfältige Aufstellung der von den Sturmtruppen der ersten Welle getragenen Ausrüstung; Oberst Eugene Caffey und Feldwebel Harry Brown für ihr Porträt von Brigadegeneral Theodore Roosevelt auf »Utah«; Generalmajor Raymond O. Barton, dem Kommandeur der 4. Division am Tage der Landung, für seinen Rat und die leihweise Überlassung seiner Karten und amtlichen Papiere; Brigadegeneral E. E. E. Cass, dessen britische 8. Brigade den Sturm auf »Sword« anführte, für seine ins einzelne gehenden Notizen und Dokumente und für seine freundlichen Bemühungen um die Zusammenstellung der britischen Verlustziffern; Mrs. Theodore Roosevelt für ihre oftmals erwiesene Güte, ihre wohlbedachten Vorschläge und ihre Kritik; William Walton, ehemals bei *Time* und *Life*, dem einzigen Kriegsberichterstatter, der mit der 82. Luftlandedivision absprang, dafür, daß er seine Koffer durchwühlte, um seine Aufzeichnungen zu suchen, und dann in zweitägigem Zusammensein die Atmosphäre des Angriffs von neuem erschuf; Hauptmann Daniel J. Flunder und Oberleutnant Michael Aldworth von den Kommandos des britischen 48. Marineinfanterieregiments für ihre Beschreibung der Vorgänge auf »Juno« und Dudelsackpfeifer Bill Millin von Lord Lovats Kommandos für seine emsige Suche nach der Liste von Melodien, die er am Tage der Landung spielte.

Ich möchte außerdem General Maxwell D. Taylor meinen Dank aussprechen, der bei seinem erschöpfenden Dienstplan die Zeit fand, den Luftlandeangriff der 101. Division mit mir Schritt für Schritt durchzugehen, und später die betreffenden Teile des Manuskripts auf ihre Genauigkeit überprüfte. Zwei oder drei Fassungen des Manuskripts auf Fehler durchgelesen haben auch Generalleutnant Sir Frederick Morgan, der geistige Vater des ursprünglichen Plans für »Overlord«, und Generalleutnant James M. Gavin, der den Absprung der 82. Luftlandedivision über der Normandie befehligte.

Ferner bin ich zu Dank verpflichtet General Omar N. Bradley, dessen Kommando die 1. amerikanische Armee unterstand; Generalleutnant Walter B. Smith, der Eisenhowers Chef des Stabes war; Generalleutnant J. T. Crocker, der das 1. britische Korps kommandierte, und General Sir Richard Gale, dem damaligen Kommandeur der 6. britischen Luftlandedivision. Diese Männer waren so freundlich, meine Anfragen zu beantworten, gewährten mir Interviews oder stellten mir ihre Karten und Aufzeichnungen aus dem Kriege zur Verfügung.

Auf deutscher Seite erkenne ich dankbar die Unterstützung der Bundesregierung und der zahlreichen Kriegsteilnehmerverbände an, die Teilnehmer an den Kämpfen des Landungstages ausfindig machten und Termine für Unterredungen vereinbarten.

Allen Deutschen, die mir durch ihren Beitrag halfen, schulde ich Dank, insbesondere Generaloberst Franz Halder, dem ehemaligen Chef des Generalstabes; Hauptmann Hellmuth Lang, Rommels Ordonnanzoffizier; Generalmajor Günther Blumentritt, Feldmarschall von Rundstedts Chef des Stabes; Generalleutnant Dr. Hans Speidel, Rommels Chef des Stabes; Frau Lucie-Maria Rommel und ihrem Sohn Manfred; Generalleutnant Max Pemsel, Chef des Stabes der 7. Armee; Generaloberst Hans von Salmuth, Oberbefehlshaber der 15. Armee; General von Oppeln-Bronikowski von der 21. Panzerdivision; Oberst Josef Priller vom Jagdgeschwader 26; Oberstleutnant Hellmuth Meyer von der 15. Armee und Major Werner Pluskat von der 352. Division. Sie alle und Dutzende anderer waren so freundlich, mir Interviews zu gewähren, bei denen sie Stunden damit zubrachten, verschiedene Phasen der Kampfhandlungen wiedererstehen zu lassen.

Außer den von Invasionsteilnehmern eingegangenen Auskünften wurden im Laufe der Vorarbeiten zahlreiche Werke hervorragender Historiker und Schriftsteller zu Rate gezogen. Mein Dank gilt Gordon A. Harrison, dem Verfasser des offiziellen Landungsberichtes *Cross-Channel Attack,* und Dr. Forest Pogue, der im Auftrage des amerikanischen Heeres *The Supreme Command* schrieb. Beide berieten mich und halfen mir bei der Aufklärung manch einer umstrittenen Frage. Ihre Bücher waren für mich außerordentlich wertvoll, denn durch sie erhielt ich einen Überblick über die politischen und militärischen Ereignisse, die zur Invasion führten, und ein durchgegliedertes Bild des Angriffs selber. Eine sehr große Hilfe waren auch die folgenden Bücher: *The Invasion of France and Germany* von Samuel E. Morison; *Omaha Beachhead* von Charles H. Taylor; *Utah to Cherbourg* von R. G. Ruppenthal; *Rendezvous with Destiny* von Leonard Rapport und Arthur Norwood, jr.; *Men against Fire* von Brigadegeneral S. L. A. Marshall und *The Canadian Army: 1939–1945* von Oberst C. P. Stacey. Eine Bibliografie benutzter Bücher ist im Anhang beigefügt.

Beim Aufspüren der Invasionsteilnehmer, beim Sammeln von Material und bei den abschließenden Interviews wurde ich weitgehend unterstützt von Rechercheuren, Redakteuren und Herausgebern des *Reader's Digest* in den Vereinigten Staaten, Kanada, Großbritannien, Frankreich und Deutschland. In New York arbeiteten sich Miß Frances Ward und Miß Sally Roberts unter der Anleitung der Redakteurin Gertrude Arundel durch Stöße von Dokumenten, Fragebogen und Korrespondenz und wurden irgendwie damit fertig. In London leistete Miß Joan Isaacs ähnliche Arbeit und führte außerdem noch zahlreiche Interviews durch. Mit Hilfe des kanadischen Kriegsministeriums fanden und interviewten Shane McKay vom *Reader's Digest* und Miß Nancy Vail Bashant Dutzende von kanadischen Invasionsteilnehmern. Die europäische Seite des Unternehmens war die schwierigste, und ich muß Max C. Schreiber, dem Herausgeber der deutschen *Reader's Digest*-Ausgabe »Das Beste«, für seinen Rat danken und besonders Mitherausgeber George Révay, John D. Panitza und Yvonne Fourcade vom europäischen Büro des *Reader's Digest* in Paris für ihre großartige Arbeit beim Sammeln des Materials und für ihr unermüdliches Interviewen. Mein tiefgefühlter Dank gilt ebenfalls dem leitenden Mitherausgeber des *Reader's Digest,* Hobart Lewis. Er hieß mein Vorhaben gut und machte mir immer wieder Mut in den langen Monaten der Arbeit.

Und noch vielen, vielen anderen schulde ich Dank. Um nur einige wenige zu nennen: Jerry Korn für seine fundierte Kritik und herausgeberische Mitarbeit; Don Lassen für seine vielen Briefe über die 82. Luftlandedivision; Don Brice von der Firma *Dictaphone Corporation* und David Kerr für ihre Mithilfe bei den Interviews; Oberst John Verdon von der *Army Times,* Kenneth Crouch vom *Bedford Democrat,* Dave Parsons von der Luftverkehrsgesellschaft PAA, Ted Rowe von der Firma IBM und Pat Sullivan von der Firma *General Dyna-*

mics, die mir alle durch ihre Zeitungen oder Gesellschaften beim Aufspüren von Invasionsteilnehmern geholfen haben; Suzanne Gleaves, Theodore H. White, Peter Schwed und Phyllis Jackson für ihre sorgfältige Lektüre aller Manuskriptfassungen; Lillian Lang, meiner Sekretärin; Anne Wright, die den Schriftverkehr registrierte und aussortierte und sämtliche Schreibarbeiten erledigte, und vor allem meiner lieben Frau Kathryn, die die Materialsammlung organisierte, das Material ordnete, bei der Schlußrevision des Manuskripts mithalf und mehr als sonst jemand zu diesem Buch beitrug – denn sie mußte es bei mir aushalten, als ich es schrieb.

C. R.

ÜBER DEN VERFASSER

Cornelius Ryan wurde in Dublin geboren und wuchs auch dort auf. Er ist achtunddreißig Jahre alt und schreibt seit achtzehn Jahren. Er war einer der führenden Mitarbeiter der illustrierten Wochenzeitschrift *Collier's*, bis diese im Dezember 1956 ihr Erscheinen einstellte. In den mehr als sechs Jahren seiner Mitarbeit war er für fast alle größeren Projekte der Zeitschrift verantwortlich.

1956 erhielt Ryan den Benjamin-Franklin-Preis für seine denkwürdigen Reportagen über den Untergang der *Andrea Doria* (»Fünf verzweifelte Stunden in Kabine 56« – zusammengefaßt in *Reader's Digest,* Dezember 1956) und für seinen Bericht von der Notlandung eines transpazifischen Verkehrsflugzeuges mit sechsunddreißig Passagieren auf dem Meer. Für dieselben Reportagen erhielt er außerdem eine Auszeichnung des »Overseas Press Club«, und sie erschienen 1957 unter dem Titel *One Minute to Ditch* (»Noch eine Minute bis zum Notwassern«) in Buchform.

Ryan hat in der Londoner Fleet Street gelernt, zuerst bei der Nachrichtenagentur Reuter, dann bei der Tageszeitung *Daily Telegraph.* Ab Kriegsberichter flog er vierzehn Bombereinsätze bei der 8. und 9. amerikanischen Luftflotte mit und berichtete über den Tag der Landung in der Normandie und den Vorstoß der 3. Armee General Pattons durch Frankreich und Deutschland. Im April 1945 wurde er zur Berichterstattung über die letzten Kampfhandlungen in den Fernen Osten geschickt. Nach dem Krieg berichtete er für den *Daily Telegraph* und als Informant für das Nachrichtenmagazin *Time* über die Atombombenversuche auf Bikini, über Mittelamerika, den Nahen Osten und Europa. 1947 verlegte er seinen Wohnsitz endgültig in die Vereinigten Staaten, wo man ihn einlud, der Redaktion von *Time* beizutreten. Im Juni 1950 wurde er amerikanischer Staatsangehöriger. Ryan heiratete Kathryn Ann Morgan, die jetzt Mitherausgeberin der im *Time*-Verlag erscheinenden Frauenzeitschrift *House & Home* ist.

In den achtzehn Jahren seiner schriftstellerischen Tätigkeit hat Ryan Theaterstücke, Drehbücher, Hör- und Fernsehreportagen und Features und rund sechzig größere Artikel oder Artikelserien für Zeitschriften verfaßt. *Der längste Tag* ist sein sechstes Buch.

VETERANEN DES LANDUNGSTAGES
WAS SIE HEUTE SIND

In der folgenden Liste sind Männer und Frauen, die zu diesem Buch beigetragen haben, mit ihrem Dienstrang vom Tage der Landung aufgeführt. In den Monaten seit der Zusammenstellung der Liste mag sich der Beruf des einen oder anderen geändert haben.

GROSSBRITANNIEN

Aldworth, Michael, Oblt. (Kommando, 48. Marine-Infanterie) *Werbefachmann*
Allen, Ronald H. D., Kanonier (3. Div.) *Kassierer*
Ashworth, Edward P., Obermatrose, *Ofenmann, Gießerei*
Batten, Raymond W., Soldat (6. Luftlande) *Krankenpfleger*
Baxter, Hubert V., Soldat (3. Div.) *Drucker*
Beynon, John P., Oblt. z. S., *Importkaufmann*
Capon, Sidney F., Soldat (6. Luftlande) *Maurermeister*
Cass, E. E. E., Brigadegeneral (3. Div.) *Brigadegeneral a. D.*
Colley, James S. F., Uffz. (4. Kommandos) *Beruf unbekannt*
Dale, Reginald G., Uffz. (3. Div.) *selbständig*
Dowie, Robert A., Oberheizer (H. M. S. *Dunbar*) *Turbinenwart*
Flunder, Daniel J., Hpt. (Kommando, 48. Marine-Infanterie) *Filialleiter, Dunlop Ltd.*
Ford, Leslie W., Signalgast (1. Sondereinsatzbrig.) *Beruf unbekannt*
Gale, John T. J., Soldat (3. Div.) *Postangestellter*
Gardner, Donald H., Feldw. (Kommando, 47. Marine-Infanterie) *Verwaltungsbeamter*
Gray, William J., Soldat (6. Luftlande) *Beruf unbekannt*
Gwinnett, John. Hpt. (Feldgeistlicher, 6. Luftlande) *Pastor, Tower, London*

Hollis, Stanley E. V., Kompaniefeldw. (50. Div.) *Entroster*
Honour, George B., Kapitänlt. (Kleinst-U-Boot X 23) *Bezirksverkaufsleiter, Schweppes Ltd.*
Humberstone, Henry F., Soldat (6. Luftlande) *Textilarbeiter*
Hutley, John C., Feldw. (Seglerpiloten-Reg.) *Kantinenleiter*
Jennings, Henry, Pionier (Königl. Pioniere) *Unternehmer*
Jones, Peter H., Feldw. (Marine-Infanterie, Kampfschwimmer) *Bauunternehmer*
Lacy, James Percival de, Feldw. (8. Irisches Bataillon innerhalb der 3. Kanadischen Division) *Reiseexpedient*
Leach, Geoffrey J., Soldat (50. Div.) *Laborgehilfe*
Lloyd, Desmond C., Kapitänlt. (norw. Zerstörer *Svenner*) *Direktor*
Lovell, Denis, Marine-Infanterist (4. Kommandos) *Ingenieur*
Maddison, Godfrey, Soldat (6. Luftlande) *Bergmann*
Mason, John T., Soldat (4. Kommandos) *Lehrer*
Mears, Frederick G., Uffz. (3. Kommandos) *Arbeiter, Buchungsmaschinenfabrik*
Millin, W., Dudelsackpfeifer (1. Sondereinsatzbrig.) *Krankenpfleger*
Montgomery, Sir Bernard Law, General; *Feldmarschall a. D.*
Morrisey, James F., Soldat (6. Luftlande) *Hafenarbeiter*
Mower, Alan C., Soldat (6. Luftlande) *Sicherheitsbeamter, Forschungslabor*
Murphy, John, Flieger; *Postangestellter*
Norfield, Harry T., Uffz. (3. Div.) *Kurier, Britische Admiralität*
Northwood, Ronald J., Obermatrose (H.M.S. *Scylla*) *Damenfriseur*
Norton, Gerald Ivor D., Hpt. (3. Div.) *Geschäftsführer*
Otway, Terence, Oberstlt. (6. Luftlande) *Leitender Angestellter, Zeitungsgruppe Kemsley*
Ryland, Richard, Oblt. z. S. (7. Landungsbootflottille) *Austernzüchter und Schriftsteller*
Smith, Christopher N., Soldat (27. Panzerbrig.) *Bezirksvertreter, Gasgesellschaft*
Stewart, Stanley, Soldat (4. Kommandos) *Beruf unbekannt*
Stunell, George C., Soldat (50. Div.) *Beruf unbekannt*

Tait, Harold G., Gefr. (6. Luftlande) *Lebensmittelhändler*
Tappenden, Edward, Gefr. (6. Luftlande) *Angestellter*
Taylor, John B., Kapitänlt. (Kampfschwimmer, 4. Abt.) *Tabakhändler*
Webber, John, Telegrafist, (Landungsbootflottille 200) *Optiker*
Wilson, Charles S., Soldat (50. Div.) *U-Bahn-Angestellter*
Windrum, Anthony W., Hpt. (6. Luftlande) *Beamter, Außenministerium, i. R.*

KANADA

Boon, Arthur, Kanonier (3. Kan. Div.) *Eisenbahnangestellter*
Churchill, Henry L., Soldat (1. Kan. Fallschirmjägerbataillon) *Beruf unbekannt*
Gillan, James D. M., Hpt. (3. Kan. Div.) *Kanadische Streitkräfte*
Hilborn, Richard, Oblt. (1. Kan. Fallschirmbataillon) *Möbelfabrikant*
Liggins, Percival, Soldat (1. Kan. Fallschirmbataillon) *Fallschirmrettungsspringer*
Magee, Morris H., Feldw. (3. Kan. Div.) *Kardiograph*
Webber, John L., Feldw. (86. Schwadr.) *Techniker*
Wilkins, Donald, Major (1. Kan. Fallschirmjägerbrigade) *Makler*

VEREINIGTE STAATEN

Anderson, Donald C., Lt. (29. Div.) *Flugzeugprüftechniker*
Anderson, Donald D., Feldw. (4. Div.) *Holzhändler*
Asay, Charles V., Feldw. (101. Luftlande) *Drucker*
Barton, Raymond O., Gen.-Maj. (Kommandeur, 4. Div.) *Finanzier*
Batte, James H., Oberstlt. (87. Granatwerferbataillon) *Oberst*
Beer, Robert O., Fregattenkapitän (U.S.S. *Carmick*) *Kapitän z. S.*
Blanchard, Ernest R., Gefr. (82. Luftlande) *Maschinist*

Bodet, Alan C., Uffz. (1. Div.) *Hilfskassierer*
Bombardier, Carl E., Gefr. (2. *Rangers*) *Spediteur*
Bradley, Omar N., Gen.-Lt. (Kommandeur, 1. Armee) *General a. D., Aufsichtsratsvorsitzender*
Brown, Harry, Feldw. (4. Div.) *Optiker*
Bryan, Keith, Feldw. (5. Pionier-Sonderbrig.) *Angestellter, Kriegsteilnehmerverband*
Burt, Gerald H., Uffz. (299. Pionier) *Klempner*
Caffey, Eugene M., Oberst (1. Pionier-Sonderbrig.) *Gen.-Maj. a. D., Anwalt*
Canham, Charles D. W., Oberst (29. Div.) *Generalmajor*
Cason, Lee B., Uffz. (4. Div.) *Hauptfeldw.*
Cawthon, Charles R., Hpt. (29. Div.) *Oberstleutnant*
Chance, Donald L., Stabsfeldwebel (5. *Rangers*) *Sicherheitsingenieur*
Coleman, Max D., Gefr. (5. *Rangers*) *Geistlicher*
Cota, Norman D., Brig.-Gen. (29. Div.) *Gen.-Maj. a. D., Luftschutzleiter*
Cunningham, Robert E., Hpt. (1. Division) *Fotograveur, Schriftsteller*
Dallas, Thomas S., Major (29. Div.) *Oberstleutnant*
Davis, Kenneth, S., Fregattenkapitän (U.S.S. *Bayfield*) *Kapitän z. S., Küstenschutz*
Deery, Lawrence E., Hpt. (Feldgeistlicher, 1. Div.) *Pfarrer*
Doss, Adrian R., Gefr. (101. Luftlande) *Technischer Offizier*
Dube, Noel A., Feldw. (121. Pionier) *Verwaltungsgehilfe*
Dulligan, John F., Hpt. (1. Div.) *Kriegsteilnehmerverband*
Dunn, Edward C., Oberstlt. (4. Kavallerieaufklärung) *Oberst*
Eigenberg, Alfred, Unterfeldw. (6. Pioniersonderbrig.) *Oberleutnant*
Ekman, William E., Oberstlt. (82. Luftlande) *Oberst*
Farr, H. Bartow, Oblt. z. S. (U.S.S. *Herndon*) *Anwalt*
Ferguson, Charles A., Gefr. (6. Pioniersonderbrig.) *Kalkulator*
Gavin, James M., Brig.-Gen. (82. Luftlande) *Gen.-Lt. a. D., stellvertretender Direktor*
Gearing, Edward M., Lt. (29. Div.) *Buchhalter*

Gerhardt, Charles H., Gen.-Maj. (Kommandeur, 29. Div.) *Gen.-Maj. a. D.*

Glisson, Bennie W., Funker (U.S.S. *Corry*) *Fernschreiber*

Goranson, Ralph E., Hpt. (2. *Rangers*) *Leiter der Auslandsabteilung E. F. MacDonald Co.*

Hackett, George R., Funker (17. Panzerlandungsflottille) *Vollmatrose*

Hall, John Leslie, Konteradmiral (Kommandeur, Einsatztruppe O) *Konteradmiral a. D.*

Hern, Earlstone E., Gefr. (146. Pionier) *Telegrafist*

Hoffman, George D., Korvettenkapitän (U.S.S. *Corry*) *Kapitän z. S.*

Huebner, Clarence R., Gen.-Maj. (Kommandeur, 1. Div.) *Gen.-Lt. a. D., Luftschutzleiter*

Hupfer, Clarence G., Oberstlt. (746. Panzerbataillon) *Oberst a. D.*

Janzen, Harold G., Uffz. (87. Granatwerferbataillon) *Chemigraph*

Johnson, Gerden F., Maj. (4. Div.) *Buchhalter*

Johnson, Orris H., Feldw. (70. Panzerdiv.) *Cafébesitzer*

Jones, Delbert F., Gefr. (101. Luftlande) *Pilzzüchter*

Jones, Donald N., Gefr. (4. Div.) *Friedhofswärter*

Kerchner, George F., Lt. (2. *Rangers*) *Kontrolleur, Imbißstubengesellschaft*

Kirk, Alan Goodrich, Konteradmiral (Kommandeur, Marineeinsatztruppe West) *Admiral a. D.*

Koon, Lewis Fulmer, Hpt. (Feldgeistlicher, 4. Div.) *Mitglied der Schulaufsichtsbehörde*

Krause, Edward, Oberstlt. (82. Luftlande) *Oberst a. D.*

Kurtz, Michael, Uffz. (1. Div.) *Bergmann*

Lacy, Joseph R., Oblt. (Feldgeistlicher, 2. und 5. *Rangers*) *Pfarrer*

Langley, Charles H., Bootsmannsmaat (U.S.S. *Nevada*) *Landbriefträger*

Legere, Lawrence J., Major (101. Luftlande) *Oberstleutnant*

Lillyman, Frank L., Hpt. (101. Luftlande) *Oberstleutnant*

Mann, Ray A., Gefreiter (4. Div.) *Landw. Arbeiter*

McClintock, William D., Unterfeldw. (741. Panzerbataillon) *kriegsversehrt*
McCloskey, Regis F., Feldw. (2. *Rangers*) *Stabsfeldwebel*
Merlano, Louis P., Uffz. (101. Luftlande) *Bezirksverkaufsleiter*
Mozgo, Rudolph S., Gefr. (4. Div.) *Hauptmann*
Murphy, Robert M., Soldat (82. Luftlande) *Anwalt*
O'Neill, John T., Oberstlt. (Kommandeur, Pioniersondereinsatztruppe) *Oberst*
Petty, William L., Feldw. (2. *Rangers*) *Sommerlagerleiter*
Phillips, William J., Soldat (29. Div.) *Angestellter, Elektrizitätsgesellschaft*
Piper, Robert M., Hpt. (82. Luftlande) *Oberstleutnant*
Pompei, Romeo T., Feldw. (87. Granatwerferbataillon) *Maurer*
Powell, Joseph, Offiziersstellvertreter (4. Div.) *Offiziersstellvertreter*
Putnam, Lyle B., Hpt. (82. Luftlande) *Prakt. Arzt und Chirurg*
Ridgway, Mathew B., Gen.-Maj. (Kommandeur, 82. Luftlande) *General a. D., Leiter des Direktoriums, Mellon Institute*
Riley, Francis X., Oblt. z. S. (Panzerlandungsboot 319) *Fregattenkapitän, Küstenschutz*
Rubin, Alfred, Oblt. (24. Kavallerieaufklärung) *Gastwirt*
Rudder, James E., Oberstlt. (2. *Rangers*) *stellvertretender Direktor eines Colleges*
Sampson, Francis L., Hpt. (Feldgeistlicher, 101. Luftlande) *Oberstleutnant (Feldgeistlicher)*
Sanders, Gus L., Lt. (82. Luftlande) *Leiter eines Kreditinstitutes*
Santarsiero, Charles J., Oblt. (101. Luftlande) *Beruf unbekannt*
Schneider, Max, Oberstlt. (5. *Rangers*) *Oberst (verstorben)*
Schultz, Arthur B., Gefr. (82. Luftlande) *Abwehroffizier*
Scrimshaw, Richard E., Rudergänger (15. Zerstörer) *Flugzeugmechaniker*
Silva, David E., Soldat (29. Div.) *Pfarrer*

Smith, Carroll B., Hpt. (29. Div.) *Oberstleutnant*
Steele, John M., Soldat (82. Luftlande) *Kalkulator*
Stein, Herman E., Feldw. (2. *Rangers*) *Klempner*
Stevens, Roy O., Unterfeldw. (29. Div.) *Angestellter*
Strojny, Raymond F., Feldw. (1. Div.) *amerikanische Armee*
Sweeney, William F., Kanonier (US-Küstenschutz) *Angestellter, Telefongesellschaft*
Tallerday, Jack, Oblt. (82. Luftlande) *Oberstleutnant*
Taylor, Maxwell D., Gen-Maj. (Kommandeur, 101. Luftlande) *General, Chef des Stabes a. D.; Aufsichtsratvorsitzender*
Tucker, William H., Gefr. (82. Luftlande) *Anwalt*
Vandervoort, Benjamin H., Oberstlt. (82. Luftlande) *Oberst a. D.*
Weast, Carl F., Gefr. (5. *Rangers*) *Maschinist*
Wilhelm, Frederick A., Gefr. (101. Luftlande) *Maler*
Williams, William B., Oblt. (29. Div.) *leitender Angestellter, Industrieunternehmen*
Wolfe, Edward, Gefr. (4. Div.) *stellv. Verkaufsleiter, Nähmaschinen*
Wood, George B. Hpt. (Feldgeistlicher, 82. Luftlande) *Pfarrer*
Wozenski, Edward F., Hpt. (1. Div.) *Vorarbeiter*
Young, Willard, Oblt. (82. Luftlande) *Oberstleutnant*

Frankreich

Kieffer, Philippe, Fregattenkapitän (Kommandeur, Franz. Kommandos) *NATO, Paris*

Französische Untergrundbewegung

Augé, Albert, Angestellter, Franz. Eisenbahnen, Caën
Gille, Léonard, Stellv. Chef d. milit. Geheimdienstes i. d. Normandie
Gille, Louise »Janine« Boitard, Caën, Fluchtorganisation f. alliierte Piloten

Lechevalier, Amélie, Caën, Fluchtorganisation f. alliierte Piloten

Marion, Jean, Grandcamp, Chef im Abschnitt »Omaha«

Mercader, Guillaume, Bayeux, Chef des Küstenabschnitts

DEUTSCHLAND

Blumentritt, Günther, Gen-Maj. (OB West – Chef des Stabes bei von Rundstedt) *Generalleutnant a. D.*

Düring, Ernst, Hpt. (352. Div.) *Geschäftsmann*

Feuchtinger, Edgar, Gen.-Lt. (Kommandeur, 21. Panz.-Div.) *Technischer Berater bei einem deutschen Industriekonzern*

Freyberg, Leodegard, Oberst (IIa, Heeresgruppe B) *Deutscher Soldatenbund*

Gause, Alfred, Gen.-Maj. (Rommels Chef d. Stabes bis März 44) *Historische Abteilung der amerikanischen Streitkräfte in Deutschland*

Gottberg, Wilhelm von, Hpt. (22. Regiment, 21. Panz.-Div.) *Leiter einer Autovertretung*

Häger, Josef, Gefr. (716. Div.) *Maschinist*

Halder, Franz, Gen.-Oberst (Chef des Generalstabes bis Sept. 1942) *Historische Abteilung der amerikanischen Streitkräfte in Deutschland*

Hayn, Friedrich, Major (Ic, LXXXIV. Korps) *Schriftsteller*

Hermes, Walter, Gefr. (192. Regiment, 21. Panz.-Div.) *Postbote*

Hoffmann, Heinrich, Korvettenkapitän (5. Torpedobootflottille) *Bundesverteidigungsministerium, Bundesmarine*

Hofmann, Rudolf, Gen.-Maj. (Chef des Stabes, 15. Armee) *a. D.; Berater bei der Historischen Abteilung der amerikanischen Streitkräfte in Deutschland*

Kistowski, Werner v., Oberst (Flakregiment 1, 3. Flak-Korps) *Blitzableitervertr.*

Krancke, Theodor, Admiral (Marinebefehlshaber West); *jetzt pensioniert, bis vor kurzem Hilfsarbeiter*

Lang, Hellmuth, Hpt. (Rommels Ordonnanzoffizier) *Geschäftsinhaber*

Meyer, Hellmuth, Oberstlt. (Ic 15. Armee) *Bundeswehr*
Meyer-Detring, Wilhelm, Oberst (Ic, OB West) *Ic, NATO – Alliierte Streitkräfte Mitteleuropas*
Oppeln-Bronikowski von, Hermann, Oberst (Panzerregiment 22, 21. Panz. Div.) *General a. D.; Gutsverwalter*
Pemsel, Max, Gen.-Maj. (Chef d. Stabes, 7. Armee) *Generalleutnant, Bundeswehr*
Pluskat, Werner, Major (352. Div.) *Ingenieur*
Priller, Josef, Oberst (26. Jagdgeschwader) *Brauereidirektor*
Puttkamer, Karl Jesko von, Admiral (Hitlers Marineberater) *Personalchef, Exportfirma*
Reichert, Josef, Gen.-Lt. (Kommandeur, 711. Div.) *Generalleutnant a. D.*
Richter, Wilhelm, Gen.-Lt. (Kommandeur, 716. Div.) *Generalleutnant a. D.*
Ruge, Friedr., Vizeadmiral (Rommel-Marineberater) *Inspekteur d. Bundesmarine*
Salmuth, Hans von, General (Kommandeur, 15. Armee) *General a. D.*
Schramm, Wilhelm von, Major (Kriegstagebuch) *Schriftsteller*
Speidel, Hans, Gen.-Maj. Dr. (Rommels Chef des Stabes) *Generalleutnant, NATO-Befehlshaber, Alliierte Landstreitkräfte Mitteleuropa*
Stöbe, Walter, Oberst, Prof. Dr. (Chefmeteorologe, Luftwaffe West) *Lehrer*
Warlimont, Walter, General (Stellv. Chef d. Wehrmachtführungsstabes im OKW) *General a. D.*
Zimmermann, Bodo, Gen.-Lt. (Ia, OB West) *Gen.-Lt. a. D., Verleger*

BIBLIOGRAFIE

Babington-Smith, Constance; *Air Spy*, New York, Harper & Bros., 1957.

Baldwin, Hanson W.: *Great Mistakes of the War*, New York, Harper & Bros., 1950.

Baumgartner, Oblt. John W.; DePoto, Oberfeldw. Al; Fraccio, Feldw. William; Fuller, Uffz. Sammy: *The 16th Infantry, 1789–1946*, Privatdruck.

Bird, Will R.: *No Retreating Footsteps*, Nova Scotia, Kentville Publishing Co.

Blond, Georges: *Le Débarquement, 6 Juin 1944*, Paris, Arthème Fayard, 1951.

Bradley, General Omar N.: *A Soldier's Story*, New York, Henry Holt, 1951.

Bredin, Obstlt. A. E. C.: *Three Assault Landings*, London, Gale & Polden, 1946.

Britische 1. und 6. Luftlandedivision, offizieller Bericht: *By Air to Battle*, London, His Majesty's Stationery Office, 1945.

Brown, John Mason: *Many a Watchful Night*, New York, Whittlesey House, 1944.

Butcher, Hauptmann Harry C.: *My Three Years with Eisenhower*, New York, Simon and Schuster, 1946.

Chaplin, W. W.: *The Fifty-Two Days*, Indianapolis und New York, Bobbs-Merrill, 1944.

Churchill, Winston S.: *The Second World War* (Bd. I-VI), Boston, Houghton Mifflin, 1948–1953.

Clay, Major Ewart W.: *The Path of the 50th*, London, Gale & Polden, 1950.

Colvin, Ian: *Master Spy*, New York, McGraw-Hill, 1950

Cooper, John P., jr.: *The History of the 110th Field Artillery*, Baltimore, War Records Division, Maryland Historical Society, 1953.

Crankshaw, Edward: *Gestapo*, New York, Viking Press, 1956.
Danckwerts, P. V.: *King Red and Co.*, Royal Armoured Corps Journal, Bd. 1, Juli 1945.
Dawson, W. Forrest: *Sage of the All American* (82. Luftlandedivision), Privatdruck.
Dempsey, Gen.-Lt. M. C.: *Operations of the 2nd Army in Europe*, London, Kriegsministerium, 1957.
Edwards, Fregattenkapitän Kenneth: *Operation Neptune*, London, The Albatross Ltd., 1947.
Eisenhower, Dwight D.: *Crusade in Europe*, New York, Doubleday, 1948.
Fleming, Peter: *Operation Sea Lion*, New York, Simon and Schuster, 1947.
Fuller, Gen.-Maj. J. F. C.: *The Second World War*, New York, Duell, Sloan and Pearce, 1949.
Gale, Gen.-Lt. Sir Richard: *With the 6th Airborne Division in Normandy*, London, Sampson, Lowe, Marston & Co. Ltd., 1948.
Gavin, Gen.-Lt. James M.: *Airborne Warfare*, Washington, D. C., Infantry Journal Press, 1947.
Görlitz, Walter: *The German General Staff* (Einleitung von Walter Millis), New York, Frederick A. Praeger, 1953.
Guderian, General Heinz: *Panzer Leader*, New York, E. P. Dutton, 1952.
Gunning, Hugh: *Borderers in Battle*, Berwick-on-Tweed, England, Martin and Co., 1948.
Hansen, Harold A.; Herndon, John G.; Langsdorf, William B.: *Fighting for Freedom*, Philadelphia, John C. Winston, 1947.
Harrison, Gordon A.: *Cross-Channel Attack*, Washington, D. C., Office of the Chief of Military History, Department of the Army, 1951.
Hart, B. H. Liddell: *The German Generals Talk*, New York, William Morrow, 1948.
Hart, B. H. Liddell (Herausgeber): *The Rommel Papers*, New York, Harcourt, Brace, 1953.
Hayn, Friedrich: *Die Invasion*, Heidelberg, Kurt Vowinkel Verlag, 1954.

Herval, René: *Bataille de Normandie*, Paris, Editions de Notre-Dame.

Hickey, Rev. R. M.: *The Scarlet Dawn*, Campbellton, N. B., Tribune Publishers, Ltd., 1949.

Hollister, Paul, und Strunsky, Robert (Herausgeber): *D-Day Trough Victory in Europe*, New York, Columbia Broadcasting System, 1945.

Holman, Gordon: *Stand by to Beach!* London, Hodder & Stoughton, 1944.

Jackson, Oberstleutnant G. S.: *Operations of Eighth Corps*, London, St. Clements Press, 1948.

Johnson, Franklyn A.: *One More Hill*, New York, Funk & Wagnalls, 1949.

Kanadisches Verteidigungsministerium: *Canada's Battle in Normandy*, Ottawa, King's Printer, 1946.

Karig, Fregattenkapitän Walter: *Battle Report*, New York, Farrar & Rinehart, 1946.

Lemonnier-Gruhier, François: *La Brèche de Sainte-Marie-du-Mont*, Paris, Editions Spes.

Life (Herausgeber von): *Lifes Picture History of World War II.*

Lockhart, Robert Bruce: *Comes the Reckoning*, London, Putnam, 1947.

Lockhart, Robert Bruce: *The Marines Were There*, London, Putnam, 1950.

Lowman, Major F. H.: *Dropping into Normandy*, Oxfordshire and Bucks Light Infantry Journal, Januar 1951.

McDougall, Murdoch C.: *Swiftly They Struck*, London, Odhams Press. 1954.

Madden, Hauptmann J. R.: *Ex Coelis*, Canadian Army Journal, Bd. XI, Nr. 1.

Marshall, S. L. A.: *Men against Fire*, New York, William Marrow, 1947.

Millar, Ian A. L.: *The Story of the Royal Canadian Corps*, Privatdruck.

Monks, Noel: *Eye-Witness*, London, Frederick Muller, 1955.

Montgomery, Feldmarschall Sir Bernard: *The Memoirs of Field Marshal Montgomery*, Cleveland und New York, The World Publishing Company, 1958.

Morgan, Gen.-Lt. Sir Frederick: *Overture to Overlord,* London, Hodder & Stoughton, 1950.
Morison, Samuel Eliot: *The Invasion of France and Germany,* Boston, Little, Brown, 1957.
Moorehead, Alan: *Eclipse,* New York, Coward-McCann, 1945.
Munro, Ross: *Gauntlet to Overlord,* Toronto, The Macmillan Company of Canada, 1945.
Nightingale, Oberstleutnant P. R.: *A History of the East Yorkshire Regiment,* Privatdruck.
North, John: *North-West Europe 1944–45,* London, His Majesty's Stationery Office, 1953.
Norman, Albert: *Operation Overlord,* Harrisburg, Pa., The Military Service Publishing Co., 1952.
Otway, Oberst Terence: *The Second World War, 1939–1945 – Airborne Forces,* London, Kriegsministerium, 1952.
Pawle, Gerald: *The Secret War,* New York, William Sloan, 1957.
Pogue, Forrest C.: *The Supreme Command,* Washington, D. C., Office of the Chief of Military History, Department of the Army, 1946.
Pyle, Ernie: *Brave Men,* New York, Henry Holt, 1944.
Rapport, Leonard, und Northwood, Arthur: *Rendezvous with Destiny,* Washington, D. C., Washington Infantry Journal Press, 1948.
Regimentsvereinigung d. Lastenseglerpiloten: *The Eagle* (Bd.2), London, 1954.
Ridgway, Mathew B.: *Soldier: The Memoirs of Mathew B. Ridgway,* New York, Harper & Bros., 1956.
Roberts, Derek Mills: *Clash by Night,* London, Kimber, 1956.
Ruppenthal, R. G.: *Utah to Cherbourg,* Washington, D. C., Office of the Chief of Military History, Department of the Army, 1946.
Salmond, J. B.: *The History of the 51st Highland Division, 1939-1945,* Edinburgh und London, William Blackwood & Sons, Ltd., 1953.
Saunders, Hilary St. George: *The Green Beret,* London, Michael Joseph, 1949.

Saunders, Hilary St. George: *The Red Beret,* London, Michael Joseph, 1950.

Schweppenburg, General Baron Leo Geyr von, *Invasion without Laurels,* in *An Cosantoir,* Bd. IX, Nr. 12, und Bd. X, Nr. 1, Dublin, 1949/50.

Semain, Bryan: *Commando Men,* London, Stevens & Sons, 1948.

Shulman, Milton: *Defeat in the West,* London, Secker and Warburg, 1947.

Smith, Gen. Walter Bedell (mit Stewart Beach): *Eisenhowers Six Great Decisions,* New York, Longmans, Green, 1956.

Sondereinheiten der 4. amerikanischen Division: *4th Infantry Division,* Baton Rouge, La., Army & Navy Publishing Co., 1946.

Speidel, Gen.-Lt. Dr. Hans: *Invasion 1944,* Chicago, Henry Regnery, 1950.

Stacey, Oberst C. P.: *The Canadian Army: 1939–1945,* Ottawa, King's Printer, 1948.

Stanford, Alfred: *Force Mulberry,* New York, William Morrow, 1951.

Synge, Hauptmann W. A. T.: *The Story of the Green Howards,* London, Privatdruck.

Taylor, Charles H.: *Omaha Beachhead,* Washington, D. C., Office of the Chief of Military History, Department of the Army, 1946.

Waldron, Tom, und Gleeson, James: *The Frogmen,* London, Evans Bros., 1950.

Weller, George: *The Story of the Paratroops,* New York, Random House, 1958.

Wertenbaker, Charles Christian: *Invasion!,* New York, D. Appleton-Century, 1944.

Wilmot, Chester: *The Struggle for Europe,* New York, Harper & Bros., 1952.

Young, Brig.-Gen. Desmond: *Rommel, the Desert Fox,* New York, Harper & Bros., 1950.

1. amerikanische Infanterie-Division, mit Einleitung von Hanson Baldwin; H. R. Knickerbocker, Jack Thompson, Jack Belden, Don Whitehead, A. J. Liebling, Mark Wat-

son, Cy Peterman, Jris Carpenter, Oberst R. Ernest Dupuy, Drew Middleton und ehemalige Offiziere: *Danger Forward,* Atlanta, Albert Love Enterprises, 1947.

1. amerikanische Armee, Kampfbericht, 20. Okt. 43 – Aug. 44, in *Field Artillery Journal*.

224. Fallschirmjäger-Sanitätsabteilung (Angehörige der): *Red Devils,* Privatdruck.

457. amerikanisches Flak-Bataillon: *From Texas to Teismach,* Nancy, Imprimerie A. Humblot, 1945.

DEUTSCHE MANUSKRIPTE UND ERBEUTETE DOKUMENTE

Blumentritt, Gen.-Lt. Günther: *OB West and the Normandy Campaign, 6 June – 24 July 1944,* MS. B-284; »A Study in Command«, Bd. I, II, III, MS. B-344.

Buttlar, Gen.-Maj. Horst von: *A Study in Command,* Bd. I, II, III, MS. B-672.

Criegern, Friedrich von: *84th Corps* (17. Januar – Juni 1944), MS. B-784.

Dihm, Gen.-Lt. Friedrich: *Rommel and the Atlantic Wall* (Dez. 43 – Juli 44), MSS. B-259, B-352, B-353.

Feuchtinger, Gen.-Lt. Edgar: *21st Panzer Division in Combat Against American Troops in France and Germany,* MS. A-871.

Gersdorf, Gen.-Maj. von: *A Critique of the Defense Against the Invasion,* MS. A-895; *German Defense in the Invasion,* MS. B-122.

Guderian, Gen. Heinz: *Panzer Tactics in Normandy.*

Hauser, Gen. Paul: *Seventh Army in Normandy.*

Heydte, Oberstlt. Baron Friedrich von der: *A German Parachute Regiment in Normandy,* MS. B-839.

Jodl, Gen. Alfred: *Invasion and Normandy Campaign,* MS. A-913.

Keitel, Gen.-Feldm. Wilhelm, und Jodl, Gen. Alfred: *Answers to Questions on Normandy. The Invasion,* MS. A-915.

Kriegstagebücher: Heeresgruppe B (Rommels Hauptquartier); OB West (von Rundstedts Hauptquartier); 7. Armee (und Fernsprechtagebuch); 15. Armee.

Pemsel, Gen.-Lt. Max: *Seventh Army* (Juni 42 – Juni 44), MS. B-234; *Seventh Army* (6. Juni – 29. Juli 1944), MS. B-763.

Remer, Gen.-Mai, Otto: *The 20 July '44 Plot Against Hitler; The Battle of the 716 Division in Normandy (6. Juni – 23. Juni 1944),* MS. B-621.

Rogge, Fregattenkapitän. *Part Played by the French Forces of the Interior During the Occupation of France, Before and After D-Day*, MS. B-035.

Rommel, Feldmarschall Erwin: Erbeutete Dokumente – private Aufzeichnungen, Fotografien und 40 Briefe an Frau Lucie-Maria Rommel und Sohn Manfred.

Ruge, Vizeadmiral Friedrich: *Rommel and the Atlantic Wall* (Dez. 43 – Juli 44), MSS. A-982, B-282.

Rundstedt, Gen.-Feldm. Gerd von: *A Study in Command*, Bd. I, II, III, MS. B-633.

Salmuth, General Hans von: *15th Army Operations in the Normandy*, MS B-746.

Scheidt, Wilhelm: *Hitler's Conduct of the War*, MS. ML-864.

Schlieben, Oberstlt. Karl Wilhelm von: *The German 709th Infantry Division During the Fighting in Normandy*, MS. B-845.

Schramm, Major Percy E.: *The West* (1. April 44 – 16. Dez. 44), MS. B-034; *Notes on the Execution of War Diaries*, MS. A-860.

Schweppenburg, Gen. Baron Leo Geyr von: *Panzer Group West* (Mitte 43 bis 5. Juli 44), MS. B-258.

Speidel, Gen.-Lt. Dr. Hans: *The Battle in Normandy: Rommel, His Generalship, His Ideas and His End*, MS. C-017; *A Study in Command*, Bd. I, II, III, MS. B-718.

Staubwasser, Oberstlt. Anton: *The Tactical Situation of the Enemy During the Normandy Battle*, MS. B-782; *Army Group B – Intelligence Estimate*, MS. B-675.

Warlimont, General Walter: *From the Invasion to the Siegfried Line*.

Ziegelmann, Oberstlt.: *History of the 352nd Infantry Division*, MS. B-432.

Zimmermann, Gen.-Lt. Bodo: *A Study in Command*, Bd. I, II, III, MS. B-308.

Der Verlag dankt Herrn Hellmuth Lang für seine freundliche und sachverständige Mitwirkung an der deutschen Fassung dieses Buches.

BILDNACHWEIS

U. S. Dept. of Defense [18]
Imperial Museum, London [6]
Paul Popper Photos, London [4]
Cornelius Ryan [1]
Generalleutnant James M. Gavin [1]
Hellmuth Lang [1]
Schutzumschlagfoto Centfox

PERSONEN- UND SACHREGISTER

INHALT